Éditions Druide
1435, rue Saint-Alexandre, bureau 1040
Montréal (Québec) H3A 2G4

www.editionsdruide.com

RELIEFS

Collection dirigée par
Anne-Marie Villeneuve

CHAMBRE 1002

Catalogage avant publication de Bibliothèque et Archives nationales du Québec et Bibliothèque et Archives Canada

Brouillet, Chrystine, auteure
Chambre 1002 / Chrystine Brouillet.
(Reliefs)

ISBN 978-2-89711-435-0
I. Titre. II. Collection: Reliefs.
PS8553.R684C42 2018 C843'.54 C2018-941392-1
PS9553.R684C42 2018

Direction littéraire: Anne-Marie Villeneuve
Édition: Luc Roberge et Anne-Marie Villeneuve
Assistance à l'édition: Elisanne Crevier
Révision linguistique: Lise Duquette et Line Nadeau
Assistance à la révision linguistique: Antidote 9
Maquette intérieure: Anne Tremblay
Mise en pages et versions numériques: Studio C1C4
Conception graphique de la couverture: Anne Tremblay
Illustration en page couverture: Vector Hut
Photographies de l'auteure: Maxyme G. Delisle
Vérification des recettes: Hélène Babin et Cloé Lavoie
Diffusion: Druide informatique
Relations de presse: RuGicomm

Les Éditions Druide remercient le Conseil des arts du Canada et la SODEC de leur soutien.

Gouvernement du Québec — Programme de crédit d'impôt pour l'édition de livres — Gestion SODEC.

Ce projet a été rendu possible en partie grâce au gouvernement du Canada.

Canada

ISBN PAPIER: 978-2-89711-435-0
ISBN EPUB: 978-2-89711-436-7
ISBN PDF: 978-2-89711-437-4

Éditions Druide inc.
1435, rue Saint-Alexandre, bureau 1040
Montréal (Québec) H3A 2G4
Téléphone: 514-484-4998

Dépôt légal: 3e trimestre 2018
Bibliothèque et Archives nationales du Québec
Bibliothèque et Archives Canada

www.editionsdruide.com

Imprimé au Canada

Chrystine Brouillet

CHAMBRE 1002

Roman

Druide

Pour Anne-Marie Villeneuve
qui a si bien bercé mes Muses.

1

15 juillet

Julius Rancourt fixait la roulette en serrant les dents. Il fallait que la boule s'arrête sur le 19. Le 19. Il fallait qu'il remporte la mise. Il ne pouvait en être autrement. Le 19. Il devait déjà cinq mille dollars à James Kirk. C'était à son tour de gagner ! Il le méritait ! Il crut sentir le regard du croupier sur lui, évita de tourner la tête en sa direction, refusant que l'employé du casino perçoive la tension qui l'habitait. Il tapota la poche gauche de son pantalon, vérifiant que la patte de lapin porte-bonheur y était toujours. Bien sûr qu'elle y était ! C'est lui qui l'avait mise là. Comment pouvait-il en douter ? Il lui sembla que la roue n'arrêtait pas de tourner, encore et encore, qu'elle refusait de ralentir. Pourquoi ne s'arrêtait-elle pas ? C'était insupportable ! Il avait l'impression que son cœur allait exploser. Le 19 !

: :

15 août

Hélène regardait sa silhouette dans le miroir de la boutique, étonnée mais satisfaite de ce qu'elle découvrait. Elle avait eu raison de demander à Marie de l'accompagner, se fiant au goût très sûr de cette dernière. N'avait-elle pas toujours été un modèle d'élégance pour elle, remplaçant l'image caricaturale de sa mère ? Marie avait déjà voulu l'emmener chez Ariane Carle, mais Hélène n'avait pas envie de se rendre à la boutique de cette designer, alléguant qu'elle portait son uniforme dix-huit heures sur vingt-quatre et qu'elle avait deux ou trois ensembles passe-partout qui convenaient à n'importe laquelle de ses rares sorties. Marie avait insisté. Il fallait à Hélène quelque chose de spécial pour la cérémonie de remise du prix. Une robe qui lui plairait vraiment, qui respecterait sa personnalité.

— Ariane Carle sait nous mettre en valeur. Elle t'écoutera, puis créera une tenue qui te ressemble. C'est une artiste, comme toi.

Marie avait raison, comme toujours, et son regard de contentement lorsque Hélène sortit de la cabine d'essayage était éloquent.

— Tu es magnifique !

— Tu es certaine ? fit Hélène en effleurant du doigt le fin liséré de soie claire qui bordait l'encolure de la robe que frôlaient ses cheveux argentés.

— Cette note de blanc ajoute une touche de fantaisie à tout ce noir, reprit Marie. C'est à la fois classique et moderne, un peu japonisant. Et puis le blanc te va si bien…

— Heureusement ! s'exclama Hélène.

Elle songeait à tous les uniformes de travail qu'elle avait revêtus au cours des trente dernières années, immaculés quand elle les enfilait, teintés aux poignets quand elle les mettait au lave-linge, alors qu'elle était jeune apprentie et n'arrivait pas à éviter de se tacher en versant une sauce ou des confitures dans un bocal de verre. Elle n'avait plus ce souci depuis longtemps : dès l'ouverture de son restaurant, elle avait dessiné et fait réaliser la tenue parfaite pour travailler tout en restant propre, de façon à pouvoir se promener dans la salle du Strega pour saluer ses clients. Uniforme à encolure bateau et manches trois quarts sous l'incontournable tablier qu'elle n'avait qu'à enlever avant de sortir de la cuisine. Le plus compliqué avait été de trouver le tissu adéquat, d'un blanc pur qui ne virerait pas à un gris pâle douteux après des dizaines de lavages. Un tissu qui laissait respirer la peau, mais qui ne devait pas s'avachir sous la chaleur. Un tissu dans lequel elle serait parfaitement à l'aise pour évoluer de l'immense piano aux fourneaux, de la chambre froide au vivier, de la cave au potager. Parce qu'elle continuait à se rendre au potager. Comment aurait-elle pu se priver de ce plaisir ? Elle avait appris à déléguer au fil du temps et faisait confiance aux membres de sa brigade, mais rien n'aurait pu l'empêcher d'aller elle-même vérifier si les haricots tenaient leurs promesses, si la cornue des Andes et la Green Zebra commençaient enfin à mûrir, si le capricieux cerfeuil conservait tout son éclat, si la verveine s'épanouissait. Se promener à travers les rangs de persil et de carottes l'apaisait tout en lui donnant de l'énergie. Il en avait toujours été ainsi. Que serait-elle devenue sans un potager lorsqu'elle était enfant ? Sans les betteraves, les potirons, les tomates, les choux frisés, les cerises de terre qui croissaient sous ses yeux émerveillés, ces légumes qui rendaient justice à toutes les heures qu'elle passait à remuer la terre, semer, biner, éclaircir, arroser, ces légumes qui lui disaient qu'elle était bonne à quelque chose, qu'elle n'était pas qu'un cancre qui n'arrivait à rien à l'école, à rien dans la vie ?

— Il ne nous manque que les chaussures, déclara Marie.

— Je pourrais porter mes sandales blanches.

— Non, ça te prend une chaussure élégante, avec une touche d'exotisme.

— Mais qui regardera mes pieds ? soupira Hélène. Franchement, c'est exagéré…

— Tu remportes un des prix les plus prestigieux dans ton domaine, l'interrompit Marie. Tous les médias en parleront et tu t'imagines qu'on ne remarquera pas ta tenue ?

— C'est un prix en gastronomie, pas un concours de beauté.

— Parfois, tu me décourages, fit Marie. Tu seras la reine de la soirée, ça mérite une certaine recherche, côté look.

— Je ne me ferai pas coiffer, je te le dis tout de suite. Je veux rester moi.

— Tu seras toujours toi, ma belle. Tu as mis tant d'efforts pour te créer.

Le regard de tendresse qu'elles échangèrent les ramena près de quarante ans plus tôt, alors qu'Hélène n'était qu'une adolescente de quinze ans qui détestait le collège, n'arrivant pas à se concentrer sur les équations qui remplissaient le tableau noir, à retenir les règles des participes passés, les formules chimiques ou les dates marquantes de l'histoire du Québec. À quoi pouvait bien lui servir de savoir que les Français avaient perdu la bataille des Plaines d'Abraham ou que Duplessis avait été battu en 1939 ? Pourquoi était-elle obligée de retenir les noms des douze nerfs crâniens ou ceux des capitales de l'Europe ? Et pourquoi, pourquoi, pourquoi devait-elle créer cette fichue mosaïque ? avait-elle lancé à Marie Longchamps, alors jeune enseignante en arts plastiques.

— Qu'aimerais-tu faire à la place ? avait demandé Marie qui avait perçu la note de défi dans la voix de cette élève aux cheveux d'un blond si pâle qu'ils avaient des reflets d'argent.

Des années plus tard, Marie avait confié à Hélène qu'elle l'avait remarquée dès le premier jour de classe. Elle lui rappelait les mésanges par ses mouvements vifs, sa manière de pencher la tête d'un côté puis de l'autre très rapidement comme si elle voulait, non, *devait* voir tout ce qui se passait autour d'elle, comme si elle attendait, guettait ou craignait quelque chose. Marie avait interrogé ses collègues à son sujet. Elle avait appris qu'Hélène avait de meilleurs résultats l'année précédente, même s'ils n'avaient jamais été au-dessus de la moyenne. On n'espérait guère de changement, puisque personne ne semblait motiver Hélène à la maison : elle avait une mère fantôme que le personnel enseignant n'avait rencontrée que trois fois en deux ans.

— Elle est malade ?

— Elle est bizarre, avait répondu le professeur d'histoire.

— Bizarre ? avait répété Marie.

— Oui, André a raison, avait précisé Annette Cloutier, l'enseignante de français. La dernière fois que Mme Holcomb s'est présentée au collège, elle était habillée comme si elle se rendait à une soirée. Je sais bien qu'on ne doit pas juger les gens à leurs vêtements, mais c'était étrange de voir une femme en robe courte, lamée, avec des cuissardes de suède mauves. Et elle passait son temps à jouer avec son écharpe de soie, comme si ce que je racontais l'ennuyait.

— Moi aussi, j'avais l'impression de l'embêter quand je lui parlais d'Hélène, avait avoué André Bluteau.

— Pareil pour moi, avait renchéri le professeur de mathématiques. Quand je lui disais qu'il fallait pousser Hélène à travailler davantage, Mme Holcomb acquiesçait, mais je suis certain qu'elle n'aurait pas pu répéter ce que je venais de dire. Et pour être honnête, je n'étais pas à l'aise avec elle. Elle avait une façon de me regarder, de me sourire… comme si elle essayait de me faire du charme.

— J'ai ressenti la même chose, dit le professeur d'histoire. C'était gênant.

— J'ai déjà tenté de demander à Hélène comment cela se passait chez elle, avait repris Annette Cloutier, mais je n'ai rien pu tirer d'elle. Mme Berger doit en savoir plus sur Hélène Holcomb. Quand ses parents l'ont inscrite ici, elle a bien dû les voir.

— Évidemment. M. Holcomb tenait à s'assurer que le pensionnat correspondait à ses attentes, qu'on saurait se charger d'Hélène. C'est certain que ce n'est pas lui qui peut l'éduquer, il est toujours à l'étranger.

— À l'étranger ? s'était étonnée Marie. Où ? Pourquoi ?

— Tu ne sais pas qui est Georges Holcomb ?

— Non.

— Le célèbre archéologue. Tu n'en as pas entendu parler ?

Marie avait haussé les épaules ; peut-être qu'elle avait déjà lu un article sur lui.

— Il a fait des découvertes remarquables au Liban.

— Mais je devine qu'il n'est jamais venu aux réunions de parents d'élèves, avait fait Marie que personne n'avait contredite.

Quelques jours plus tard, quand elle avait interrogé Aline Berger sur les Holcomb, la directrice lui avait répondu qu'elle ne pouvait pas s'immiscer dans les histoires de cette famille : la mère semblait peu présente et son mari encore moins, mais qu'imaginait Marie ? Irina et Georges Holcomb n'avaient pas souhaité qu'Hélène soit pensionnaire sans raison. Ils n'avaient pas envie de s'en charger à temps plein.

— C'est votre première année d'enseignement, Marie. Vous constaterez qu'on ne peut pas tout régler. Tâchez d'intéresser Hélène Holcomb à vos cours. Ce sera déjà bien.

La directrice avait fait une pause avant de soupirer :

— Remarquez, elle n'est pas la seule élève à n'attendre qu'une chose : que la cloche sonne, que les cours se terminent. Mais bon, elle n'est pas dissipée, elle n'a pas de problèmes avec les autres élèves, ni en classe ni au pensionnat. Elle est simplement trop distraite. Là encore, elle n'est pas la seule. Nos adolescentes aiment mieux rêver qu'étudier...

Marie Longchamps s'était mise à mieux observer Hélène, se demandant comment capter son attention. Aussi s'était-elle montrée souple lorsque Hélène avait démontré son peu d'intérêt pour fabriquer une mosaïque en carton. Que pouvait-elle proposer de mieux ?

— Je voudrais apprendre à dessiner au lieu de découper des petits morceaux de papier.

— Dessiner quoi ?

— Les herbes, les légumes, les fruits.

— Est-ce que tu connais Arcimboldo ?

— Je n'aime pas ce qu'il fait, c'est trop chargé. Il faut que chaque élément ait sa place, son espace pour exister. Si on tentait de faire un plat avec tout ce qu'il y a dans un tableau, ça donnerait une ratatouille immonde.

Marie avait acquiescé en souriant : se pouvait-il qu'elle ait parmi ses élèves une adolescente qui s'intéresse – même légèrement – à l'art ?

— Tu dois préférer Pierre-Joseph Redouté.

Hélène l'avait dévisagée durant quelques secondes avant de sourire à son tour. Effectivement, elle appréciait le travail de Redouté, mais elle aurait souhaité qu'il ait dessiné plus de fruits et moins de fleurs.

— Les fleurs sont des fruits au départ, l'avait taquinée Marie.

— J'aime le parfum des fleurs, avait admis Hélène, mais je préfère la maturité du fruit. Sa forme finale. Et ce qu'on en fait.

— Ce sont ces formes que tu veux saisir ?

— Je voudrais dessiner ce que nous donne la nature.

— Tu l'aimes à ce point ? avait dit platement Marie, de plus en plus étonnée par les propos de l'adolescente, par sa manière de s'exprimer, juste et concise.

— Elle est moins décevante.

— Que les humains ?

— Oui.

Hélène avait fixé Marie, s'attendant à ce que celle-ci lui dise qu'elle se trompait, qu'il fallait avoir foi en l'humanité et rester positive, qu'elle était trop jeune pour être si pessimiste. Mais Marie avait acquiescé.

— C'est sûr que les humains sont décourageants. Il y a l'art, heureusement. Qui existe parce que des hommes et des femmes, bien qu'imparfaits, poursuivent leur quête.

— Vous, vous cherchez quoi ?

— La lumière. Je la trouve parfois.

Marie n'avait pas ajouté qu'elle la guettait dans l'œil de ses élèves. Elle s'était contentée de proposer à Hélène de dessiner une nature morte.

— Je déteste cette expression. C'est un non-sens. La nature est tout sauf morte.

— Tu as raison, avait admis Marie. Dessine des fruits qui me donneraient envie de les manger.

— Mais je ne sais pas dessiner.

— Ce n'est pas grave. Essaie. On travaillera sur ce que tu m'apporteras.

Elles se souvenaient encore de la première esquisse qu'Hélène avait remise à Marie, une guirlande de cerises.

— Ça ressemble à des fourmis. Je vous avais dit que je suis nulle en dessin.

— Tu es trop sévère avec toi-même, avait répondu Marie sans se douter qu'Hélène avait appris très jeune à se déprécier, ignorant que ce serait elle, Marie Longchamps, qui modifierait l'image qu'Hélène avait d'elle-même.

— J'adore les cerises, avait-elle ajouté, mais je ne suis pas capable de réussir un clafoutis.

Hélène avait éclaté de rire. Un rire rauque, étouffé, mais tout de même un rire, avant de dire que le clafoutis était le dessert le plus facile à réaliser après le quatre-quarts. Quand elle était revenue au pensionnat le lundi matin, elle portait un carton bien emballé qu'elle avait remis à Marie à la fin du cours d'arts plastiques.

— J'espère que vous l'aimerez.

Marie avait confessé le lendemain à son élève qu'elle avait mangé la moitié du clafoutis le soir même. Et qu'elle l'avait terminé au petit déjeuner.

— C'est le meilleur de ma vie ! C'est une recette de ta mère ?

— Non. Ma mère… ma mère ne cuisine pas beaucoup. C'est dans le livre de ma grand-mère. Il y a surtout des recettes de desserts. Ma grand-mère avait la dent sucrée. Je ne l'ai pas connue autant que je l'aurais voulu. Elle est morte quand j'avais sept ans. Mais je me souviens d'avoir fait des tartes avec elle. Je me souviens de l'odeur des pommes cuites et de la cannelle.

— C'était la mère de ta mère ou de ton père ?

— Paternelle, avait marmonné Hélène avant de préciser que le clafoutis était fait traditionnellement avec des cerises, mais ce n'était malheureusement plus la saison.

— C'est délicieux avec des pommes, l'avait assurée Marie.

— Le meilleur, c'est à la mi-juillet, avait repris Hélène.

— À la mi-juillet ?

— Quand on a des cerises, des framboises et des bleuets en même temps. Ça ne dure pas longtemps, une quinzaine de jours.

— J'aimerais ça y goûter.

Hélène avait souri. Et préparait depuis quatre décennies maintenant un clafoutis pour Marie quand le parfum du seringa s'épanouissait dans les jardins, quand les maraîchers scrutaient le ciel en espérant une bonne ondée qui chasserait la canicule, quand les enfants des villes criaient autour de la piscine publique et que les travailleurs de la construction comptaient les jours qui les séparaient du départ pour Wildwood. Cette année encore, elle s'était régalée.

— Tu seras très belle, dit-elle à Hélène tandis que la vendeuse glissait la robe noire dans une housse.

— Ce n'est pas important.

— Mais si. Je regrette de ne pas pouvoir y être.

— Ne t'en fais pas pour ça. Je n'aurais pas le temps de parler avec toi de toute manière.

— C'est quand même navrant qu'aucune d'entre nous ne puisse assister à cette cérémonie.

Hélène tapota le bras de Marie, l'assura que cela ne l'embêtait pas d'être seule pour aller chercher ce prix.

— Mais ça n'arrive qu'une fois dans une vie et il faut que ce soit précisément après mon opération. En plus, Ornella sera coincée à un mariage, Viviane et Justine seront de l'autre côté de l'océan et que Gabrielle sera en tournage. Elle n'a pas eu de rôle dans une série depuis trois ans et cela tombe cet été. C'est rageant.

Hélène répéta que tout était très bien, qu'elle ne resterait que trois jours à New York. Et qu'elle ne serait pas vraiment seule, elle retrouverait Steven et Tim.

— Ils ont réservé au Eleven Madison.

— Eleven Madison, réfléchit Marie. Il me semble que tu m'en as déjà parlé.

— C'est un des meilleurs restaurants de New York. Mon coup de cœur ! Le raffinement absolu, une cuisine sublime, pleine de fantaisie, qui magnifie d'excellents produits, une ambiance chaleureuse, un service exceptionnel…

— Tu feras un compte rendu à tes pauvres amies qui ne peuvent t'accompagner ?

— Je vous ferai un rapport. Et aussi de mes visites au NoMad et chez Cosme, dit Hélène en anticipant son plaisir.

Elle se souvenait d'avoir été épatée, lors d'un précédent séjour, par le parfait équilibre des plats mexicains où le feu des épices était tempéré par la chair moelleuse d'un avocat ou la fraîcheur croquante d'une salade. Et elle y avait bu le meilleur bloody mary de sa vie, à la téquila, aux piments pilés avec un sel qui rehaussait la saveur des tomates broyées et du céleri.

— J'arriverai la veille de la cérémonie, reprit-elle. Je souperai avec mes copains. Ce sera parfait.

— Ton avion part à quelle heure ? Je pourrais aller te reconduire…

— Non, non, j'y vais en voiture.

— Tu vas conduire durant des heures ?

— Tu sais que j'ai toujours aimé rouler.

— Surtout depuis que tu as acheté cette décapotable…

— Je sais que c'est une folie, mais ça me permet vraiment de faire le vide. Je m'arrêterai pour manger un morceau à Saratoga Springs. Et au retour, je pourrai aller au marché.

— C'est quand même fâchant que personne ne parte avec toi. Ton filleul avait dit qu'il irait…

— Julius a un nouvel emploi, lui rappela Hélène.

— Oui, mais…

Marie se tut, se retenant de dire que Julius ne garderait pas ce boulot de barman très longtemps, il changeait d'établissement tous les six mois. Il pouvait aussi bien démissionner immédiatement et conduire sa marraine à New York. Mais, au fond, n'était-il pas préférable qu'Hélène retrouve ses amis sans lui ? Qu'elle se balade dans Soho, qu'elle traîne au Chelsea Market au lieu de faire les boutiques de la Cinquième Avenue avec Julius qu'elle gâtait immodérément ?

— Viens, occupons-nous de tes souliers.

— C'est indispensable ? fit Hélène.

Elle ne s'illusionnait pas : Marie était au moins aussi déterminée qu'elle. Elle espéra seulement qu'elles trouveraient rapidement la paire de chaussures adéquate et qu'elles pourraient ensuite siroter un verre de champagne au Royal. Elle voulait goûter à nouveau au Blanc de Blancs qui venait d'arriver. Ornella et Gabrielle pourraient peut-être les rejoindre ?

2

25 août

Gabrielle Dubois poussa un soupir de soulagement en enlevant la perruque noire qu'elle portait pour incarner la veuve Marchand. Elle se frotta les tempes, ébouriffa sa chevelure châtaine tandis que Jean-François Filion, le régisseur, s'assurait qu'elle avait bien eu le texto concernant la modification des heures de tournage du lendemain. Elle hocha la tête en souriant, elle n'était pas mécontente que les séquences dans lesquelles elle apparaissait soient décalées de deux heures.

— Je vais faire la grasse matinée demain matin, répondit-elle.

— Chanceuse, la taquina Jean-François, tu te lèveras à six heures au lieu de quatre !

Gabrielle faillit lui demander à quoi était dû ce changement, puis renonça. L'important, c'est qu'elle pourrait rejoindre Hélène, Ornella et Marie au restaurant, passer la soirée avec elles, traîner un peu. Si elle se couchait à 22 h, elle serait fraîche et dispose pour le tournage. Aucune crème de beauté, si chère soit-elle, ne valait une bonne nuit de sommeil. À quarante-quatre ans, ces heures réparatrices étaient indispensables pour continuer à paraître plus jeune. Elle saisit la brosse pour redonner du corps à ses cheveux, prit un bâton de rouge à lèvres qu'elle appliqua lentement avant d'enlever son kimono pour revêtir une robe de lin noire, toujours froissée même si elle l'avait suspendue à un cintre. Mais, comme disait Marie, « le lin se fripe dès qu'on le regarde ». Elle entendait la voix de Marie aussi nettement que si elle avait été à côté d'elle, cette voix basse un peu rauque qu'elle lui enviait. Elle aurait pu être animatrice à la radio, si elle l'avait voulu. Marie en riait, n'éprouvait aucun élan à l'idée de s'enfermer dans un studio sombre alors qu'elle recherchait avant tout la lumière ; n'avait-elle pas choisi d'installer son atelier au dernier étage d'un immeuble de la rue Saint-Urbain parce qu'elle avait été séduite par les fenêtres panoramiques ? Elle jouissait des teintes pastel de l'aube et pouvait contempler les couchers de soleil sur la montagne. Combien de cinq à sept improvisés avaient eu lieu dans cet atelier ?

C'est là que Gabrielle avait rencontré Ornella, l'amie d'enfance d'Hélène, puis Justine, la Parisienne, et enfin Viviane, une jeune journaliste. Elle penserait à elles ce soir : à l'heure où elle trinquerait avec Hélène et Marie au Royal, Justine et Viviane s'apprêteraient à aller se coucher. Gabrielle sourit, persuadée que Viviane insisterait pour prendre un dernier verre dans un bar près de la Bastille ou à Saint-Germain et que Justine lui rappellerait qu'elle se levait tôt pour être à l'heure au boulot. Elle devait prendre le métro, puis le RER C pour gagner le laboratoire. Une heure dix de transport en commun matin et soir ! Gabrielle avait déjà plaint Justine de tout ce temps perdu. Justine avait protesté, elle profitait de ces moments pour lire, pour se tenir au courant des récentes découvertes scientifiques. Le monde de la parfumerie avait beaucoup changé au cours des dernières années. Plusieurs éléments qui entraient dans la composition d'un jus étaient maintenant interdits. Il avait fallu créer des produits de remplacement, chercher de nouvelles avenues, devancer les modes pour continuer à séduire la clientèle, deviner ce que les femmes aimeraient sentir bien longtemps avant qu'elles le sachent elles-mêmes.

Téméraire, Justine avait refusé d'être salariée dans une grande maison pour jouir de davantage de liberté et, même si ses clients lui laissaient de moins en moins de marge de manœuvre, son parfum *Espace*, qui lui avait valu des commentaires élogieux *et* un succès monstre auprès du public, lui permettait une certaine indépendance. Quand Gabrielle lui avait demandé où elle avait trouvé l'inspiration pour *Espace*, Justine lui avait expliqué qu'une déclaration de Chris Hadfield l'avait interpellée un soir où elle venait d'observer le ciel en pensant à Thierry aux commandes d'un Airbus. Thierry avec qui elle avait visité les moindres recoins de l'aéroport en quête de pistes odorantes qui produiraient le déclic qu'elle attendait pour que se dessine le parfum masculin qu'on lui avait commandé. À la télé, elle avait entendu l'astronaute tenter de décrire le parfum de l'espace, un moment magique car extrêmement fugace, uniquement possible entre l'instant où l'astronaute quittait le sas de la navette ou y revenait. Quelques secondes qui sentaient la cordite. Les explosifs. Justine aimait déjà l'odeur de la pierre à fusil qu'elle détectait dans certains vins, son aspect rêche, viril, net. Découverte au siècle dernier, la cordite avec laquelle on produisait des munitions avait été utilisée durant les guerres. Cette information avait généré chez Justine des images d'hommes dans les tranchées, pataugeant dans la boue. L'odeur du fer des armes, de la poudre des canons, du sang, des corps en décomposition, du caoutchouc des chenilles des tanks aurait révulsé la créatrice si elle n'avait pas aussi appris qu'on avait délaissé la cordite pour les propergols comme produits de propulsion. Elle avait vu les flammes lors du décollage d'une fusée, imaginé Vulcain domptant le fer avec le feu, humé les étincelles qui jaillissaient de sa forge comme de petites étoiles. Elle était retournée contempler le ciel en se demandant comment créer un parfum venu de l'espace.

Justine lisait aussi bien des ouvrages scientifiques que des traités de philosophie ou de botanique, des romans ou de la poésie, des biographies, des livres de cuisine ou des essais historiques. Tout pouvait l'inspirer, avait-elle dit à Gabrielle.

Mais la comédienne ne faisait-elle pas la même chose lorsqu'elle avait un personnage à incarner? Ne s'était-elle pas documentée auprès d'historiens sur le Red Light quand on lui avait confié le rôle de la veuve Marchand, au point de s'informer du goût que pouvaient avoir les alcools de contrebande, de l'odeur des parfums bas de gamme des bordels de ce quartier mal famé?

— Toi aussi, tu fais tes devoirs, lui avait dit Justine lors de sa dernière soirée à Montréal en replaçant le serre-tête qui retenait sa chevelure blond vénitien.

— On fait toutes nos devoirs, avait admis Gabrielle.

— C'est notre point commun, avait avancé Ornella. Nous sommes des filles sérieuses, même la gamine…

Viviane avait protesté : elle venait d'avoir trente ans, elle n'était pas si jeune. Marie avait pouffé, oh oui, elle était jeune.

— Et tu le parais encore plus avec ta nouvelle coupe de cheveux, avait-elle ajouté. Tu me fais penser à un lutin avec ce casque de mèches rousses.

— Un lutin? Je serais plutôt un *leprechaun*, l'avait-elle corrigée, faisant allusion à ses racines irlandaises.

— Lutin ou *leprechaun*, ça ne t'empêche pas d'être responsable, avait dit Hélène. Sinon, on ne te confierait pas autant de reportages. Et là, tu pars pour Paris, c'est formidable.

— Je me fie à Justine pour me faire connaître ses endroits préférés. Je veux impressionner Mathilde quand elle viendra me retrouver pour nos vacances en septembre.

— Compte sur moi, avait promis Justine, ta blonde sera épatée!

En replaçant la perruque noire sur son support, Gabrielle songea que le temps passait de plus en plus vite. On était en août. Mathilde rejoindrait son amoureuse dans moins d'une semaine. Il lui semblait que le souper qui les avait toutes réunies en avril au restaurant d'Hélène était déjà loin. Les jours filaient à toute vitesse lorsqu'elle travaillait et elle appréhendait la fin du tournage : hormis l'animation de deux galas, elle n'avait reçu aucune proposition intéressante à court terme. Ni au théâtre ni à la télé. Elle soupira, elle ne s'habituerait jamais à ces passages à vide, même si elle savait qu'ils faisaient partie du métier. Et être célibataire depuis quatre ans ne l'aidait pas non plus à se sentir désirée. Heureusement qu'il y avait Félicie, sa fille de huit ans, pour l'empêcher de s'apitoyer sur son sort. Il n'était pas question qu'elle offre à son enfant l'image d'une mère insatisfaite. Elle voulait un foyer joyeux pour Félicie. Être une mère différente de la sienne. À qui elle était à la fois heureuse et mécontente de ressembler. Si Gabrielle bénissait Micha de lui avoir légué son énergie et, si on se fiait aux commentaires des journalistes, son aisance, son naturel sur scène, elle souhaitait se distinguer d'elle en étant plus réservée, moins extravagante, moins théâtrale dans la vie de tous les jours. Micha faisait partie des comédiens qui sont en représentation permanente, jusque dans leurs rêves peut-être, alors que, dès que Gabrielle se démaquillait, quittait son costume, elle redevenait elle-même, une fille qui portait un jean, de grands pulls de coton ou de cachemire coquille d'œuf, marine ou gris et des Birkenstock. Micha lui reprochait de malmener son image, de briser le rêve qui devait entourer une actrice, d'être trop simple, trop ordinaire. Mais Gabrielle se contentait de hausser les épaules et de continuer à se rendre à l'épicerie sans rouge à lèvres, sans appliquer de fard sur ses paupières. Pas question de passer des heures devant un miroir pour se coiffer et se maquiller alors qu'elle pouvait jouer avec Félicie. Elle serait toujours présente pour sa fille.

Gabrielle attrapa son fourre-tout en souriant, se rappelant l'excitation de Félicie qui passait la soirée chez sa meilleure amie pour célébrer son anniversaire. Les parents de Sophie l'avaient invitée, avec quatre autres gamines : cinéma maison, jeu de piste, pique-nique – Félicie avait-elle des allergies alimentaires ? – Non. Félicie mangeait de tout, aimerait les sandwichs au poulet. Le plus compliqué avait été de choisir le cadeau qu'elle offrirait à

Sophie, puis le pyjama qu'elle emporterait chez elle. Elle avait opté pour le bleu à motifs rouges que lui avait donné Ornella à Noël. C'était son préféré. Ornella avait un don pour choisir le cadeau qui ravirait sa filleule.

: :

Julius regardait la file de voitures qui s'étirait interminablement, eut un rire méprisant : les gens étaient tellement stupides de quitter la ville tous en même temps. Comme s'ils ignoraient que les ponts seraient congestionnés ! Un vendredi en fin d'après-midi ! À quelle heure arriveraient-ils à leur foutu chalet ? Lui n'était pas assez sot pour prendre la route maintenant. Il partirait demain matin pour le lac Lovering. Il pourrait profiter du chalet jusqu'à dimanche soir, avant qu'Hélène le rejoigne. Il soupira. Jouirait-il du calme du lac avec tout ce qu'il devait préparer avant l'arrivée de sa marraine ? Non. Mais il devait lui faire plaisir. Il fallait qu'elle soit contente, émue, étonnée, ravie, amusée, séduite. Et prête ensuite à l'aider. Il avait donc invité ses meilleures amies à venir souper au chalet pour célébrer Hélène avant qu'on lui décerne ce fameux prix, puisque personne ne pouvait être présent à New York au début de septembre.

Julius se resservit un verre de vin blanc. Le tintement des glaçons dans le seau était faible, ils avaient presque tous fondu. La chaleur que les Québécois avaient tant espérée était enfin là. Le Saint-Bris était encore frais heureusement et il le sirota en établissant la liste de ce qu'il devait acheter en prévision du souper. Des recettes simples évidemment, rien de prétentieux. Il connaissait les adresses préférées de sa marraine. Il aurait les meilleurs pétoncles pour le ceviche, les meilleures viandes pour le barbecue. Il achèterait les fromages chez Bleu et persillé et le dessert chez Rhubarbe. Il n'avait pas à se soucier des vins : le cellier était fort bien garni et Ornella avait promis d'apporter du champagne, des têtes de cuvée qui éblouiraient Hélène.

Il but une gorgée en relisant sa liste. Il ne devait rien oublier, la soirée devait être parfaite. Il lui présenterait son projet le lendemain, quand Hélène et lui prendraient leur petit déjeuner sur la grande terrasse d'où on pouvait admirer le lac. Une belle vue, une belle terrasse, un beau chalet. Qu'il aurait pu posséder si sa mère en avait hérité. Mais le grand-père Holcomb l'avait légué à Hélène qu'il ne voyait pourtant plus depuis des années, alors que Chantale avait soupé avec Irina et Georges tous les dimanches jusqu'à leur mort. Lui-même avait dû supporter cette tradition dominicale à plusieurs reprises. Et c'est Hélène qui avait eu le superbe chalet ! Chantale lui avait rapporté qu'Hélène avait eu l'air surprise à la lecture du testament, qu'elle s'était empressée de lui dire qu'elle serait toujours la bienvenue au lac Lovering, et c'est vrai qu'elle avait volontiers prêté le chalet à sa sœur. Mais c'était Chantale qui aurait dû en hériter ! Même si elle avait eu l'argent et la maison. Hélène n'avait rien fait pour le mériter. Elle ne voyait jamais personne de sa famille. Ni sa cadette Chantale, ni Irina, ni Georges. Julius se fit la remarque que tout le monde mourait jeune dans cette famille. La grand-mère maternelle à soixante-trois ans, son mari dix mois plus tard, puis sa propre mère, Chantale, à quarante-sept ans. Bon, il l'avait un peu aidée, mais n'avait-elle pas dit qu'elle en avait assez de sa vie ? Il lui avait rendu service. Heureusement qu'il n'avait ni frère ni sœur avec qui il aurait dû partager son héritage. Ni de cousin ou de cousine à qui Hélène aurait pu avoir envie de léguer quelque chose. Hélène qui semblait malheureusement très en forme.

::

— C'était merveilleux ! dit Viviane à Justine en quittant Les fines gueules. Tu as dégoté un endroit formidable !

— Je n'ai pas de mérite. C'est Hélène qui m'a envoyée ici, il y a deux ans. Depuis, j'y reviens régulièrement.

— Les ravioles d'écrevisses, la sauce au safran, le millefeuille de crabe, puis le magret aux poires. Le meilleur repas que j'ai pris depuis des semaines.

— Tu n'avais qu'à accepter plus tôt mon invitation, la taquina Justine.

Elle scruta le ciel. Allait-il pleuvoir de nouveau ? Pendant qu'elles dînaient, des gouttes avaient martelé les vitres du restaurant, ajoutant au brouhaha ambiant. Justine avait regretté que le bruit des couverts et des conversations l'empêche d'écouter celui de la pluie qu'elle aimait particulièrement. Ses amies s'étonnaient toujours de son goût pour la pluie. Elle leur rappelait alors que, si sa mère était française, son père était vénitien. Enfant, elle avait passé tous les mois de juillet dans la lagune et la Sérénissime n'était jamais aussi belle que sous la brume qui décuplait son mystère. Justine aimait l'odeur de l'eau, de l'iode, des algues, de la bruine, de la neige et avait même créé un parfum qui évoquait l'île de la Giudecca à l'aube. Aucun compliment ne lui avait fait plus plaisir que celui de Thierry qui avait comparé la couleur de ses yeux à celle de la lagune un matin d'hiver.

— Je cours tout le temps ! reprit Viviane. Je ne m'en plains pas ! Je suis tellement chanceuse d'avoir eu ce remplacement. C'est encore plus varié que je l'imaginais. Je couvre aussi bien un défilé qu'un événement politique, un scandale financier ou l'arrivée d'un couple de stars américaines.

— Tu dois tout de même t'ennuyer de Mathilde.

Viviane acquiesça : bien sûr que Mathilde lui manquait. Elles venaient d'emménager ensemble lorsqu'on avait offert ce poste à Paris à Viviane.

— C'est temporaire, je serai de retour à Montréal dans quelques semaines.

— Pour repartir de plus belle.

— Mathilde le savait quand elle m'a proposé de vivre avec elle. Je pense qu'elle aime ça, au fond. Elle a un petit côté vieille fille, avec ses petites habitudes. Elle retrouve sa tranquillité, sa routine quand je pars en reportage. Et on a encore plus de plaisir à se revoir. C'est la même chose pour toi avec Thierry, non ?

— Thierry ne part pas durant des semaines, protesta Justine. Quelques jours seulement.

— Où est-il maintenant ?

— À Tokyo. C'est bien, il me rapportera du matcha.

— On en trouve du très bon à Paris, la taquina Viviane. C'est toi qui m'as fait découvrir Mariage Frères…

— Je sais, mais il me semble que l'odeur est plus juste quand il arrive plus rapidement d'Asie. J'aimerais retourner dans une plantation, c'était tellement… vibrant. J'avais l'impression que chaque feuille avait son odeur intime. Les thés d'ombre me fascinent.

— Moi, ce qui me fascine, dit Viviane, c'est que ce goût pour le thé vert vous ait réunies, Hélène et toi. Quel hasard !

Justine sourit. Elle aimait surtout le hasard qui avait permis sa rencontre avec Hélène, lors d'un vol entre Paris et Montréal. Voisines de siège, elles avaient sympathisé lorsque Justine avait sorti de son porte-documents un sac noir qu'Hélène avait immédiatement reconnu : elle aussi s'approvisionnait en thés chez Mariage Frères. Elle avait cependant eu une exclamation de surprise en constatant que Justine avait apporté avec elle le Tanka Cha, un de ses préférés.

Justine lui avait alors préparé un sachet en disant qu'elle ne voyageait pas sans se munir de thé de qualité.

— Boire du thé me permet de revenir à l'essentiel.

— De vous recentrer ?

Justine avait acquiescé, complice, avant de préciser que le thé la mettait dans un état à la fois de paix et d'excitation. Et qu'elle appréciait ce paradoxe.

— J'aime aussi les paradoxes, avait dit Hélène. Quand je crée un plat, j'espère en provoquer. Intriguer tout en restant cohérente.

— Même chose pour moi avec les parfums. Je veux un choc qui… choque juste assez pour étonner sans être rébarbatif. Pas un oxymore olfactif, ce serait exagéré, mais un mariage qui semble inusité au premier abord, et pourtant très naturel quand on s'y abandonne.

— Vous êtes un nez?

— J'ai cette chance, avait répondu Justine. Ce grand privilège.

Jamais un vol n'avait paru si court aux deux femmes. Dans la file d'attente de la douane, Hélène avait répété à Justine qu'elle l'invitait à son restaurant durant son séjour montréalais. C'est chez Strega que Justine avait rencontré Ornella, elle aussi issue d'une mère française et d'un père italien, qui lui avait d'ailleurs légué sa chevelure et ses yeux de jais. Son travail était parent du sien: en tant qu'œnologue, la belle Ornella étudiait les arômes des vins avec un soin particulier, cherchant des notes insolites ou des mariages heureux, des épices, des herbes, la mer, la terre et même le ciel, avait-elle expliqué à Justine.

— J'ai bu récemment un chablis qui avait un parfum d'ozone, de linge qui aurait séché au grand air. C'était très net. Dans tous les sens du terme.

Justine lui avait alors confié qu'elle avait un faible pour la calone et l'idée d'embruns qu'elle lui inspirait. Qu'elle avait créé un jus qui, l'espérait-elle, reproduisait l'odeur des vagues, des galets.

Ornella lui avait rappelé que certains champagnes conservaient une empreinte maritime, de coquillages broyés. Même à des kilomètres de l'océan.

Justine ralentit au coin de la rue du Louvre et de la rue Saint-Honoré, hésitante: allait-elle se diriger vers le Châtelet ou continuer à marcher, traverser le Pont-Neuf pour rejoindre la rive gauche?

— On pourrait prendre un dernier verre à l'Écluse, suggéra Viviane en refermant son parapluie.

— Il est tard, protesta Justine. Je me lève à l'aube demain…

— On ne se voit jamais, il faut en profiter ! Juste un verre ! Et on enverra un texto aux filles.

— Je regrette de ne pas pouvoir assister à la remise du prix d'Hélène. C'est vraiment dommage.

Viviane soupira. Elle aussi aurait voulu voir le talent d'Hélène récompensé. Avant de la rencontrer pour une entrevue, elle ignorait, malgré ses recherches, à quel point le parcours d'Hélène Holcomb était riche. Elle avait quitté le Québec pour l'Italie alors qu'elle venait d'avoir dix-huit ans, avait fait les vendanges en France où elle était restée quatre ans chez un chef étoilé, avant de s'envoler vers le Japon où elle avait suivi des cours de cuisine qui avaient marqué à jamais sa façon de travailler. Son goût pour les thés verts lui venait de ces années d'apprentissage. Il était intimement associé au labeur et à la découverte d'ingrédients fascinants, de méthodes résolument différentes de tout ce qu'elle avait appris jusque-là.

— Et nous ne serons pas là non plus pour la fêter à son chalet, déplora Justine. C'est chouette que Julius ait pensé à organiser cette célébration.

— Oui, c'est gentil.

Le ton sec de Viviane intrigua Justine. Avait-elle des réserves ?

— Non. Oui. Je trouve que Julius est justement trop gentil.

— Trop gentil ?

— Sirupeux. Il dégouline de gentillesse. Il est aux petits soins avec Hélène…

— C'est normal, la coupa Justine. Il l'aime, c'est sa marraine. Moi, j'adore mon parrain. Son univers m'a ouvert un monde de fantaisie. Oncle Henri a toujours été là pour moi quand j'avais des doutes. Hélène fait la même chose avec Julius.

— Mais pas avec les mêmes résultats, commenta Viviane. Je ne suis pas dupe de tous ses sourires. Et la chatte d'Hélène non plus. Athéna gronde dès que Julius s'approche d'elle.

— Julius est encore jeune, plaida mollement Justine. Il se cherche. Il n'est pas le seul.

— Il n'a tout de même pas quinze ans ! rappela Viviane. Ça ne fait pas longtemps que je connais Julius, mais il me semble qu'il ne fout pas grand-chose. Il a toujours un tas de projets mirobolants. Quelles sont ses réalisations ? Tu peux m'en citer une ? Il a hérité de l'argent de sa mère. Qu'en a-t-il fait ? Rien. Il nous avait pourtant parlé d'investissements dans un truc grandiose... C'est juste un beau parleur. Trop paresseux même pour tirer parti de cette beauté. Il pourrait être mannequin. Je lui ai offert de profiter de mes contacts, mais non, c'est trop de travail pour monsieur ! Je suppose que c'est parce qu'il est si beau que vous lui pardonnez tout, mais moi, je suis immunisée contre les séducteurs.

— Mais pas les séductrices ? avança Justine.

Elle hésitait à blâmer Julius, même si elle admettait que les propos de Viviane avaient un fond de vérité. Elle savait pertinemment qu'Hélène s'inquiétait pour l'avenir de son filleul si instable, qu'elle n'osait pas trop le critiquer parce qu'elle se sentait coupable envers sa sœur Chantale de ne pas avoir été à ses côtés durant la courte maladie d'Irina Holcomb, d'avoir refusé de quitter le Japon pour se présenter à ses obsèques. À l'époque, Hélène avait dit à Marie que cela ne changerait rien qu'elle n'assiste pas à ses funérailles, qu'elle et sa mère ne se parlaient plus depuis longtemps, que sa sœur n'avait certainement pas besoin d'elle pour l'enterrer. À son retour au Québec, cependant, et après le décès de Georges Holcomb, Hélène avait tenté de se rapprocher de Chantale qui s'était installée à Montréal, mais leurs rapports n'avaient jamais été harmonieux. Puis Chantale s'était noyée et Hélène s'était efforcée de soutenir Julius qu'elle connaissait bien peu.

— Les séductrices ? répondit Viviane. Non, non, je me suis rangée. J'aime Mathilde et Mathilde m'aime. Je ne voudrais absolument pas mettre cela en péril. Je ne me suis jamais sentie aussi proche de quelqu'un.

— Peut-être parce que vos univers se ressemblent.

— Que veux-tu dire ?

— Tu es journaliste, tu enquêtes sur des faits. Mathilde est pathologiste, elle enquête sur les corps. Vous êtes toutes deux à la recherche de la vérité.

— Et toi, tu enquêtes sur quoi ?

— La formule magique qui me permettrait d'obtenir une molécule qui me donnerait une odeur aussi riche que celle de la civette. On a trouvé des formules de remplacement depuis que les espèces sont protégées, mais il me semble qu'on n'atteint jamais la même profondeur.

— Tu es trop perfectionniste.

— Non. On ne l'est jamais trop. Pense à Hélène. Elle ne serait pas arrivée au sommet si elle s'était contentée de l'à-peu-près.

Viviane hocha la tête en souriant. Elles avaient traversé le Pont-Neuf et avaient remonté lentement le quai des Grands-Augustins et voilà qu'elles frôlaient les quelques tables de l'Écluse qui empiétaient sur le trottoir. On avait essuyé les chaises, deux places étaient libres. Viviane s'y installa aussitôt, promettant à Justine qu'elles siroteraient gentiment un verre puis rentreraient chacune de son côté. Tandis que Justine obtempérait, Viviane perçut l'entrée d'un texto, le lut à voix haute : Ornella, Hélène, Marie et Gabrielle pensaient à elles.

— On leur dit qu'on les attend ici ?

— Ça serait tellement sympa si on arrivait un jour à se rejoindre toute la bande à Paris !

— D'ici là, c'est bien que tu aies un mari pilote de ligne. Ça te permet de voyager à peu de frais et de venir plus souvent au Québec. En plus, il est très chouette, ton Thierry.

Justine opina en fermant à demi les yeux ; quelle aurait été sa vie si elle n'avait pas rencontré Thierry ? Elle devait aussi ce bonheur à son parrain. À Henri qui lui avait permis de se reconstruire en la recueillant chez lui après avoir découvert que son neveu abusait d'elle et que sa sœur fermait les yeux sur cet inceste.

Quand Suzelle avait tenté de protester alors qu'Henri aidait Justine à boucler sa valise pour l'emmener vivre loin de cette famille délétère, il l'avait menacée de faire un scandale dont tout leur village natal se souviendrait longtemps. Suzelle et son fils n'avaient plus jamais donné de leurs nouvelles. Justine non plus. Henri avait fait découvrir Paris à Justine, le thé à la menthe à l'Institut du monde arabe au musée d'anthropologie du quai Branly, des bouibouis vietnamiens du 13e aux cafés de Montmartre, des restaurants bon chic, bon genre des alentours de la Maison de la Radio où il travaillait aux rues si animées du Marais qu'il arpentait depuis près de trente ans. Elle avait tout de suite aimé ce quartier, l'odeur des pierres de la place des Vosges, le marché Richard-Lenoir, tous les parfums qui s'exhalaient des cageots de fruits, de fleurs. C'est là que son parrain lui avait présenté Thierry qui aidait sa mère tous les dimanches depuis que son père était décédé. Il avait vingt ans et un regard très doux, mais une poignée de main ferme qui indiquait un caractère bien trempé. Elle s'était étonnée d'avoir si vite envie de le revoir. Et s'étonnait encore aujourd'hui de l'attendre toujours avec impatience. La seule et unique ombre sur son bonheur était ce doute qui l'assaillait parfois: son époux était-il absolument honnête quand il prétendait qu'il ne tenait pas à avoir d'enfants? Elle lui avait dit rapidement qu'elle était stérile, lui avait raconté l'inceste, puis la salpingite soignée trop tard et ses conséquences dramatiques. Thierry n'avait pas hésité une seconde à s'engager avec elle, mais, les années passant, il pouvait avoir changé d'idée. Ne pas oser lui en parler. Avait-il des regrets?

Hélène avait déjà dit qu'elle n'aurait pas été une bonne mère même si elle avait pu garder son enfant, qu'elle aurait eu trop peur de ressembler à la sienne, qu'elle n'aurait pas su concilier son travail et son foyer. Mais quand Justine la regardait jouer avec la fille de Gabrielle avec tant de naturel et d'enthousiasme, elle se demandait si Hélène était honnête. Elle-même ne savait pas si elle aurait voulu des enfants, si elle s'était accommodée de sa stérilité parce qu'elle n'avait pas le choix ou parce qu'elle craignait de transmettre les vices familiaux, de reproduire malgré elle un modèle inquiétant. Peut-être que son mari n'en demandait pas davantage, qu'il aimait leur vie telle qu'elle était. Leur liberté. Ne voyageaient-ils pas plusieurs semaines par année ? S'ils avaient eu des enfants, aurait-elle participé à la cueillette des iris sur les plateaux du Moyen Atlas, à celles des tubéreuses à Coimbatore, de l'ylang-ylang dans l'archipel des Comores et de ces thés verts qu'elle adorait au Japon ?

: :

— J'avais raison, dit Gabrielle en lisant le texto. Justine et Viviane sont à l'Écluse.

— Saviez-vous que Barbara a chanté à cet endroit au début de sa carrière ? dit Ornella. L'Écluse n'a pas toujours été un bar à vin. Barbara s'y est produite de 1959 à 1964. On la surnommait la Chanteuse de minuit, car son numéro était présenté tard en soirée.

— Comment peux-tu retenir tout ça ? fit Marie.

— Déformation professionnelle, peut-être. Il faut mémoriser tellement d'informations lors des concours.

— Je me souviens quand tu te préparais pour le titre de meilleur sommelier des Amériques, dit Hélène, c'était fou !

— Mais ça valait la peine de passer autant d'heures à étudier, rappela Marie. Tu as remporté le titre !

— Je n'y serais pas arrivée sans toi, s'exclama Ornella. Si tu n'avais pas autant gardé mes enfants, je n'aurais pas pu me libérer aussi facilement. Je partagerai toujours ce titre avec toi.

Marie secoua sa tête blanche en signe de dénégation : elle n'avait aucun mérite à s'être occupée des fils d'Ornella, elle adorait les enfants. De tous les âges. Depuis toujours. Elle n'avait qu'à prendre un bébé dans ses bras et à le bercer trois minutes pour qu'il s'endorme. Et bien qu'elle ait pris sa retraite de l'enseignement, elle continuait à donner des cours à des gamins du centre Revivre par pur plaisir. Elle aimait découvrir le monde, même terrible, à travers leurs regards, déchiffrer leurs rêves, leurs peurs grâce aux dessins qu'ils réalisaient, deviner des familles unies ou conflictuelles, la solitude ou l'enthousiasme, la peine, la colère et même la surprise : les teintes choisies, les mises en scène pouvaient être très éloquentes. Être bénévole auprès de tous ces immigrants récemment arrivés à Montréal l'émouvait et lui donnait l'impression d'être utile. Ses propres enfants lui répétaient que, à presque soixante-dix ans, elle devait songer à se reposer, ne pas oublier qu'elle avait eu un cancer, il fallait se ménager. Ah oui ? Et pourquoi donc ? Les mises en garde de Marlène et Kurt relevaient d'une bonne intention, mais l'agaçaient. Comme ses enfants étaient différents d'elle-même. Elle continuait à s'étonner, année après année, d'avoir engendré des êtres aussi sages. Elle s'était souvent demandé si Marlène et Kurt avaient fait preuve d'autant de sérieux en réaction à sa personnalité si fantaisiste. Si son attitude non conformiste les avait plus embarrassés qu'enchantés. Elle se rappelait pourtant qu'ils étaient heureux d'inviter tous leurs amis à la maison, une maison ouverte, où on pouvait jouer, danser, chanter, faire du désordre sans que cela gêne qui que ce soit, mais ils ressemblaient davantage à Hans, si raisonnable. Trop raisonnable. Marie avait besoin de magie dans son quotidien. Elle avait quitté Hans quand les enfants étaient adolescents. Ils lui en avaient voulu. Avaient décidé de rester avec leur père. Puis avaient changé d'idée l'année suivante pour avoir plus de liberté. Dont ils n'avaient pourtant pas abusé. Elle s'était alors inquiétée qu'ils soient trop sérieux, puis avait pensé à Milan dont les échecs scolaires à répétition et les bêtises tracassaient de plus en plus Ornella. Elle n'allait pas se plaindre d'avoir des adolescents trop sages. Et aujourd'hui, elle espérait ajouter un grain de folie dans la vie de ses petits-enfants. Si Marie leur préparait des plats plus sains où les légumes étaient bien présents, c'était certes pour obéir aux directives de Kurt, mais surtout parce qu'ils mettaient de la couleur dans les assiettes. Et il y avait toujours des chips, des caramels et des barres de chocolat dans l'armoire de la cuisine, première tablette du bas, inutile de grimper sur une chaise pour se servir.

— Avez-vous vu le reportage de Viviane sur les migrants installés sur les bords de la Seine ? demanda Gabrielle. On est loin de la poésie de Marcel Carné, de l' « Atmosphère, atmosphère » d'Arletty…

— C'est tellement triste, dit Ornella. Qu'est-ce qu'ils vont devenir cet hiver ? C'est une honte…

— Hans avait un ami irakien, fit Marie. Ils s'étaient vus là-bas avant qu'on se rencontre. Et je l'ai croisé en Allemagne lors de notre premier voyage avec les enfants. Je me demande ce qu'il est devenu chaque fois que je vois un reportage sur les ravages de la guerre. Il avait une femme, une fillette adorable. Où sont-elles aujourd'hui ?

Les quatre femmes se regardèrent en silence, puis Ornella leva son verre en soulignant qu'elles avaient de la chance, beaucoup de chance de vivre au Québec.

— À la paix !

Dans le tintement des verres qui s'entrechoquaient, Hélène ressentit une bouffée de gratitude envers la vie. Quelques mois auparavant, elle était dans le cabinet de son médecin de famille qui lui disait qu'elle devait se prêter à des examens plus poussés, à la suite de la lecture des résultats de sa mammographie. Même si Marie lui avait répété que sa propre expérience lui permettait d'affirmer qu'on se remettait très bien de cette épreuve, les journées lui avaient paru interminables dans l'attente d'un diagnostic qui s'était révélé rassurant. Un simple kyste. Elle regarda les bulles qui se bousculaient dans son verre et savoura le champagne, visualisa des amandes, non, des noyaux d'amande, des gâteaux

aux amandes. Elle interrogea Ornella: était-ce parce qu'elles venaient d'évoquer le Proche-Orient qu'elle décelait une note exotique dans le champagne ?

— En fait, ce que je sens, c'est un parfum de thé à la menthe, la feuille froissée et le sucre fondu qui accompagnerait ces macarons aux amandes qu'on fait au Maroc.

— Ça t'inspirera sûrement un plat, dit Gabrielle.

Hélène hocha la tête. Il y avait longtemps qu'elle n'avait pas travaillé avec de la menthe. Pourquoi l'avait-elle délaissée ? Si elle réalisait des quenelles aromatisées à la menthe poivrée pour une crème de pois verts ? Il faudrait atteindre l'amertume de la nervure des feuilles pour évacuer l'idée sucrée de la menthe, trop associée au dessert. Ou au dentifrice. Elle frémit à cette image.

— À quoi penses-tu ?

— À une erreur que je ne dois pas commettre avec la menthe.

— J'ai eu des soucis pour certains accords avec cette herbe, confessa Ornella. Je ne boude pas le classique gigot d'agneau avec de la menthe ni le Kebbe naye libanais, mais il suffit d'outrepasser les limites et cela complique tout.

— Vous n'arrêtez jamais de travailler ? les taquina Gabrielle.

— Et toi ? s'enquit Ornella. Tu réussis à laisser tes personnages au vestiaire ?

— Absolument, affirma Gabrielle. Et avec bonheur en plus. Je ne retrouverai ma veuve et le Red Light que demain matin. De toute manière, vous n'en voudriez pas à notre table, elle casserait l'ambiance. Elle est glaciale, narcissique, égocentrique, loin de tout…

— Ma mère tout craché, laissa tomber Hélène en échangeant un regard avec Marie qui leva les yeux au ciel, se souvenant de ses rares rencontres avec la mère de son ancienne élève.

— C'est sûr que ta mère n'était pas chaleureuse.

— Je la dérangeais, murmura Hélène. Je l'ai toujours dérangée.

Marie aurait bien voulu pouvoir contredire Hélène, mais elle se rappelait trop bien Irina, même si elle l'avait rencontrée à peine quelques fois durant les études d'Hélène. Elle se souvenait de son indifférence ennuyée quand elle lui parlait de son aînée, de sa façon de la dénigrer en la comparant à sa cadette, trois ans plus jeune et pourtant tellement plus éveillée. Puis il y avait eu cet homme, Xavier, pour qui Irina avait failli quitter Georges Holcomb, si elle n'avait découvert, juste avant de parler de divorce à son mari, que son amant couchait aussi avec sa fille. Amant qui s'était évanoui dans la nature quand il avait compris qu'Hélène était enceinte. Hélène, amoureuse comme on peut l'être à seize ans, s'était persuadée qu'Irina avait menacé Xavier de le faire arrêter pour détournement de mineure et qu'il avait disparu pour éviter la prison. Après des décennies, Marie en voulait encore à Irina de ne pas avoir aidé Hélène, trahie tout comme elle. Hélène qu'elle aurait dû convaincre d'avorter. Mais Irina refusait d'admettre que sa fille n'avait rien d'une séductrice, qu'elle n'avait pas voulu lui voler son amant, que cet homme n'était qu'un don Juan de pacotille qui s'était moqué d'elles. Irina avait besoin d'un coupable, il fallait que quelqu'un paie pour l'humiliation qui la brûlait : elle savait parfaitement que sa fille souffrirait beaucoup plus de donner son enfant en adoption que de se faire avorter.

— Heureusement, dit Marie à Hélène, tu ne ressembles pas du tout à Irina.

Hélène esquissa un sourire, mi-doux, mi-amer, puis chassa sa mélancolie en humant à nouveau le champagne. Elle perçut cette fois des notes d'acacia qui l'apaisèrent. Elle se répéta qu'elle avait de la chance, échangea un sourire complice avec Marie qui l'interrogea du regard : n'était-ce pas le bon moment d'apprendre à Gabrielle et Ornella qu'elle avait eu des nouvelles du détective qu'elle avait engagé un an plus tôt ? Si elle-même savait que Dominique Poulin lui avait remis un rapport de recherche encourageant, Ornella, Gabrielle, Viviane et Justine l'ignoraient toujours.

— Pourquoi ne veux-tu pas dire aux filles que le détective avance dans ses recherches ? avait demandé Marie quand Hélène lui avait dit qu'elle était la seule à qui elle en avait parlé.

— Quand j'aurai des nouvelles, avait répondu Hélène. Quelque chose d'un peu concret à leur annoncer. Il me semble que si j'évoque tout ça maintenant, c'est… je…

— Je quoi ? avait insisté Marie.

— Je suis superstitieuse, avait confessé Hélène. Même si M. Poulin est confiant, je préfère attendre que les démarches soient plus avancées…

Comme une femme enceinte qui attend que les premières semaines soient passées avant d'annoncer la bonne nouvelle, avait songé Marie. Et là, elle regardait Hélène, espérant qu'elle s'exprimerait : Dominique Poulin ne lui avait-il pas donné l'adresse de son enfant ? Qui était un homme, qui s'appelait Aymeric Brüner, qui lui répondrait sûrement. Contrairement à elle, Hélène n'en était pas persuadée : pourquoi ce fils aurait-il envie de connaître une femme qui avait mis tant de temps à le rechercher ? « Tu lui expliqueras pourquoi, avait alors répondu Marie. Tu lui diras ta peur de le décevoir. Ton désir d'avoir réussi dans ton domaine, ta pathétique obstination à croire qu'il faut impressionner ton fils pour qu'il t'accepte. Tu lui diras que tu as pensé à lui tous les jours et que plus les jours ont passé, plus ta culpabilité a grandi. Que tu étais prisonnière d'un cercle vicieux. Mais que tu as craint de mourir et que tu t'es enfin décidée à le connaître. » Hélène avait hoché la tête. Oui, elle lui écrirait tout cela. Peut-être comprendrait-il. Peut-être l'accepterait-il. « Si tu en parlais avec Gabrielle ou Ornella, elles te diraient la même chose que moi. » Mais ce ne serait pas pour aujourd'hui, constatait Marie : Gabrielle et Hélène discutaient à présent d'*Étincelle,* un roman de Michèle Plomer sur l'amitié entre une Québécoise et une Chinoise, profondément touchant, d'une grâce infinie.

— Et appétissant ! dit Gabrielle. J'avais envie de goûter à tous les plats dont il est question dans ce livre.

— Cela m'a donné envie de retourner en Asie, confia Hélène. Et avec tout ce que nous ont raconté Viviane et Mathilde de leur séjour en Thaïlande… Mais je vais me contenter pour l'instant d'aller à New York.

— Tu devrais prendre de vraies vacances, dit Marie, tu ne t'arrêtes jamais. Je suis certaine que Justine s'arrangerait pour partir avec toi. Thierry lui trouvera bien un billet d'avion. Ne nous a-t-elle pas raconté qu'elle souhaitait retourner au sud de l'Inde pour ce fameux marché d'essences ? Et au Laos pour le benjoin ? Tu n'aurais pas à insister longtemps.

— On verra. Je vais déjà me rendre à New York…

— Quand je pense qu'on ne peut pas t'accompagner, fit Gabrielle, c'est rageant.

— Non, non, ne recommencez pas avec ça ! Je retrouve des amis là-bas. Nous irons au Eleven Madison.

— Ton restaurant préféré…

— Oui, acquiesça Hélène, j'anticipe déjà notre émerveillement…

— Je suppose que tu as ton stock de petits carnets ? dit Marie, faisant allusion aux carnets en moleskine dont Hélène ne se séparait jamais.

— Toujours. Cela me permet de me souvenir des détails qui ont retenu mon attention, une structure intéressante, une lumière…

— Tu en as combien ? demanda Gabrielle.

— Des carnets ? fit Hélène. Une bonne cinquantaine. Peut-être davantage. Je dessinais sans arrêt quand j'étais au Japon.

— Quand je pense que tu détestais mes cours d'arts plastiques, dit Marie.

— C'est faux ! Tu le sais très bien ! Je n'aimais pas le bricolage, mais je voulais apprendre à dessiner. C'est resté à l'état de projet. Mes dessins sont aussi simples que ceux des enfants. Mais je ne m'imagine pas m'attabler sans pouvoir faire des esquisses d'un plat, noter une impression. Il y a des gens qui prennent des photos. Je préfère le dessin, le fait de reproduire ainsi le plat me permet de m'en souvenir. C'est plus sensuel qu'une photo, plus intime.

— Mais moins précis qu'un livre de cuisine, déplora Marie. Sinon, on pourrait te les emprunter pour s'inspirer. Tu te contentes de noter les ingrédients, de reproduire le montage… Tu devrais faire des efforts pour donner plus d'informations.

Hélène protesta : ses carnets étaient privés, ils étaient sa mémoire d'un moment privilégié.

— Tu nous montreras tout de même les dessins que tu feras à New York ? s'enquit Ornella.

— Mais oui, et tu sais très bien que je noterai les noms des vins. Je vous raconterai mes découvertes. Je retourne aussi chez Cosme. Et chez Flora.

— Je suis jalouse, confessa Gabrielle. J'espère que tu profiteras vraiment de ton séjour.

— Aucun doute là-dessus ! affirma Hélène. Je n'aurai même pas le temps de m'ennuyer de vous !

3

28 août

En revêtant son manteau vert pomme, Auguste Trahan ressentit une grande joie malgré les doutes qui l'avaient assailli lorsqu'il s'était garé dans le stationnement de l'hôpital. Cet hôpital qu'il avait quitté quinze mois auparavant, alors que le décès de la jeune Jenny l'avait anéanti. Il savait maintenant qu'il avait réagi ainsi parce qu'il était épuisé par tout le temps passé au chevet de son père, par sa mort, par l'attitude de Jean-Marc qui lui reprochait d'être si peu disponible pour lui, par sa déception envers cet homme avec qui il avait cru pouvoir être heureux. Il avait baissé sa garde, s'était ouvert à lui, se sentant enfin prêt à fonder une famille. Comment avait-il pu s'illusionner au point d'imaginer qu'ils pourraient adopter des enfants ? Son thérapeute lui avait répété à plusieurs reprises qu'il était trop exigeant envers lui-même, trop sévère : tout le monde faisait des erreurs. N'était-il pas préférable qu'il ait compris qu'il se fourvoyait dans cette relation avant de s'engager davantage ? Avant d'emménager avec Jean-Marc ? Bien sûr ! Au moins, il n'avait pas vendu la maison de son père. Depuis quelques semaines, il songeait même à y rester en permanence au lieu de la louer, comme il l'avait envisagé. Si on avait demandé à Auguste pourquoi il avait changé d'idée, aurait-il admis que c'était à cause du cardinal qui avait fait son nid dans l'arbre de la cour ? Quand il était retourné à la maison paternelle au lendemain des funérailles, l'oiseau lui était apparu, écarlate fulgurance qui l'avait fait sourire, puis pleurer enfin. Son père lui avait parlé du cardinal à l'hôpital. Il lui avait fait promettre de continuer à lui donner des graines. « Tu ne peux pas te tromper, même si tu mélanges tes couleurs. Il y a la tête de l'oiseau sur le sac. Il a une petite couette qui retrousse. » La violence de toutes ces larmes qu'il avait été incapable de verser depuis que la tumeur avait envahi le pancréas de son père l'avait surpris autant que l'apparition du cardinal. Il était resté devant la fenêtre du salon à tenter d'apercevoir à nouveau l'oiseau et, quand celui-ci était revenu, il s'était senti libéré d'un grand poids, comme si l'oiseau lui pardonnait de ne pas l'avoir nourri aussi souvent que le faisait son père. Comme s'il lui disait de ne pas s'inquiéter, qu'il serait là saison après saison, que la vie continuait. Quand Auguste avait songé à louer la maison, il s'était juré de choisir une famille avec des enfants qui s'émerveilleraient du bec orangé du cardinal, de la couleur si vive de son plumage qui tranchait avec son petit masque noir, de son cri harmonieux. Mais, finalement, c'était lui qui admirait l'oiseau, même si le rouge de son plumage lui apparaissait moins nettement depuis le début de l'été : daltonien, Auguste confondait certaines nuances de rouge et de vert. Il avait bien vu le cardinal en avril, car il contrastait avec le fond blanc de la clôture, mais dès que les bourgeons du seringa et du cotinus s'étaient déployés, les couleurs du volatile s'étaient faites moins précises, parasitées par toute cette verdure, alors qu'il pouvait voir parfaitement les bandes rouges se détachant sur le noir de jais des ailes des carouges à épaulettes. Il espérait que ceux-ci adoptent aussi le jardin de son père. Son jardin, dorénavant. Il était vraiment heureux de sa décision. Il n'avait qu'à partir tôt de Saint-Hyacinthe pour arriver à l'heure à l'hôpital. Se lever en même temps que les oiseaux. Il avait entendu le cardinal et sa femelle avant de quitter la maison et y avait vu un signe positif pour la journée qui commençait. Tout irait bien.

Auguste sortit de sa voiture, saisit le sac contenant son costume de clown et se dirigea d'un pas ferme vers l'entrée ouest de l'hôpital. Il prit une grande inspiration avant d'ouvrir la porte, se répéta qu'il travaillerait avec Diane avec qui il entretenait une excellente relation. Il ignorait si c'était un hasard ou si on avait voulu faciliter son retour à l'hôpital. Parce qu'on ne le croyait pas assez solide ? Il chassa cette image, on ne l'aurait pas autorisé à reprendre le collier si on avait craint qu'il ne soit pas à la hauteur. En empruntant le corridor qui le menait au bureau de Suzanne Chalifour, l'infirmière en chef qu'il tenait à saluer avant de revêtir son costume de clown, il sentit son cœur palpiter, s'en inquiéta durant quelques secondes, se força au calme. Non. Non et non : il ne faisait pas une crise d'anxiété. Il était simplement un peu nerveux et c'était normal. Il devait se réjouir d'avoir un cœur qui battait si fort, alors qu'il y avait tant de cœurs usés, indécis, fragiles parmi les personnes qu'il croiserait dans la journée. Pourquoi imaginait-il toujours le pire ?

Parce que cela nourrissait son personnage ? Il sourit. Ses phobies n'étaient pas inutiles. Il savait dans quel recoin de son cerveau ou de son cœur il devait puiser pour donner vie à Arthur Papillon ou au Dr Grand V. Tout irait bien ! Ne se prénommait-il pas Auguste, un nom prédestiné pour un clown ?

Tandis qu'il s'avançait dans le couloir, les odeurs douceâtres de l'hôpital lui rappelèrent la dernière nuit passée auprès de son père, mais il n'eut pas à s'efforcer de chasser ces souvenirs, car Suzanne l'interpella, lui faisant signe de la rejoindre.

— Que je suis contente de te voir ! Et je ne suis pas la seule. J'ai dit à Mme Lafrance que tu passerais à sa chambre aujourd'hui.

— Mme Lafrance ?

— Elle est de retour. Son cœur fonctionnait un peu trop au ralenti. Tu me diras que c'est normal, elle vient de fêter ses quatre-vingt-onze ans. Mais elle a encore toute sa tête. Je ne sais pas si c'est une bénédiction ou non...

— Ses enfants sont toujours aussi bêtes ?

Suzanne Chalifour acquiesça. Elle n'arrivait pas à comprendre comment une femme aussi charmante que Gisèle Lafrance avait pu engendrer des monstres d'égoïsme.

— Je n'ai vu que son aîné. Ses filles ne se sont pas encore déplacées. Elle est ici depuis trois jours... Ça lui fera du bien de te voir. Tu as toujours été son préféré.

— C'est parce que je ressemble à son mari et...

Auguste se tut en voyant Suzanne froncer les sourcils, puis s'efforcer de sourire à l'homme qui avait surgi derrière lui.

— Auguste, je te présente le Dr Mathieu qui est avec nous depuis un mois.

Fabien Mathieu jeta un coup d'œil à Auguste, interrogeant Suzanne du regard.

— Vous êtes un représentant ? Je n'ai pas le temps de...

— Docteur Mathieu, Auguste Trahan fait partie de l'équipe des clowns.

La manière dont Suzanne mettait l'accent sur le mot docteur surprit Auguste qui comprit pourquoi la seconde d'après, quand le médecin le dévisagea et marmonna un vague bonjour avant de lui tourner le dos.

— Charmant personnage, commenta Auguste. Il est toujours comme ça ?

— Il est très bon dans son domaine.

— J'espère qu'il est pathologiste et qu'il n'a pas à parler à ses patients.

Suzanne sourit à Auguste.

— Je sais pourquoi je m'ennuyais de toi. Le Dr Mathieu est chirurgien orthopédiste.

— Il me semble qu'il est bien jeune...

— Il paraît qu'il a été admis en médecine à vingt ans. Un petit génie. Plutôt froid, mais très doué. Sérieusement. Je l'ai vu agir aux urgences avec les victimes du fameux accident d'autobus qui sont toutes arrivées en même temps. Il est resté calme, gérait les cas les plus graves sans sourciller.

— Un robot.

— C'est sûr qu'il pourrait être plus souriant… L'important, c'est qu'il fasse bien son travail. Tu sais, j'en ai vu d'autres, depuis que je suis ici. Tu l'as dit, il est jeune. Il va changer avec le temps. Ils sont souvent rigides quand ils commencent. Ils ont peur d'oublier quelque chose, ils ont trop de trucs à se rappeler. Et à prouver.

— Et ils veulent être pris au sérieux, compléta Auguste. C'est pour ça que tu insistes en prononçant le mot docteur?

— Ça lui donne l'impression que je le respecte. Et c'est vrai, de toute façon. Il est très, très consciencieux, s'informe des patients qu'il a traités. Il passe et repasse par ici plusieurs fois par jour, ne tient rien pour acquis.

— En tout cas, il n'a pas l'air d'aimer les clowns. Ce n'est pas le premier ni le dernier, mais bon…

— Tu ne le verras pas si souvent, le rassura Suzanne. Et il ne réserve pas sa froideur aux clowns. Il est ainsi avec tout le monde. Même avec ses collègues.

— Vraiment?

— Il y a un certain avantage à cela. Il n'essaie pas de draguer les infirmières. Les petites jeunes ont la paix. Moi, à mon âge, je n'ai plus ce problème, évidemment.

— Tais-toi, tu es toujours aussi belle. Je te l'ai déjà dit, c'est dommage qu'on ne soit pas du même bord.

— Arrête avec tes niaiseries, dit Suzanne en riant. Va te changer. Diane est déjà arrivée, elle t'attend. Vous me retrouvez ensuite? On va regarder le programme du jour avec Vanessa. Dépêche-toi, j'ai hâte de revoir Arthur Papillon! Est-il toujours aussi indécis?

— Évidemment!

— Et le Dr Grand V? Toujours aussi pressé?

Auguste hocha la tête avant de dire que son personnage était moins expéditif que le Dr Mathieu.

— Même s'il a des choses très importantes à faire !

Suzanne continua à sourire en regardant Auguste disparaître au bout du couloir. Elle était heureuse qu'il soit de retour, appréciant sa délicatesse envers les patients, jeunes ou vieux, et envers elle. Elle aimait tous les clowns, sachant à quel point leur travail était important et facilitait si souvent celui des infirmières, mais elle avait un faible pour Auguste qui la regardait avec une attention affectueuse, remarquait tout de suite un nouveau vêtement, son maquillage, un changement de coiffure. C'est lui qui l'avait incitée à oser des couleurs vives, lui disant qu'elle ne devait pas avoir peur de se mettre en évidence. « Tu es belle, mais tu portes du linge de madame. Tu es trop jeune pour ça. » Avec lui, elle avait l'impression de ne pas être réduite à sa fonction, de ne pas être seulement l'infirmière en chef, mais une femme qui ne paraissait peut-être pas son âge. Elle s'était fait un devoir de porter aujourd'hui le bracelet qu'Auguste lui avait offert pour ses cinquante-huit ans. Elle était certaine qu'il l'avait noté, même s'il n'en avait pas parlé. Sa bonne mine l'avait rassurée. Auguste allait bien mieux évidemment que la dernière fois qu'elle l'avait vu, à l'enterrement de son père. Le temps avait fait son œuvre et le clown semblait plus serein, même si elle avait décelé une certaine anxiété dans son regard lorsqu'il était arrivé. Mais c'était probablement dû au stress bien naturel de reprendre le travail. Elle-même, quand elle rentrait de vacances, ressentait une légère angoisse lorsqu'elle revenait à son poste. Elle était soulagée qu'Auguste passe la journée avec Diane, la première clownette qui avait franchi les portes de l'hôpital. Treize ans déjà. Un vétéran. Pouvait-on dire une « vétérane » ? Pourquoi pas, si on disait clownette ? Suzanne sourit en anticipant la joie de Gisèle Lafrance quand elle reverrait Diane, alias Lady Butterfly, pousser la porte de sa chambre au bras d'Arthur Papillon.

: :

27 août

Julius venait de parler au frère de James Kirk et glissait son téléphone dans la poche de son jean lorsque Ornella le fit sursauter en entrant dans la cuisine.

— Excuse-moi, dit-elle en s'étonnant de son expression de colère. Je voulais seulement te remercier. Tu as eu une très bonne idée de nous réunir ici pour souligner l'honneur qui est fait à Hélène. Tout va bien ? Tu sembles contrarié.

— Oui, oui, c'était juste… tu sais, Nadège…

— La blonde ?

— Oui, elle me harcèle, mentit-il. Elle n'a pas encore accepté notre rupture.

— Ah bon ? C'est bizarre, vous n'avez pas été si longtemps ensemble. Il me semblait qu'elle avait quitté Montréal pour retourner vivre en France.

— C'est vrai que c'est *fucké*, fit Julius d'un air résigné, mais elle me téléphone n'importe quand pour n'importe quoi. Elle prétend qu'elle a envie de revenir ici. C'est pénible.

— Dis-lui que tu as quelqu'un d'autre dans ta vie.

Julius acquiesça, sourit à Ornella, rassuré : elle ne semblait pas avoir entendu sa conversation avec Damien Kirk.

— Ce serait bien, d'ailleurs, poursuivait Ornella. Un bel homme comme toi, tu ne dois pas manquer de propositions. Mais, si tu veux, je pourrais te présenter Graziella qui vient de…

Julius leva la main en signe de protestation, dit à Ornella qu'il n'avait pas besoin qu'elle joue les entremetteuses pour lui.

— Je suis idiote, je ne peux pas m'en empêcher. Plus je vieillis, plus je ressemble à ma mère, une vraie marieuse…

— Tu ne vieillis pas, l'interrompit Julius. Qu'est-ce que tu es venue chercher ici ?

— Le Chambolle-Musigny. Il faut aussi sortir les fromages du réfrigérateur. On aurait déjà dû le faire, il y a trente minutes. Tu apportes les assiettes quand tu reviens à table ?

— Vos désirs sont des ordres, majesté.

Ornella tapota le bras de Julius en le remerciant de nouveau de les avoir invitées au chalet. C'était important pour Hélène.

— Cela la touche beaucoup que tu te sois chargé de tout. Elle l'apprécie énormément.

— C'était normal de tout préparer, voyons, dit Julius.

Il espérait qu'Ornella disait vrai, qu'Hélène aimait sa soirée au point de l'aider comme il le souhaitait. Il le saurait le lendemain, quand ses amies seraient reparties, quand il lui exposerait ses plans après un bon petit déjeuner. Ne pas négliger le petit déjeuner, sa marraine avait répété si souvent que c'était un repas aussi important que le dîner et le souper. Il devait la convaincre d'investir dans la société qu'il voulait créer. Et tout ça avant midi. À treize heures, il devait remettre ce qu'il devait à James Kirk. Il se jura que c'était la dernière fois qu'il empruntait de l'argent à ce bandit. Il n'aurait jamais dû faire affaire avec lui. Il n'avait pas du tout aimé le ton qu'avait employé son cadet pour lui rappeler l'échéance de sa dette. Les frères Kirk devaient tremper dans un tas de magouilles. Ils n'étaient pas du même monde et jamais Julius n'aurait parlé à James Kirk si celui-ci ne l'avait pas abordé au casino. Il avait été naïf. N'avait pas réfléchi assez longtemps avant d'accepter son argent. Puis il s'était retrouvé coincé à cause d'une banale erreur ; il avait mal lu la date d'échéance du REÉR qu'il comptait utiliser pour sa future compagnie. Et, par malchance, il avait perdu au jeu. Demain, heureusement, il pourrait enfin récupérer l'argent du REÉR, payer les Kirk, être débarrassé d'eux. Mais comment allait-il se débrouiller ensuite avec seulement trente mille dollars ? Il ne pourrait pas toucher au dernier placement de sa mère avant quatre mois. Et, de toute façon, il avait besoin de bien davantage pour démarrer sa compagnie. Il fallait qu'Hélène approuve son projet, qu'elle ait envie de l'aider. Elle aimerait sûrement le plan qu'il avait conçu pour mettre Strega en valeur sur diverses plateformes informatiques. Le restaurant avait son site, bien sûr, mais Julius ferait comprendre à sa marraine qu'elle gagnerait beaucoup à lui confier toute la publicité qui concernait Strega. Il s'interrogeait seulement sur la somme d'argent qu'il pouvait lui demander sans la choquer. Il lui proposerait probablement de le financer en plusieurs versements. Avec ce qu'il toucherait des obligations de sa mère, il pourrait se débrouiller.

Il sortit les fromages du réfrigérateur, les déballa avant de les déposer sur la grande assiette en verre dépoli qu'Hélène avait rapportée de Venise. Combien avait-elle payé pour cette assiette ? Cher, très cher. Si elle pouvait dépenser de l'argent pour de la vaisselle, elle pouvait bien en dépenser pour lui. Et s'il le fallait, il évoquerait la mémoire de sa mère, réactiverait la culpabilité d'Hélène, lui dirait à demi-mot qu'il aurait bien voulu travailler avec elle au restaurant, qu'elle aurait pu trouver une entente avec sa sommelière pour lui faire une place. Dans les faits, il ne voulait surtout pas bosser chez Strega, avoir constamment sa marraine sur le dos. Quand il avait évoqué cette possibilité, l'année dernière, c'était simplement pour flatter Hélène, montrer son intérêt pour le restaurant. Il savait parfaitement qu'elle ne renverrait jamais Francesca, qui lui avait été recommandée par Ornella et dont elle faisait si souvent l'éloge.

Julius entendit des rires fuser dans la salle à manger, des exclamations. Il soupira. Que toutes ces femmes l'exaspéraient ! Il avait tellement hâte que cette soirée se termine ! Il ouvrit le tiroir du congélateur où il y avait toujours une bouteille de vodka et but une longue rasade à même le goulot. Il avait bien besoin d'un coup de fouet pour parvenir à sourire en retournant à la table avec les assiettes à fromage. Elles devaient encore être en train de parler des problèmes de cœur de Gabrielle. Ou de la petite-fille de Marie.

D'une telle qui se mariait, d'une telle qui divorçait. Assommantes, elles étaient vraiment assommantes. La sensation de froid, puis la chaleur qui l'envahit aussitôt après avoir bu l'alcool requinquèrent Julius : la soirée se terminerait enfin, Hélène accepterait le projet demain. Il le fallait. Sinon, il devrait trouver une autre solution. C'était quand même fâchant que cette masse qu'on avait vue sur son sein se soit révélée bénigne. Tout aurait été si simple si sa marraine était morte d'un cancer.

Au moment où il prenait une deuxième gorgée de vodka, Athéna sauta du haut de l'armoire sur le comptoir et le fit sursauter en poussant un long miaulement.

— Maudite chatte, grommela-t-il. Toujours aussi hypocrite.

La siamoise fixait Julius de ses grands yeux bleus, attentive à ses moindres gestes, sachant qu'il pouvait lui décocher une taloche sans avertissement. Elle miaula de nouveau pour qu'il lui ouvre la porte de la cuisine tout en veillant à être hors de sa portée.

— C'est ça, va rejoindre les autres femelles, dit-il en poussant la porte battante. Va retrouver Hélène. Toi, tu peux lui demander n'importe quoi, elle acceptera. Mais moi, je suis obligé de me mettre à plat ventre devant elle. Allez, sacre-moi patience !

::

Arnaud Fontaine froissa les feuilles de basilic en espérant qu'il pourrait sentir leur parfum, inspira profondément, puis lança avec rage les tiges qu'il venait de couper dans un des dix pots alignés sur sa terrasse. Il eut envie d'en faire autant avec ceux-ci, de les jeter dans le vide. À quoi bon conserver ces plantes dont il ne percevait qu'à moitié l'odeur ? Et pourquoi ne les suivrait-il pas dans cette chute funeste ? Il ne manquerait à personne. Ses enfants étaient partis très jeunes avec son ex-femme aux États-Unis. Il ne les avait pas vus depuis trois ans, quand il s'était rendu à Boston où vivait son fils. Il aurait pu y aller plus souvent, Boston n'était pas si loin de Montréal. Mais la distance qui existait entre lui et Marc était, elle, considérable. Il avait bien tenté de s'intéresser aux affaires de son aîné, mais il ne comprenait pas grand-chose à toutes ces histoires de marchés. Il ne connaissait rien à la Bourse. Il ne connaissait rien d'autre que sa cuisine. N'en était jamais sorti, comme le lui avait reproché sa fille à plusieurs reprises. Elle lui en voulait encore plus que Marc de ne pas s'être battu pour sauver son couple, pour retenir sa famille à Montréal, ce qu'Arnaud comprenait mal : Laura avait toujours semblé priser la vie californienne, s'était taillé une place dans l'industrie du cinéma et n'était revenue au Québec que deux fois au cours des dernières années. Moins pour voir son père que pour rencontrer l'équipe ROKbo qui avait une fameuse réputation pour les effets spéciaux. Arnaud avait été consterné en constatant que Laura cherchait très souvent ses mots, cessait rapidement de s'exprimer en français pour passer à l'anglais. Elle semblait avoir aussi oublié son goût pour les pâtisseries, alors que, petite, elle adorait ses profiteroles, ses macarons, ses financiers. Elle lui avait expliqué que le sucre est nocif et qu'elle n'élèverait pas ses enfants en les gavant de dessert. Arnaud avait failli rétorquer que c'était prématuré d'avoir une opinion sur l'éducation d'enfants qu'elle n'avait pas encore, mais il s'était tu.

Il ne manquerait à personne. Sauf peut-être à ses amis du lundi. Mais Pietro et Paul comprendraient sa lassitude, comprendraient qu'un chef qui a perdu l'odorat n'a plus qu'à disparaître. Ils respecteraient sa décision. Et même si aucun d'entre eux n'en parlait, ils avaient peur de finir comme Jean-Michel dans un CHSLD. Plutôt mourir tout de suite. Pietro ne voudrait jamais quitter le quartier italien et son cher potager, ses vignes. Paul avait grandi dans le Mile-End et n'en franchirait pas les limites. Mais eux avaient des enfants tout près, ils se sentaient sûrement moins menacés que lui. Depuis qu'il avait été victime du syndrome de Bell, il se fatiguait plus vite, avait perdu l'appétit parce qu'il souffrait d'anosmie et dormait mal, mêmc s'il avait prétendu le contraire à la travailleuse sociale qui avait tenu à discuter avec lui avant qu'il reçoive son congé de l'hôpital. Il l'avait assurée qu'il n'oublierait pas ses gouttes oculaires, qu'il serait très prudent, qu'il pouvait demeurer dans son appartement du Plateau-Mont-Royal. Il avait accepté de se munir d'un bracelet d'alarme pour qu'elle lui fiche la paix. Et d'un pilulier qui l'aiderait à n'oublier aucun médicament. Parce qu'en plus, durant ce séjour à l'hôpital, on lui avait découvert un taux de cholestérol élevé. Jusqu'à maintenant, il avait avalé toutes ces pilules. Il changerait peut-être d'idée : qu'est-ce qui lui garantissait qu'aucun de ces comprimés ne l'empêchait de retrouver l'odorat ? Le médecin jurait que non. Il était bien sympathique, le Dr Roberge, mais il pouvait se tromper. Tout le monde se trompait. Quand il avait quitté le restaurant Christophe, l'année précédente, après y avoir œuvré pendant quatre décennies, il avait fait un énorme sacrifice, car il aimait toujours autant ce lieu où il avait trouvé un emploi en débarquant au Québec. Son premier et seul emploi ici, après des années de galère à Paris. Mais il était assez lucide pour savoir qu'il n'avait plus la force nécessaire pour gérer tout ce stress et avait préféré tirer sa révérence plutôt qu'être un boulet pour les membres de sa brigade qui n'auraient pas osé demander sa démission. Arnaud s'était dit qu'il pourrait continuer à travailler comme traiteur, à son rythme. Ou faire du bénévolat dans ces cuisines communautaires dont lui avait parlé le boulanger. Il n'était pas contre l'idée de transmettre son savoir à des jeunes. Et des moins jeunes. À ceux qui n'avaient pas eu la chance d'aller longtemps à l'école. Lui-même n'avait pas connu les bancs de l'Institut d'hôtellerie. Il avait appris dans les cuisines de l'orphelinat, puis comme apprenti dans de petits bistrots parisiens. Il avait acquis ses vraies connaissances en observant Monsieur Christophe. Qui le rudoyait parfois, comme il le faisait avec tous les bleus qui commençaient dans son restaurant. Mais il était aussi juste avec eux, savait féliciter ceux qui se donnaient du mal. Et l'avait ainsi poussé à l'imiter, lui répétant qu'il avait du talent, qu'il pouvait gravir les échelons dans ses cuisines, devenir même un des sous-chefs quand il serait assez solide pour qu'il lui livre ses secrets culinaires.

Arnaud s'appuya contre la rambarde de la terrasse, regarda les abeilles qui s'affairaient sur le toit de son nouveau voisin qui y avait installé deux ruches au début de l'été. Il leur envia leur énergie. Comme il avait aimé l'effervescence qui régnait dans les cuisines quand tous les membres de la brigade s'activaient, quand les serveurs se glissaient parmi eux pour donner les commandes ou prendre les assiettes prêtes à être dégustées. Il avait alors l'impression d'être au cœur d'une ruche et que les plats qui en sortaient avaient la même onctuosité, la même subtilité que l'or liquide que sécrétaient ses si vaillantes voisines. Elles volaient jusqu'au parc La Fontaine pour butiner, rapporter tous ces parfums de fleurs et de plantes à la ruche, puis elles repartaient, puis revenaient, puis repartaient, toujours infatigables. Arnaud pesta une nouvelle fois contre ce maudit syndrome qui l'avait fait vieillir d'un seul coup, qui l'avait privé de son outil de travail, de sa passion. Son médecin lui avait dit qu'il avait eu de la chance de retrouver une mobilité faciale, de ne plus baver, de ne plus souffrir d'hyperacousie ou de transpiration excessive, mais Arnaud enrageait d'avoir presque totalement perdu l'odorat. Il aurait préféré rester avec ce sourire asymétrique qui le défigurait les premières semaines et garder ses papilles intactes. Quel charme trouverait-il au Château Cheval Blanc qu'il avait conservé pour l'ouvrir le jour de ses soixante-dix ans ? Pouvait-il espérer que ses papilles se réveillent en moins de trois mois ? Il y avait de l'amélioration, certaines odeurs étaient de nouveau perceptibles depuis quelques semaines, mais pour apprécier toutes les subtilités d'un grand cru, il faudrait un miracle…

::

2 septembre

Hélène avait relu pour la troisième fois la première page du chapitre quatre du roman de Geneviève Lefebvre sans parvenir à se concentrer sur les personnages ; si on lui avait demandé ce que faisaient ceux-ci, elle aurait été incapable de répondre. Et pourtant, elle adorait *Toutes les fois où je ne suis pas morte* que lui avait recommandé Gabrielle avec raison. Il y avait une telle puissance dans ce texte, une telle lucidité. Elle avait dévoré les trois premiers chapitres. Mais ce bonheur de lecture, c'était avant que Julius lui parle de ses projets. De cette *formidable* compagnie qu'il allait créer, qui leur rapporterait des mille et des cents. Qui ferait connaître encore plus Strega.

— Ce sera planétaire ! avait-il promis. Tout le monde voudra y venir. Ma plateforme permettra des contacts privilégiés. Il y aura une grande communication entre les membres.

— Il me semble que ça ressemble à Facebook…

— Non, non, tu ne comprends pas. Il y aura des filtres. Ce sera un genre de club virtuel haut de gamme. Où les meilleurs échangeront.

— Pourquoi ?

— Pourquoi quoi ?

— Pourquoi vouloir instaurer un club privé ? Je travaille pour tout le monde.

— Voyons, sois honnête, avait protesté Julius. Au prix que ça coûte, ce n'est pas n'importe quel quidam qui peut aller souper chez Strega.

— C'est certain, avait admis Hélène, mais ce n'est pas réservé à des membres précis. L'idée d'un club… c'est archaïque. Je suis désolée, mais ça me rappelle tous ces endroits interdits aux femmes où les hommes se retrouvaient pour fumer des cigares et boire du whisky. Je caricature un peu, mais cette fermeture à l'autre ne me ressemble pas. Tu devrais le savoir. Tu connais ma démarche, mon intérêt pour tout ce qui est étranger.

Elle lui avait rappelé son projet d'ouvrir une école de cuisine pour les immigrants où chacun enseignerait à l'autre, où elle apprendrait d'eux, où les enfants seraient bienvenus. Avec l'expérience de Marie, les talents d'organisatrice d'Ornella, elles réussiraient à créer un vrai lieu d'apprentissage. Bien loin de l'élitisme que Julius lui suggérait. Et puis, que faisait-il de son nouvel emploi ?

Julius avait balayé la question du revers de la main. Il n'allait pas travailler dans les bars toute sa vie, se coucher à quatre heures du matin, vivre à l'envers du monde. Il avait insisté : sa marraine n'était-elle pas contente d'être parmi les cinq meilleurs chefs du Canada ?

— Tu vas bientôt recevoir ce prix qui…

— Bien sûr, l'avait coupé Hélène, cet honneur me fait plaisir. Parce qu'il rend aussi hommage à toute mon équipe. Je ne serais rien sans elle. Là, dans ce que tu me présentes, on dirait que je suis une reine ou une star qui vit au-dessus de tout. C'est le contraire, je veux garder les mains dans la terre. Près des racines.

Julius s'était mordu les lèvres avant de sourire. Il pouvait tout à fait modifier le concept pour l'adapter à ce que souhaitait Hélène, qui avait failli l'interrompre aussitôt, lui dire qu'elle ne souhaitait rien. Mais elle l'avait laissé s'exprimer et plus il parlait, plus elle se disait qu'elle aurait dû le faire taire pour échapper à cette constatation qui la déprimait : ce projet de son filleul n'était pas plus achevé, pas plus réfléchi que tous ceux qu'il lui avait présentés au cours des dernières années. C'était une nouvelle lubie qui coûtait simplement plus cher que les précédentes, car elle s'articulait autour du luxe. Elle n'allait pas cautionner le ixième fantasme de Julius qui se solderait de toute manière par une perte d'argent. Si seulement il avait voulu étudier quand elle le lui avait offert. Après avoir financé un projet d'importation avec lequel il s'était cassé la gueule au bout de trois mois, Hélène avait proposé à Julius de retourner à l'école : si le monde des marchés l'intéressait, elle paierait volontiers ses études en administration afin qu'il ait les bonnes bases pour se lancer en affaires. Ou dans l'immobilier, un secteur qui semblait aussi l'intéresser. Après ses études, elle pourrait peut-être même l'engager au restaurant pour l'aider à tout gérer. Mais il avait décliné son offre. Elle ne comprenait donc pas qu'il n'était pas un comptable, mais un créateur? À l'époque, il vivait chez sa mère. Puis celle-ci était décédée. Julius avait hérité. Hélène supposait que son filleul avait épuisé toutes ses ressources, puisqu'il se tournait vers elle. Et c'était effarant de songer qu'il avait tout dépensé. Elle ignorait la valeur exacte du legs, mais devinait qu'il avait tout de même été important. Elle avait bien remarqué les vêtements coûteux que Julius portait lorsqu'il venait souper chez Strega, sa voiture de sport, sa grosse montre. Mais avait-il réellement tout dilapidé? Et maintenant, si elle avait bien deviné, il était prêt à quitter encore un emploi pour pelleter des nuages.

Il fallait que cela cesse, que Julius se prenne en main. Qu'il acquière de la maturité. Il venait d'avoir trente ans, il devait retrousser enfin ses manches et se mettre au boulot. Chantale l'avait trop gâté. Et elle aussi. Et elle ne lui rendrait pas service en accédant encore à ses désirs; il ne serait jamais indépendant, n'éprouverait jamais ce sentiment de fierté d'avoir réussi par ses propres moyens. Il serait fâché qu'elle refuse d'investir dans son projet, mais, pour son bien, elle devrait accepter cette colère. Julius la bouderait, il la détesterait même. Il n'y avait pas d'autres solutions pour le pousser à réagir. Elle avait été tentée de lui dire qu'elle ne pouvait mettre de l'argent dans sa future compagnie, parce qu'elle avait elle-même beaucoup dépensé pour les rénovations du restaurant, puis elle s'était ravisée: elle aussi devait être honnête, ne pas tergiverser. Elle lui avait dit qu'elle ne voulait pas participer à son nouveau projet.

— Tu ne veux pas?

Julius était étonné, abasourdi qu'elle refuse sa demande. Il n'avait pas douté qu'il réussirait à la persuader, trop habitué à obtenir tout ce qu'il désirait. Il l'avait fixée durant quelques secondes, guettant l'instant où elle éclaterait de rire, lui dirait qu'elle plaisantait et que, bien sûr, elle allait l'aider. Puis il avait compris qu'elle était sérieuse et il l'avait dévisagée, rageur, avant de crier qu'il se débrouillerait très bien sans elle. Elle avait entendu claquer la portière de sa voiture en se disant qu'il bouderait sûrement durant un bon moment.

Et maintenant, le roman ouvert au chapitre quatre sur ses genoux, Hélène se répétait qu'elle avait pris la bonne décision. Qu'elle ne pouvait pas cautionner les projets fumeux de son filleul pour continuer à lui plaire. Elle reprit le roman, espérant que le charisme de l'héroïne lui ferait oublier Julius pendant quelque temps. S'il n'avait pas été si tard, elle aurait appelé Ornella pour discuter de cet affrontement avec Julius. Elle se rappelait les moments difficiles que son amie avait vécus avec son fils aîné, les histoires de drogue, la fermeté de sa position et de celle de Martin envers lui : ils avaient dit à Milan qu'il ne pouvait rester chez eux tant qu'il consommerait de la drogue. Hélène se souvenait du désarroi d'Ornella qui ne comprenait pas comment Milan, qui avait été un enfant si charmant, avait pu changer à ce point. Marie et elle lui répétaient qu'il avait un bon fond et qu'ils dépasseraient tous cette crise – et elles avaient eu raison –, mais combien de nuits blanches avait traversées Ornella ? « Il nous hait, avait-elle dit à ses amies. Mon propre fils me déteste. » Elle n'avait cependant pas changé d'idée. Hélène devait l'imiter, s'en tenir à sa décision quant à Julius, même si elle ressentait de la culpabilité. Elle devait mettre de côté le fait qu'il était orphelin, qu'elle était maintenant sa seule famille, qu'elle avait promis à Chantale de s'en occuper. Un jour, espérait-elle, Julius comprendrait qu'elle avait eu raison d'agir ainsi. Il devait cesser de compter sur les autres et voler de ses propres ailes.

Athéna s'approcha, sauta sur le lit pour se coller contre elle et se mit à lécher sa main. Hélène déposa un baiser sur la tête de la chatte, caressa ses longues oreilles sombres, espérant que ses ronronnements parviendraient à l'apaiser. Si elle réussit à cesser de penser à Julius, c'est parce qu'elle se demandait si elle recevrait bientôt des nouvelles provenant de la France. Elle devait être patiente. Que représentaient quelques semaines par rapport à une trentaine d'années ? Son fils pouvait mettre des mois avant de lui répondre. S'il lui répondait... Est-ce qu'il lui ressemblait ou non ? Julius était le portrait craché de son père. Comment réagirait-elle si son enfant était le sosie de Xavier ? Était-elle aussi en paix qu'elle l'espérait avec cette idée ? Et avec sa culpabilité, avec les reproches que pourrait lui faire son fils ? Comment pouvait-elle justifier le fait de ne pas avoir tenté de le revoir avant ? Comprendrait-il qu'elle avait verrouillé une partie de son cœur pour pouvoir vivre, mais qu'envisager sa mort en attendant les résultats des analyses médicales avait fait sauter les serrures, l'avait réveillée, forcée à admettre qu'elle avait déjà perdu trop de temps à prétendre qu'il valait mieux laisser le passé où il était et ne pas bouleverser l'existence de son fils ? Elle avait répété à Marie que ce dernier n'avait d'ailleurs pas cherché à la connaître, qu'aucune demande n'émanant d'organismes gouvernementaux ou de mouvements de retrouvailles ne lui était parvenue.

— Est-ce que j'ai bien fait de lui écrire ? murmura-t-elle à Athéna qui s'était endormie contre son épaule.

::

5 septembre

Fabien Mathieu se savonna longuement les mains sous un des robinets de la salle de bain attenante au vestiaire des médecins. Il aurait pu prendre une douche, mais il préférait se laver et se changer chez lui. Il se contenterait de revêtir un sarrau propre par-dessus sa blouse pour traverser l'hôpital et gagner la sortie sans choquer les patients qu'il croiserait inévitablement. Beaucoup de personnes frémissaient en voyant des traces de sang. Ce que comprenait intimement Fabien Mathieu que les taches d'un rouge douteux du sarrau de son père avaient longtemps dégoûté. Sa mère avait beau prier son mari de se changer avant de passer à la table, il ne se pliait qu'une fois sur dix à ce désir, alléguant qu'il n'avait pas de temps à perdre à enfiler une chemise immaculée pour l'enlever plus tard, remettre son sarrau et repartir à l'hôpital. Des patients l'attendaient, c'était le plus important. Et ça ne dérangeait pas les garçons, non ? Et sûrement pas Fabien : en tant que futur médecin, il fallait qu'il s'habitue à voir quelques gouttes de sang. Pierre Mathieu adressait un sourire de connivence à Fabien qui acquiesçait, si heureux de plaire à son père. Bien sûr qu'il suivrait ses traces. On était médecin de père en fils dans cette famille depuis cinq générations. Et on ne pouvait pas compter sur Laurent qui s'était découvert une passion pour les chiffres et qui serait mathématicien. Fabien était là pour entretenir la tradition.

Fabien qui avait besoin de l'approbation de son père pour exister, puisque sa mère préférait son frère aîné. Laurent si chaleureux, si original, qui savait faire rire Micheline Dubois-Mathieu, alors que lui n'arrivait qu'à obtenir un demi-sourire quand il tentait d'égayer leur mère. Leur mère, qui semblait toujours un peu lasse en l'absence de son époux, changeait complètement d'attitude dès que Pierre Mathieu revenait à la maison et posait son regard sur elle. Son visage s'illuminait et confirmait l'hypothèse de Fabien : Micheline était si éprise de son mari qu'il n'y avait plus tellement de place dans son cœur pour ses fils, et surtout pour le cadet qui ne ressemblait à personne avec ses cheveux bruns, tandis qu'elle, Laurent et Pierre étaient blonds. Fabien n'avait ni les traits de sa mère ni ceux de son père. Il n'avait hérité que du daltonisme du grand-père paternel. Plutôt mince comme legs familial, mais c'était mieux que rien, car c'était précisément ses erreurs vestimentaires, sa confusion entre les couleurs qui amenaient sur les lèvres de sa mère ce demi-sourire tant espéré. Et trop rare. Son père, lui, riait volontiers de ses farces et répondait avec empressement à toutes ses questions, surtout lorsque Fabien l'interrogeait sur son métier. Il répétait alors qu'il était heureux d'avoir un fils qui assurerait la relève. C'est ainsi que, même si le sang lui répugnait, Fabien avait déclaré à douze ans qu'il serait chirurgien orthopédiste. Pierre Mathieu avait été surpris qu'il ne choisisse pas comme lui la chirurgie plastique, mais il avait félicité Fabien de cette décision. Il lui présenterait un de ses confrères, le Dr Saïd, une sommité dans le domaine. La passion de cet homme pour sa spécialité était contagieuse et, à sa grande surprise, quand Fabien entra des années plus tard à la faculté de médecine, il avait oublié son aversion pour le sang, la maladie, les microbes et il était prêt à s'émerveiller de la fabuleuse mécanique du corps humain. Et à détecter, à corriger ses failles, ses fragilités. Il suivait les avancées de la science dans tous les domaines de la santé et consacrait ses rares temps libres à assister à des autopsies dans le but de se figurer chaque os, chaque organe, chaque muscle avec le plus d'acuité possible. Il voulait imprimer dans son esprit une parfaite radiographie des corps, les intégrer, les ingérer, les digérer. Jusqu'à ce que la connaissance des corps lui soit parfaitement naturelle.

Fabien Mathieu s'avança dans le couloir tout en consultant son téléphone, espérant avoir un message de son frère : il n'avait pas l'intention de préparer tout seul les célébrations pour l'anniversaire de mariage de leurs parents. Il fallait que Laurent participe. Après tout, c'était lui, le chouchou, c'était lui qui vivait à l'étranger, celui que Micheline serait heureuse de revoir. Fabien appuyait sur une touche lorsqu'il se heurta à un patient en fauteuil roulant et échappa son téléphone. Il le ramassa et fixa durant quelques secondes les boucles de soie qui ornaient une paire de souliers rayés bleu et peut-être vert.

— Docteur Mathieu ? entendit-il. Tout va bien ?

— Vous devriez regarder où vous allez, pesta Fabien en glissant le téléphone dans la poche de son sarrau. Ce n'est pas un terrain de jeux ici et je…

Il se tut en reconnaissant le petit Matis qu'il avait récemment opéré, sauvant son pied gauche écrasé lorsqu'il était tombé du toit de la maison familiale, où il avait suivi son père qui réparait une gouttière. L'enfant le regarda avec une expression dubitative avant d'interroger Auguste : pouvaient-ils quand même aller voir Suzanne ?

— Si le Dr Mathieu nous y autorise, répondit le clown en appuyant peut-être un peu trop sur le mot docteur.

Fabien Mathieu haussa les épaules, puis leur fit signe de poursuivre leur route vers le bureau des infirmières. Tandis qu'il disparaissait au bout du corridor, Auguste respira profondément ; il n'allait pas laisser ce léger désagrément gâcher sa journée. Plus tôt, il s'était senti si bien dans la peau d'Arthur Papillon, quand Matis éclatait de rire parce qu'il accumulait gaffe sur gaffe et se faisait morigéner par Lady Butterfly. Ses doutes s'étaient évanouis. Il savait qu'il était à sa place. Il était profondément heureux d'être de retour à l'hôpital. Et tant pis si le Dr Mathieu n'aimait pas les clowns.

: :

Julius Rancourt hésitait : devait-il faire livrer un bouquet de fleurs d'une valeur de cinquante ou de cent dollars ? Il fallait qu'Hélène soit persuadée qu'il regrettait de s'être emporté contre elle et qu'elle parle de l'envoi de ce bouquet à ses amies à qui elle avait sûrement raconté leur altercation. Il appuya sur le bouton de la machine à expresso, le grondement emplit la cuisine, résonnant cruellement dans son crâne. Pour noyer sa rage, la veille, il avait picolé. Trop. Il prit la tasse de café, se dirigea vers le balcon pour respirer au calme. Il s'allongea sur le transat, but lentement deux gorgées, sourit subitement : il n'avait pas à offrir un bouquet si cher à sa marraine. Bien au contraire ! Il devait lui montrer qu'il connaissait la valeur de l'argent, qu'il n'était pas le panier percé qu'elle imaginait. Il lui ferait livrer un modeste bouquet avec une jolie carte sur laquelle il écrirait les mots qu'elle aimerait lire. Elle l'appellerait sûrement pour le remercier. Ils parleraient de tout et de rien, il s'informerait de son séjour aux États-Unis, lui demanderait si elle descendait au Lotte New York Palace comme d'habitude, si elle comptait s'arrêter à Saratoga Springs au retour pour aller au petit marché qu'elle aimait tant, si elle prévoyait dormir au lac Lovering ou filer directement à Montréal.

4

6 septembre

Heureusement qu'il ventait, se disait Arnaud Fontaine en observant son voisin qui s'occupait de ses ruches. Il devait sûrement faire au moins 27 degrés sur le toit. Lui-même avait dû arroser ses fines herbes à deux reprises. Il but une gorgée de thé glacé, en se demandant s'il aurait dû mettre davantage de zeste de citron Meyer. Non, c'était bien ainsi, plus de zeste aurait étouffé l'arôme de la bergamote. Le Meyer était si puissant qu'il en percevait le goût. Quel merveilleux agrume ! Il mûrissait trop vite, mais comme il en consommait beaucoup plus depuis qu'il souffrait d'anosmie, il n'en perdait jamais. Il reprit une gorgée, vit son voisin s'essuyer le front avant de se pencher de nouveau vers les ruches pour déplacer les tiroirs. Quand il se redressa, il s'aperçut qu'Arnaud le regardait, lui adressa un signe de la main. Arnaud hésita un moment, puis le salua.

— Il fait chaud, lui dit-il en élevant la voix.

— Oui, répondit le voisin, mais ça vaut la peine de suer…

— C'est certain qu'il n'y a rien de mieux que le miel pour laquer un canard.

— Ça doit être bon !

— Ma limonade n'est pas mal non plus. En voulez-vous un verre ?

Tout en soulevant le pichet de limonade pour le montrer à son voisin, Arnaud se demandait ce qui lui passait par la tête pour inviter un parfait inconnu à venir chez lui.

— Tout de suite ? J'ai encore un peu de travail avec les ruches, mais dans vingt minutes je peux monter chez vous. Votre nom ?

— Fontaine. Arnaud Fontaine, au quatrième.

— Moi, c'est Kim. À tout de suite ! dit-il avant de s'agenouiller vers la ruche de droite.

Arnaud Fontaine hocha la tête, même si son voisin lui tournait le dos, puis il poussa la porte moustiquaire et revint vers la cuisine pour ranger le pichet de limonade au réfrigérateur. Il jeta un coup d'œil à l'horloge murale : presque 17 h. Il pouvait bien préparer quelques bouchées apéritives, rien de compliqué. Il y avait de la tapenade aux olives vertes et aux amandes, un demi-avocat assez mûr pour être écrasé et servi avec une rondelle de chorizo sur des tacos et il devait rester de ce magret de canard fumé qu'il avait aromatisé au cinq-épices. Tout en découpant des tranches très fines, Arnaud s'interrogea : avait-il mentionné le canard laqué parce que Kim était asiatique ? Était-il Chinois ? Vietnamien ? Japonais ? Qu'est-ce qu'il faisait à Montréal ? Pourquoi élevait-il des abeilles ? Et tous ces légumes qu'il avait plantés dans de grands bacs, c'était du boulot. Ce jeune homme était vaillant. Arnaud allait dresser la table de son balcon quand il songea que son voisin avait peut-être voulu être poli, mais ne désirait pas s'attarder chez lui. Il laisserait les assiettes en cuisine, les apporterait seulement s'il sentait que Kim avait du temps.

::

9 septembre, à l'aube

— Qu'est-ce qui s'est passé ? demanda un automobiliste au policier qui dirigeait les rares conducteurs vers un détour improvisé.

La lumière des gyrophares balayait la route de campagne, fouettait à intervalles réguliers un cabriolet encastré dans un arbre. L'ambulance, les feux installés pour protéger la scène de l'accident, prouvait la gravité de celui-ci. Des hommes au visage fermé, en sueur malgré la douceur de l'aube, s'affairaient autour de l'automobile, s'interrogeaient sur la meilleure façon de sortir la victime de ce qui était désormais une épave.

— Un gros accident, répondit le sergent Bordeleau.

— C'est quelqu'un du coin ? demanda l'homme.

— On ne peut rien vous dire pour l'instant. On vient d'arriver sur les lieux et…

— Est-ce que ça va rester longtemps bloqué, ici ? le coupa l'automobiliste. Parce que je dois revenir dans le coin à midi.

— Vous verrez à ce moment-là, répondit Adrien Bordeleau. Avancez.

Pendant que la voiture s'éloignait, Bordeleau observa un de ses collègues qui s'apprêtait à se glisser dans le cabriolet pour scier la ceinture de sécurité de la victime et permettre aux ambulanciers de la sortir du véhicule par la portière droite que le premier agent arrivé sur les lieux avait réussi à ouvrir.

C'était peut-être quelqu'un qui vivait aux alentours. Une femme seule dans la nuit aurait remonté le toit, verrouillé les portières, à moins d'être familière avec la région, rassurée. Ce trajet pouvait être inquiétant pour qui ne le connaissait pas ; il se rappelait que Lyne lui avait dit, alors qu'ils rentraient à Magog après avoir découvert les sentiers magiques de Foresta Lumina, qu'elle n'aurait pas fait de la moto en solitaire sur ce genre de route déserte qui se perdait dans les ténèbres. Elle avait eu peur qu'un animal surgisse devant eux. Ou une voiture en sens inverse qui aurait roulé trop vite, qu'ils n'auraient pu éviter. Dont les phares les auraient aveuglés. Était-ce ce qui était arrivé à cette femme ? Rentrait-elle chez elle ? Est-ce que quelqu'un l'attendait depuis des heures ? Depuis combien de temps était-elle là, inconsciente ?

Mais toujours vivante… Il fallait la sortir au plus vite de ce qui avait failli être son tombeau. Tout en prenant soin de ne pas empirer la situation.

Ce n'était pas la première scène d'accident du sergent Bordeleau. Il se souviendrait néanmoins toute sa vie des cheveux argentés de la victime qui brillaient chaque fois que les gyrophares glissaient sur le véhicule. Il se souviendrait qu'il avait entendu le ululement d'un rapace, s'était demandé si c'était un bon ou un mauvais signe, s'était dit qu'il en parlerait à sa grand-mère.

::

Hélène était-elle morte ? Il fallait qu'elle soit morte ! se répétait Julius Rancourt. Elle devait être morte, il avait vu sa voiture foncer dans un arbre, s'y encastrer. Comment aurait-elle pu survivre à un tel impact ? Lui-même avait eu peur d'être blessé quand il avait heurté le cabriolet, même s'il s'attendait au contrecoup. Il avait craint ensuite que le véhicule d'occasion qu'il avait acheté à Granby tombe en panne à cause du choc, mais le vieux VUS avait tenu bon. Il avait pu se rendre jusqu'au terrain vague qu'il avait repéré la semaine précédente à une heure de route du lac. Il avait arrosé la voiture d'essence avant d'y mettre le feu, effaçant la seule trace qui le reliait à l'accident de sa marraine. Quand bien même les policiers relevaient des éclats de peinture du VUS, ils ne pourraient jamais le retrouver.

Son seul souci demeurait l'alibi. Il n'en avait pas. Il ne pouvait être vu dans un endroit public, afin qu'on puisse témoigner de sa présence, tout en restant dans son véhicule à surveiller la voiture d'Hélène pour la suivre et l'envoyer dans le décor. Il avait déjà été chanceux qu'elle ait décidé de se rendre au chalet plutôt qu'à Montréal, qu'elle emprunte la route habituelle, qu'elle lui confie que, en rentrant tard, elle ne traînerait pas à la douane. Vers minuit, avait-elle précisé, cela devrait être calme. Elle aurait voulu revenir plus tôt de New York, mais elle n'avait pas vu son ami Tim depuis longtemps et, comme il arrivait de Londres vers 15 h, ils devraient se contenter d'un thé en fin d'après-midi. Hélène avait été très bavarde au téléphone. Il avait deviné qu'elle était heureuse qu'il ne soit plus fâché contre elle. Elle l'avait même invité à venir au lac Lovering dans les prochains jours.

Il irait peut-être, mais ce serait sans elle.

: :

9 septembre, 6 h

— Ce n'est pas possible ! balbutia Marie lorsque Ornella lui téléphona pour lui annoncer qu'Hélène avait été victime d'un grave accident en revenant de New York. Tu délires !

— J'aimerais mieux ça, mais je n'ai pas rêvé cet appel.

— L'appel de qui ?

— D'un policier… Il y a une heure. Je ne voulais pas te réveiller si tôt…

— Qu'est-ce qui s'est passé ?

— Je ne sais pas grand-chose, Marie. Juste qu'Hélène était presque rendue au chalet. Il était tard, elle s'est peut-être endormie.

— Mais je lui ai parlé quand elle s'est arrêtée à la douane ! protesta Marie. Sa voix était bonne, joyeuse, dynamique. Elle m'a dit qu'elle ne se sentait pas fatiguée, même si elle s'était couchée tard, même si elle avait conduit depuis New York, que la soirée avait été merveilleuse, au-delà de ce qu'elle imaginait. Qu'elle avait été très gâtée au Eleven Madison. Elle m'a parlé du caviar à la mode Bénédicte, d'une focaccia sublime aux truffes, d'un homard en ravioli de carottes. Avec de la cardamome. Tu sais comme elle aime la cardamome… Il paraît qu'elle nous a envoyé le menu par courriel.

— Oui, je l'ai reçu, dit Ornella.

— Hélène n'avait pas du tout la voix de quelqu'un qui va s'assoupir, continua Marie avec conviction. Elle était même excitée. Elle m'a dit qu'elle avait envie d'aller nager en arrivant chez elle. Je le lui ai défendu, à cette heure-là ! Il n'y a personne autour, si jamais... Elle est trop fantasque !

— Peut-être qu'elle a heurté un animal ? avança Ornella.

— Tu dois te tromper ! insista Marie. Es-tu certaine de ce qu'on t'a dit ? Que ce n'est pas une plaisanterie ?

Ornella se mordit les lèvres pour retenir un gémissement. Elle aurait tellement voulu avoir imaginé cet appel, mais le capitaine Mitchell qui l'avait jointe à l'aube était bien réel. Il avait vérifié son identité, lui avait dit qu'il avait trouvé dans le portefeuille d'Hélène Holcomb une vieille carte mentionnant son nom en tant que personne à prévenir en cas d'accident. Ornella s'était souvenue qu'Hélène et elle en avaient décidé ainsi quand elles étaient parties en Italie. Elle lui avait juré qu'un voyage l'aiderait à oublier sa grossesse, l'accouchement et l'adoption à laquelle elle s'était résignée. Direction Rome, Florence, Venise. Ornella avait trop de bagages et Hélène l'avait aidée dans tous leurs déplacements sans jamais lui reprocher ses deux grosses valises. Elle leur avait même trouvé un avantage alors qu'elles attendaient leur train à la gare bondée de Termini : elles pouvaient servir de bancs. Elles s'étaient assises sur les valises pour grignoter leur sandwich au salami. Hélène avait donc conservé cette petite carte ?

— Vous êtes toujours là ? avait dit le policier. Votre amie a eu un accident. Nous devons prévenir sa famille.

— Qu'est-ce qui s'est passé ?

— On l'ignore pour le moment. On s'active actuellement sur les lieux de l'accident pour déterminer ce qui a pu le causer. On aurait dû l'emmener à l'hôpital de Magog, mais à cause d'une épidémie de... je ne sais plus quoi, plus personne n'y entre et... Je dois connaître les noms des membres de sa famille, savoir qui prévenir et...

— Elle n'a plus de famille, l'avait coupé Ornella, hormis son filleul. Je vais m'en charger. Qu'est-ce que les ambulanciers vous ont dit ?

— Ils… n'avaient pas le temps de nous parler. Ils ne voulaient pas la perdre. Je suis désolé, madame.

— Êtes-vous certain que c'est bien d'Hélène Holcomb qu'il s'agit ? Peut-être que c'est une autre Hélène…

— Je n'aurais pas trouvé vos coordonnées, lui avait rappelé doucement le capitaine Mitchell avant de lui dire à quel hôpital Hélène avait été emmenée.

Il était habitué à ce que les gens nient les mauvaises nouvelles. Leur stupéfaction, leur incrédulité précédait le moment où ils prendraient la pleine mesure du drame qui les frappait.

— Vous êtes surprise qu'elle se soit trouvée dans ce coin-là cette nuit ? avait-il repris.

— Oui. Non. Hélène a un chalet au lac Lovering. Elle revenait de New York où elle a reçu un prix. C'est un des meilleurs chefs en Amérique.

— C'est vrai ?

— Elle est propriétaire d'un restaurant à Montréal. Le Strega. Elle est célèbre. Qu'est-ce qui s'est passé ? avait répété Ornella.

— On cherche à comprendre, avait expliqué Mitchell. Je retourne d'ailleurs sur les lieux de l'accident.

— Vous me rappellerez ? Quel est votre nom ?

— Mitchell.

— Comme la chanteuse, avait dit Ornella. Il paraît qu'elle a eu une aventure avec Leonard Cohen.

— Ma mère adore Joni Mitchell, avait répondu Alex Mitchell, habitué aussi à entendre toutes sortes de commentaires étranges.

— Je me rends à l'hôpital. Il faut que je parle à Hélène.

— Elle était inconsciente quand les ambulanciers ont quitté les lieux de l'impact. Et cela m'étonnerait que… Vous savez, elle conduisait une décapotable. Le choc a été…

— Je vais la voir. Peut-être que vous vous êtes trompé, avait dit Ornella.

— Malheureusement non. Je suis désolé pour votre amie.

C'était maintenant au tour de Marie de repousser la réalité, de dire à Ornella qu'elle devait faire erreur, qu'Hélène allait bien quand elle lui avait parlé.

— Je pars tout de suite pour l'hôpital, lui annonça Ornella. Je sais que tu gardes tes petits-enfants, mais peux-tu prévenir les filles ? Il est possible que Gabrielle prenne ton message plus tard, elle est en tournage. Mais tu devrais pouvoir parler à Justine et à Viviane. Même si elles ne peuvent pas faire grand-chose, à Paris, elles voudront être au courant. Et Julius…

— Je vais l'appeler.

— Oui. Non. Attends un peu pour Julius. J'aimerais mieux gérer tout ça sans lui pour le moment. Il est impulsif et…

— Je comprends que tu ne souhaites pas avoir à t'en occuper tout de suite, fit Marie qui s'était ressaisie. Mais il saura très vite qu'Hélène a eu un accident. Ce sera sur les réseaux rapidement. Écoute, je te laisse arriver à l'hôpital, parler avec les médecins. Tu me rappelles ensuite et je préviens alors Julius.

— D'accord, soupira Ornella. Si jamais il l'apprend autrement, je lui dirai que je voulais avoir des nouvelles avant de l'appeler, pour ne pas le déranger inutilement puisqu'il est très tôt et que je sais qu'il travaille le soir. Je m'occupe de joindre Francesca et David chez Strega. Dis-moi qu'Hélène va s'en sortir ! Elle est forte, non ? Elle n'a jamais eu peur de rien et…

La voix d'Ornella se brisa, elle étouffa un sanglot, mais se reprit aussitôt. Elle n'avait pas le droit d'être faible maintenant. Elle allait se rendre au chevet de son amie et serait près d'elle pour la rassurer à son réveil.

: :

Suzanne Chalifour retint une exclamation de surprise en reconnaissant la victime de l'accident qui monopolisait l'attention de toute l'équipe en salle de traumatologie : c'était Hélène Holcomb, la célèbre chef. L'infirmière avait acheté le livre de cuisine paru dans l'année, mais n'avait encore réalisé qu'une seule des recettes offertes chez Strega. Pourtant, les dessins qui illustraient la marche à suivre étaient clairs. Et beaux. La couverture, qui représentait son fameux dessert à la pêche blanche, donnait envie de cueillir ces fruits. Hélène Holcomb était là, devant elle, et malgré le respirateur qu'on avait appliqué sur son visage, malgré les tubes et le soluté, malgré la mort qui rôdait et la vampirisait, Suzanne était certaine de son identité. Est-ce qu'elle créerait à nouveau ? Cuisinerait, dessinerait, goûterait, boirait, aimerait, vivrait ?

— On l'a réanimée, dit Steve Gagnon en poussant un soupir de soulagement.

Ce n'était pas la première patiente en état d'arrêt cardiorespiratoire qu'il ramenait à la vie, mais cette femme était si blême quand il s'était penché sur elle qu'on l'aurait crue déjà morte. D'après ce qu'avaient rapporté les ambulanciers, elle n'avait pourtant pas perdu beaucoup de sang.

— Il me semble qu'elle reprend des couleurs, dit une infirmière en guettant les chiffres qui s'affichaient sur le moniteur.

— On a un pouls. La fréquence cardiaque est un peu plus régulière.

— Ses extrémités sont plus chaudes, dit Suzanne Chalifour. Mais la tension artérielle…

— Je veux une radio des poumons, reprit Gagnon. On aura besoin d'un drain pour faire sortir l'air. Puis un scanneur de la tête. Ça se pourrait qu'on ait une hémorragie crânienne à réduire.

Il se tut tandis que les internes et les infirmières s'affairaient autour de la patiente, enchaînaient les gestes salvateurs avec autant d'assurance que de rapidité. Même s'il était urgentiste depuis bientôt trois ans, Steve Gagnon était encore fasciné par la précision et la souplesse qui cadençaient les actes posés dans ce climat de tension si particulier, comme si les cœurs de chacun des membres de l'équipe d'intervention battaient au même rythme.

Tandis que des infirmiers poussaient les portes battantes pour emmener la patiente en salle de radiologie, Steve Gagnon récapitulait mentalement le dossier sommaire qu'il avait établi à l'arrivée de l'accidentée. Survivrait-elle à autant de traumatismes ? Si oui, dans quel état se réveillerait-elle ?

— C'est Hélène Holcomb, lui dit l'infirmière en chef.

— Hélène Holcomb ? s'étonna Gagnon en dévisageant Suzanne Chalifour. La chef ? Je ne l'ai pas reconnue. T'es certaine ? Je suis allé plusieurs fois chez Strega, c'est fantastique !

Il garda le silence durant un moment avant d'avancer une hypothèse.

— Ça ne changera peut-être rien, mais cette femme-là doit être résistante. Le métier de chef est très exigeant physiquement, mentalement. Ils sont debout des heures, dans la chaleur, avec beaucoup de stress. Espérons que son endurance à l'effort l'aidera à s'en sortir. On se revoit tantôt, si elle reste stable.

— Elle a des chances ? demanda Suzanne.

— Traumatisme crânien, multiples fractures et sûrement une hémorragie interne... C'est grave. Et elle n'est pas jeune. Mais elle est toujours en vie.

::

6 h 30 à Montréal, 12 h 30 à Paris

Justine froissait des feuilles de géranium et de tomate en s'interrogeant sur le dosage qu'elle devrait réaliser pour obtenir l'odeur des plants fraîchement arrosés, quand le ciel était devenu subitement noir, comme si on avait tiré un store, effaçant les nuages, la lumière de la fin de l'été. Les grondements du tonnerre avaient retenti et Justine avait eu une pensée pour son parrain qui détestait ce tumulte, parce qu'il lui rappelait les bombardements de son enfance. Elle songeait qu'elle devrait aller le voir durant le week-end quand la pluie s'était mise à tomber, drue, violente, la détournant de son travail, la poussant à quitter l'orgue à parfums pour s'approcher d'une des fenêtres du laboratoire qui donnaient sur le parc. Elle ne pouvait résister à la fraîcheur de l'eau vive et se penchait vers l'extérieur pour s'en imprégner quand elle sentit vibrer son portable dans la poche de son sarrau. Elle referma la fenêtre pour mieux entendre, sourit en reconnaissant la voix de Marie, puis se tut, se demandant si la communication avait été coupée.

— Marie ? C'est toi ? Tu es là ?

— Oui, je... il paraît qu'Hélène a eu un accident.

— Qu'est-ce que tu racontes ? s'écria Justine.

— C'est Ornella, elle vient de me téléphoner. J'aurais peut-être dû attendre pour t'appeler.

— Tu n'es pas certaine que...

— Je ne sais pas grand-chose. D'après Ornella, elle a été blessée en revenant de New York.

— Blessée ? Comment, blessée ? fit Justine en triturant la feuille d'un plant de tomates.

— Je n'en sais pas plus, répéta Marie. Ornella est partie à l'hôpital. Elle me donnera des nouvelles dès qu'elle aura vu Hélène.

— Ce n'est pas possible, dit Justine.

— Je lui ai parlé, il y a quelques heures. Elle s'apprêtait à passer les lignes.

— Les lignes ?

— La frontière. Elle était très joyeuse. La soirée new-yorkaise était au-delà de ce qu'elle avait imaginé. Elle a revu des collègues qu'elle avait connus au Japon...

— Il était tard ?

— Autour de minuit. Elle sait que je peins la nuit…

Marie se tut à nouveau et Justine, qui n'osait pas rompre ce silence, appliqua la feuille de tomate sous son nez pour y puiser du réconfort. Elle entendit Marie s'éclaircir la voix avant de lui demander si elle pouvait prévenir Viviane.

— Je ne sais pas si elle est rentrée à Paris, répondit Justine. Elle est partie avant-hier pour couvrir le déraillement du train en Espagne. Cinquante-deux blessés… Mais pourquoi Hélène t'a-t-elle parlé alors qu'elle était au volant ?

Marie perçut une nuance de reproche dans la voix de Justine.

— Elle m'a téléphoné quand elle s'est arrêtée à la douane. Pour me dire combien elle était heureuse et que la nuit étoilée était si belle. Je suis certaine qu'elle n'a commis aucune imprudence, c'était le son d'un appareil mains libres. Mais elle ne roulait pas. Ou allait à dix kilomètres à l'heure. Elle ne m'aurait pas parlé autrement. Elle est responsable. Elle…

— Je sais, excuse-moi, je n'arrive pas à y croire.

— Moi non plus. Écoute, Ornella devrait me téléphoner quand elle en saura plus. Je te joindrai aussitôt.

— Même s'il est deux heures du matin, appelle-moi ! Je sais que ça ne change rien, que je ne peux rien faire pour elle, ici, mais…

— Bien sûr que je t'appellerai, promit Marie. À la seconde où je reçois des nouvelles.

— Je préviens Viviane.

— Hélène va s'en sortir, fit Marie. Elle est solide.

— Oui, tu as raison, répondit Justine avec une conviction appuyée. C'est peut-être moins grave qu'on l'imagine ? Après tout, tu ne sais pas encore grand-chose. Ornella ne pouvait pas t'en dire beaucoup. Elle s'est peut-être seulement brisé une jambe ou un poignet… On ne devrait pas penser au pire, on doit rester positives.

Mais si leur amie souffrait d'une simple fracture, pensa Justine en coupant la communication, pourquoi un policier avait-il appelé Ornella? Il lui semblait que les autorités ne communiquaient avec les proches qu'en cas d'accident grave. Mais peut-être que c'était Hélène qui avait prié le policier de joindre Ornella. Pour que celle-ci prévienne l'équipe du Strega que la patronne ne se rendrait pas au restaurant aujourd'hui. Oui, ça devait être ça. L'odeur de la feuille de tomate l'ancra dans cette intuition. Elle ne pouvait pas être en train d'essayer de créer un parfum à partir du fruit préféré d'Hélène par hasard. Tout irait bien. Tout rentrerait dans l'ordre. C'est ce qu'elle dirait à Viviane.

Un coup de tonnerre la fit sursauter. Elle échappa son téléphone, s'agenouilla pour le ramasser et se frappa la tête contre l'arête du bureau en se relevant. Elle se mit à pleurer, même si elle ne ressentait aucune douleur. Combien de temps resta-t-elle plantée devant les fenêtres avant de composer le numéro de Viviane?

::

6 h 50

Elle n'était pas morte! Hélène était toujours vivante! Sa décapotable s'était encastrée dans un arbre, mais elle avait survécu! Et maintenant, il était obligé de se rendre à l'hôpital, de faire semblant d'être atterré par la nouvelle. Julius ricana, se corrigea. Il ne mimerait pas l'affliction, il était réellement consterné par cette nouvelle. Il n'aurait aucun effort à fournir pour montrer son abattement. Il avait fait tout ça pour rien? Il avait gaspillé son argent pour l'achat du vieux VUS, avait des bleus partout sur le corps pour avoir absorbé le choc de son véhicule contre celui d'Hélène et il essuyait un échec.

Peut-être pas. Marie lui avait appris qu'Ornella était partie à l'hôpital pour en savoir plus. Le policier lui avait seulement dit qu'Hélène était inconsciente quand les ambulanciers étaient arrivés sur les lieux de l'accident.

Peut-être qu'elle ne reprendrait jamais ses esprits? Peut-être qu'elle serait morte quand il se présenterait à l'hôpital? Julius se dirigea vers la cuisinette, tira une bouteille de scotch d'une armoire, la fixa quelques secondes et la remit à sa place: il ne pouvait pas sentir l'alcool quand il retrouverait Ornella. Ni quand il discuterait avec les policiers. Il frémit à cette idée, puis se rassura: il était impossible que les flics se présentent si vite au chevet d'Hélène pour s'entretenir avec elle. Et même si elle reprenait connaissance, les médecins n'autoriseraient sûrement pas les policiers à lui parler aussitôt. Il poussa un long soupir. C'eût été tellement plus simple si elle avait pu mourir noyée comme Chantale, mais il avait dû, bien évidemment, renoncer à employer la même méthode. Pourquoi est-ce que tout était si compliqué? Pourquoi Hélène avait-elle refusé de l'aider?

Il retourna vers sa chambre en traînant le pas. Il détestait les hôpitaux. En ouvrant le garde-robe, il se dit qu'il s'habillerait simplement. Des mocassins clairs, un jean et une chemise. Sa chemise de lin bleue qui faisait ressortir la couleur de ses yeux. Il se trouverait bien une infirmière pour succomber à son charme. Et le tenir informé de ce qui arriverait à Hélène. Oui, c'était la meilleure carte à jouer.

::

— Ça ressemble pas mal à un *hit-and-run*, dit Alex Mitchell à Raoul Dufour.

Les deux policiers s'éloignèrent de la voiture d'Hélène pour permettre aux techniciens dépêchés sur place de relever des traces de peinture et de prendre le maximum de photos, avant qu'on déplace le véhicule qui serait acheminé au laboratoire de sciences judiciaires de la rue Parthenais.

— Oui, va falloir que ce char-là nous raconte ce qui s'est passé, répondit Raoul Dufour en fouillant dans ses poches pour dénicher une de ces menthes qu'il gobait toute la journée depuis qu'il avait cessé de fumer. Parce que la victime ne pourra pas nous dire grand-chose avant un bout de temps. Mais avec le soleil qui s'est levé, on voit bien que cette auto a été heurtée violemment et que la conductrice a ensuite perdu la maîtrise du véhicule. Ce n'est pas seulement l'inclinaison de la pente qui l'a poussée vers l'arbre.

— Et ce n'est sûrement pas un animal qui a couru derrière la voiture pour lui rentrer dedans ! ajouta Bordeleau en lissant son crâne fraîchement rasé qu'on devinait pourtant roux. Reste à savoir si c'était juste accidentel. Si le conducteur l'avait heurtée de face, je me dirais qu'il a été surpris, qu'il était peut-être en train de s'endormir au volant, que le cabriolet a surgi devant lui et qu'il l'a frappé, qu'il a ensuite paniqué quand il l'a vu foncer dans l'arbre et qu'il a pris la fuite…

— Mais l'impact est du côté droit arrière, compléta Mitchell. Comme si le conducteur avait suivi la voiture. Soit la décapotable a ralenti trop brusquement et il est rentré dedans sans le vouloir…

— Soit c'est délibéré, fit Dufour. J'ai hâte de voir le rapport sur les traces de pneus.

— Ça reste un délit de fuite, que ce soit accidentel ou fait avec une intention criminelle, déclara Mitchell. Faut qu'on retrouve ce conducteur.

— Je gage que c'est un soûlon à qui on a retiré le permis et qui continue à conduire, dit Bordeleau. Ça ne serait pas la première fois.

— Malheureusement pas, soupira le lieutenant Dufour. J'espère qu'il ira en prison cette fois-ci. Et pour un bon bout de temps.

— Faut d'abord qu'on l'identifie.

— Au moins, l'hôpital ne nous a pas rappelés. Ça veut dire que la victime n'est pas morte.

— J'ai besoin d'un café, dit Alex Mitchell. Manger une bouchée.

Il fit une pause, se souvint de ce que lui avait appris Ornella.

— Il paraît que notre victime est une célébrité. Elle revenait de New York où elle avait reçu un prix.

— Ah oui ? dit Dufour en frottant la cicatrice qui courait le long de sa tempe. J'espère que ça ne compliquera pas les choses.

— On se retrouve au poste.

: :

8 h 30 à Montréal, 14 h 30 à Paris

— Qui s'occupe d'Athéna ? demanda Viviane à Justine.

— Athéna ?

— La chatte d'Hélène. Il faut que quelqu'un s'occupe d'Athéna. Hélène l'aime tellement.

— Je… je ne sais pas, bégaya Justine, étonnée par la réaction de Viviane qui l'avait écoutée sans un mot.

Avait-elle bien entendu ce que son amie venait de lui dire ? Viviane lui parlait de la chatte alors qu'elle attendait depuis des heures qu'elle la rappelle.

— Oui, si Hélène a eu un accident, elle est à l'hôpital, fit Viviane. Il faut donc qu'on se charge d'Athéna. Je vais appeler Mathilde. Je suis certaine qu'elle acceptera de la garder chez nous.

Mais comment Viviane pouvait-elle s'inquiéter de la siamoise quand on ne savait rien de l'état d'Hélène ?

— On ne sait même pas si elle est encore vivante ! s'écria Justine.

— Tais-toi !

— On dirait que tu es plus angoissée pour la chatte que pour Hélène, commença Justine, et…

— Qu'est-ce que tu veux que je fasse ? rétorqua Viviane. On est ici, Hélène est là-bas. La seule manière de me rendre utile, c'est de m'occuper d'Athéna. On l'a déjà gardée, elle sera à l'aise chez nous. Je suis certaine qu'Hélène serait d'accord. Je suis certaine qu'elle ira bien. Ornella a tendance à tout exagérer. Elle ne sait même pas ce qui est arrivé...

— Les policiers ne l'auraient pas appelée si Hélène souffrait juste d'une entorse !

— Peut-être qu'elle a mal compris ? Ou Marie ? De toute manière, si elle est à l'hôpital, il faut que quelqu'un s'occupe de sa chatte. Qui la gardait pendant qu'elle était à New York ?

— Je... je ne sais pas...

— Je vais téléphoner à Marie, décida Viviane, elle doit le savoir. Chose certaine, ce n'est pas Julius qui garde Athéna. Et Marie aura sans doute eu des nouvelles d'Ornella. Elle doit l'avoir appelée après avoir vu Athéna.

— Athéna ?

— Je... Quoi ?

— Tu as dit Athéna au lieu d'Hélène, fit Justine.

Elle comprenait tout à coup que Viviane reportait ses inquiétudes sur la chatte pour éviter de penser à leur amie, pour repousser son anxiété, son sentiment d'impuissance. Le ton sec de Viviane, habituellement si chaleureuse, trahissait sa peur.

— Quand rentres-tu à Paris ?

— Ce soir, j'arrive à la gare de...

— Veux-tu venir dîner à la maison ? proposa Justine qui ne voulait pas rester seule. Le temps que tu arrives ici, on aura sûrement eu des détails à propos d'Hélène. Soit Ornella m'aura appelée, soit Marie en saura plus quand tu la joindras.

— Oui, et on va trinquer à son rétablissement, avança Viviane. Peut-être même qu'on pourra lui parler ? Les cellulaires sont autorisés maintenant dans les hôpitaux, je crois.

— Je suppose que oui. Tu as raison, on lui parlera tantôt. Avec le décalage, on ne la dérangera pas. Il faut rester dans un esprit positif.

::

— C'est bon pour toi, Gabrielle. On se retrouve après-demain, dit le réalisateur.

— Pour les scènes du poste de police, oui. J'ai hâte de les jouer, l'auteure nous a fignolé des textes sur mesure. C'est fluide, naturel, un vrai bonheur.

— Pour moi aussi. Je vous sens à l'aise avec les répliques. Si ça pouvait toujours être comme ça ! Et toi, tu es trop contente d'incarner la veuve maudite…

— C'est tellement plaisant de me glisser dans sa peau, dit Gabrielle. J'espère qu'elle ne déteindra pas sur moi et que je ne deviendrai pas un tyran qui veut tout contrôler.

— Ne t'inquiète pas pour ça, fit Baptiste Vandal, ce n'est pas ton genre. Tu ne ressembles tellement pas à…

Le réalisateur se tut, échangea un regard désolé avec Gabrielle qui lui sourit.

— Je sais que ma mère peut être odieuse.

— Pas odieuse, mais elle est si anxieuse de son image qu'elle veut tout vérifier. Le maquillage, l'éclairage, l'angle des prises de vue… C'est exaspérant.

— Tu es très poli, Baptiste, le taquina Gabrielle. Micha est carrément insupportable.

— Mais en privé, elle doit être…

— Égale à elle-même. En représentation permanente. Je pense qu'elle se plante devant son miroir pour être sa propre spectatrice.

— Tant mieux si tu ressembles plus à ton père, fit Vandal.

Il posa la main sur l'épaule de Gabrielle pour s'excuser, l'air penaud. Qu'il pouvait donc être maladroit. Il savait que son père était décédé quand elle était enfant.

— Ne t'en fais pas avec ça. On se revoit après-demain. Tout ce que je veux, c'est enlever ma perruque ! Et le corset !

Gabrielle fila vers sa loge où elle se débarrassa de sa perruque tout en consultant l'historique de son téléphone : elle avait reçu très tôt un message d'Ornella, puis un de Marie. Et un autre une heure plus tard. Quatre heures auparavant. Que lui voulaient-elles ? Elle composa le numéro de Marie qui poussa une exclamation en l'entendant. Enfin, elle la rappelait !

— Qu'est-ce qui se passe de si urgent ?

— Je… il n'y a pas de bonne manière de t'annoncer ça… C'est Hélène. Elle a eu un accident.

— Un accident ! Quand ?

— Probablement cette nuit. Ornella s'est rendue à l'hôpital. Elle ne sait pas grand-chose, sauf que c'est grave.

— Grave ?

— Elle est sur la table d'opération en ce moment.

Marie se tut quelques secondes avant d'ajouter qu'elle rejoindrait Ornella dès que sa fille rentrerait et reprendrait ses enfants.

— Je les garde jusqu'à 17 h. Puis je me rendrai au chevet d'Hélène.

— J'y vais tout de suite.

— Et ta Félicie ?

— Elle est chez une amie pour deux jours.

— Appelez-moi, reprit Marie. Toi ou Ornella. Je téléphonerai ensuite à Justine et à Viviane. Julius doit déjà être sur place.

Après avoir demandé à quel hôpital avait été emmenée Hélène, Gabrielle enfila ses vêtements en vitesse, renonça à se démaquiller, se contentant de prendre quelques serviettes qu'elle utiliserait dans sa voiture quand elle serait arrêtée aux feux rouges ou ralentie par les nombreux travaux routiers. Combien de temps mettrait-elle à gagner l'hôpital ? Quel trajet devait-elle emprunter pour arriver le plus vite possible au chevet d'Hélène ? Quelles opérations son amie subissait-elle ? Pourquoi Ornella et Marie n'en savaient-elles pas davantage si l'accident avait eu lieu en pleine nuit? Au moment où elle-même se levait pour se rendre aux studios? Que faisait Hélène sur la route en pleine nuit? Quelle route? S'était-elle endormie au volant? Les questions rebondissaient dans son esprit à toute vitesse. Elle devait se calmer, respirer lentement, se répéter qu'on ne savait pas encore vraiment ce qui était arrivé. De toute façon, Hélène était une battante! L'énergie qui l'habitait avait plu à Gabrielle dès leur première rencontre, lors d'une soirée caritative. Une énergie puissante et réfléchie: Hélène Holcomb ne posait aucun geste inutile, ne se déplaçait pas sans raison précise. C'était une femme qui anticipait les événements pour mieux gérer les imprévus. Ce soir-là, tandis que Gabrielle animait un encan avec le maire de la ville, Hélène, dans une cuisine improvisée où on aurait dû avoir deux fours supplémentaires et beaucoup plus d'espace, dirigeait la brigade des chefs avec autant de fermeté que de doigté. Gabrielle avait été totalement séduite par tout ce qu'elle avait goûté à la fin de la soirée, mais surtout époustouflée que ces mets si délicats aient pu être réalisés dans des conditions aussi rudimentaires. Comment tous ces chefs, sous-chefs, serveurs et sommeliers avaient-ils pu travailler sans se marcher sur les pieds, sans qu'il y ait d'accident?

Non, ne pas penser à un accident. Penser au sourire discret d'Hélène, au moment du service du digestif, lorsque l'organisateur de l'événement avait annoncé que les dons recueillis dépassaient l'objectif qui avait été fixé. Gabrielle, qui était tout près d'elle, lui avait glissé à l'oreille que c'était ce festin inoubliable qui avait délié les bourses, suscité un mouvement d'enthousiasme. Hélène avait protesté, Gabrielle avait contribué tout autant à la réussite de cet encan. Elle avait su émouvoir les donateurs en racontant ces histoires qui l'avaient elle-même bouleversée quand elle avait visité le centre d'hébergement pour les enfants maltraités. Hélène l'avait complimentée: elle avait su toucher les gens sans jamais appuyer trop lourdement sur les tragédies, éviter le voyeurisme, conserver la dignité des victimes. Quel équilibre de parvenir à être grave tout en distrayant tous ces gens qui voulaient surtout passer une bonne soirée, faire des rencontres, consolider des amitiés.

Dix ans déjà ? Gabrielle revoyait les arrangements floraux sur les tables aux longues nappes blanches auxquelles avaient été cousues de minuscules étoiles d'argent qui scintillaient au moindre mouvement des convives ou des serveurs, créant un chatoiement magique qui s'harmonisait à l'éclairage si flatteur des lampes aux abat-jour de soie immaculée. Elle se rappelait la fontaine de champagne dans le hall d'entrée jaillissant d'une rocaille de glace, des petits canapés aux couleurs vives semblables à des bijoux. Et des œuvres qui avaient été mises à l'encan, de son émotion en soulevant un tableau de Jean Dallaire. Dix ans ? Et le fameux pique-nique préparé pour le départ à la retraite de Marie, c'était l'année suivante ou plus tard ? Et les succès inattendus de *Rafales*, puis d'*Espace*, les parfums créés par Justine. Le voyage à Boston où Hélène les avait entraînées dans un minuscule restaurant italien qu'elles n'oublieraient jamais. La naissance de Félicie qui avait été célébrée en toute intimité chez Strega. Et tous ces soupers du premier lundi du mois chez Hélène d'où elle repartait toujours plus sereine, émue de constater que la magie opérait chaque fois, que l'amitié qui les liait les unes aux autres s'enrichissait de leurs différences, de la variété de leurs univers et se bonifiait avec les années. Hélène ne disait-elle pas souvent que les amitiés sont comme les grands crus qui gagnent en profondeur avec le temps ?

Gabrielle inspira lentement en empruntant le pont Jacques-Cartier, elle se répéta qu'Hélène était en bonnes mains, que tout se passerait bien. Elle serait à l'hôpital dans moins de dix minutes. Les médecins s'étaient sûrement entretenus avec Ornella. Elle aurait des choses à lui dire à propos d'Hélène. Elles décideraient de ce qu'elles feraient pour l'aider durant les prochains jours, les prochaines semaines s'il le fallait. Gabrielle pouvait même l'accueillir chez elle si c'était préférable. À condition que la vie avec une fillette ne la gêne pas : Félicie avait beaucoup d'énergie. D'un autre côté, elle distrairait Hélène : si elle devait garder le lit à cause d'une fracture, une femme aussi active qu'elle trouverait sans doute le temps long ! Mais ce serait tout de même mieux qu'elle ait une fracture du tibia plutôt que du radius ou du poignet. Ou de la main. Elle avait besoin de ses mains pour travailler. Elle ne coupait peut-être plus elle-même les légumes ou les viandes, mais elle mettait la dernière touche aux plats. Les plats qu'elle avait dessinés préalablement. La première fois que Gabrielle avait vu les esquisses que donnait Hélène aux membres de sa brigade pour leur permettre de mieux visualiser ce qu'elle souhaitait pour les losanges de pastilla d'agneau ou la disposition des tubes pralinés, des crèmes et des billes de sirop d'un hommage à l'amande, elle avait songé aux dessins des décors de théâtre qui, lors des répétitions, aidaient les comédiens à mieux saisir l'espace où ils évolueraient. Elle s'était rappelé le ravissement qu'elle éprouvait à donner un lieu au personnage qu'elle incarnait.

— Ce sont des mises en scène miniatures, avait-elle dit à Hélène en découvrant ses cahiers d'esquisses. Un souper chez Strega est une sorte de spectacle. Avec une histoire, des personnages, un décor.

— Les goûts et les odeurs en plus, avait complété Hélène en souriant.

En longeant le parc, Gabrielle pensa à ce soir de février où elle était allée patiner avec Viviane. Combien de rencontres devait-elle à Hélène ? Ornella, Marie, Justine faisaient partie d'un cercle privilégié, mais il y avait tant d'autres amis…

Fallait-il les prévenir maintenant ? Non, ils seraient trop nombreux. On ne permettrait pas à tous d'approcher Hélène. Elle les appellerait plus tard.

Quand Ornella et elle auraient plus d'informations sur l'état d'Hélène. Et s'il y avait plus de peur que de mal ? C'était possible, après tout. Elle était inconsciente, oui, mais toutes les commotions cérébrales n'étaient pas de la même gravité. Peut-être qu'elle s'en remettrait très vite. C'était possible. Oui. Oui. Oui.

5

9 septembre, 15 h

Dans la salle de réunion, le sergent Adrien Bordeleau avait projeté sur un écran un plan de la région, des photos agrandies de l'accident, des traces de pneus sur la chaussée, des lieux environnants, des images de la voiture sous tous ses angles et d'Hélène Holcomb au moment où les ambulanciers s'apprêtaient à l'extraire de la décapotable.

— Vous avez dit qu'elle était vivante quand vous êtes arrivés ? demanda Anne-Lise Gallant incrédule.

— Effectivement, répondit le capitaine Mitchell. Et il semble qu'elle le soit encore. On n'a pas eu d'appel de l'hôpital pour nous signifier son décès.

— L'impact doit avoir été terrible pour que la voiture fonce dans l'arbre, fit Bordeleau. Elle ne s'est pas seulement déportée.

— Le chauffard doit aussi avoir ressenti le choc, dit Anne-Lise Gallant en remontant ses lunettes pour retenir la masse de ses cheveux. À moins qu'il n'ait été complètement ivre. Ou au volant d'un VUS.

— Les techniciens ont recueilli des éclats de peinture. On en saura plus sur le modèle du véhicule, dit Raoul Dufour.

— On a commencé à faire le tour des garages du coin, précisa Mitchell. Rien de spécial à signaler. Mais ça se peut que notre chauffard cuve encore son vin. Qu'il se rende compte plus tard que son véhicule est abîmé. Peut-être seulement quand il voudra s'en servir de nouveau. L'idéal serait qu'il se rende chez un garagiste, mais on ne peut pas trop se fier là-dessus. Et ce ne sera pas dans la région.

— C'est sûr que si j'avais causé un accident, approuva Gallant, je m'arrangerais pour faire réparer les dégâts loin de chez nous. Rappelez-vous la femme qui s'est rendue jusqu'à Burlington pour faire retaper sa voiture, l'an dernier.

— Si notre chauffard a déjà été arrêté pour ivresse au volant, avança Raoul Dufour, il va peut-être attendre un bon bout de temps avant de reprendre son char, histoire de ne pas se faire remarquer…

— Et même s'il n'a jamais été intercepté, fit Bordeleau. D'un autre côté, s'il a besoin de son véhicule pour son travail, il ne pourra pas retarder les réparations durant des jours. À moins que ce ne soit pas trop gênant. L'impact sur un gros VUS n'est pas le même que sur une voiture…

— En attendant, des agents doivent faire le tour des commerces du coin, suggéra Mitchell, pour voir si quelqu'un a attiré l'attention, peu importe la raison. Et si oui, tenter de savoir quel véhicule il conduisait, s'il était seul, si c'est une personne de la région. S'il y a des caméras de surveillance. Tout est possible, c'est peut-être une chicane qui a dégénéré, dans un couple ou entre deux chums. En beau calvaire, le gars prend un coup, embarque dans son char pour suivre l'autre et bang, il fonce par accident sur le cabriolet. Tout ce que vous entendez est susceptible d'être utile à l'enquête. Ratissons large !

— Si on est chanceux, fit Bordeleau, ce ne sera pas un touriste.

— On devrait visionner les enregistrements de la douane, dit Gallant, essayer de voir si un véhicule est passé dans les deux sens à quelques heures d'intervalle. Le poste frontalier est ouvert toute la nuit. Si je commettais un acte criminel aux États-Unis, j'aurais tendance à essayer de revenir le plus vite possible ici.

— Un détail qui a peut-être son importance, ajouta Mitchell. Hélène Holcomb est quelqu'un de célèbre.

— Je n'ai jamais entendu son nom, dit Adrien Bordeleau.

— Moi non plus, fit Gallant.

— C'est un chef très connu, précisa Mitchell. Elle revenait de New York, comme vous le savez. Elle avait reçu un prix. Ça se pourrait que tout ça se retrouve sur les réseaux sociaux rapidement.

Un chœur de gémissements répondit au capitaine Mitchell.

— On va leur montrer qu'on est les meilleurs ! dit Dufour en froissant l'emballage d'une menthe. On va attraper le chauffard !

: :

16 h

Dès que Gabrielle aperçut Ornella dans la salle d'attente, elle comprit que la situation était encore plus grave qu'elle ne l'avait redouté. Les traits de son visage étaient si tirés, si tendus qu'on lui aurait donné dix ans de plus. Elle se précipita vers elle et Ornella gémit en se serrant contre elle.

— Elle n'est pas…

— Non, mais le peu de nouvelles que nous avons eues…

— Nous ?

— Julius est ici. Il est parti chercher un café. Moi, je n'en voulais pas, je suis déjà bien… je suis debout depuis… je…

— Dis-moi ce que tu sais, fit doucement Gabrielle.

— Hélène est toujours en salle d'opération.

— Mais ça fait des heures… Marie m'a dit qu'elle t'avait parlé ce matin.

— Non, en fait, ils ont dû attendre d'avoir les premiers résultats avant d'agir. C'est ce que l'infirmière m'a raconté. Suzanne. Elle s'appelle Suzanne. Elle a acheté le livre d'Hélène. Elle l'admire beaucoup. C'est une bonne chose, non?

— Bien sûr, mais les médecins ne t'ont rien dit?

Ornella hocha la tête. Le Dr Gagnon leur avait dit que son équipe avait réussi à réanimer Hélène qui avait fait deux arrêts cardio-respiratoires.

— On l'a stabilisée, avait-il expliqué, et on a pu poser un drain pour libérer l'air des poumons, mais Mme Holcomb est très gravement blessée. Hémorragie crânienne, côtes, tibia, radius et cubitus droits fracturés… Je ne peux pas vous dire maintenant comment évoluera la situation…

Ornella jeta un coup d'œil à sa montre.

— C'était il y a… je ne sais plus. Mais j'ai reparlé à l'infirmière. Elle n'avait pas plus de détails à me donner. On venait d'emmener Hélène dans un autre service. Je ne sais plus lequel… Suzanne m'a appris que le Dr Gagnon est allé plus d'une fois chez Strega. Mais c'est Suzanne qui l'a reconnue.

— C'est vrai?

— Le Dr Gagnon a promis de revenir nous voir dès qu'il le pourrait. Je ne sais pas dans combien de temps et…

— Si l'infirmière a reconnu Hélène, la coupa Gabrielle, c'est qu'elle n'est pas défigurée. Ça veut dire que son visage est intact et qu'elle va pouvoir respirer, sentir, goûter. C'est une bonne nouvelle.

— Oui, probablement, répondit Ornella en se disant qu'elle devait imiter Gabrielle et rester optimiste.

Elle ne put pourtant s'empêcher de dire que le visage d'Hélène était enflé, tuméfié.

— C'est normal avec le choc qu'elle a subi, dit Gabrielle. Mais son nez, sa mâchoire ne sont pas en bouillie, sinon l'infirmière ne l'aurait pas reconnue. C'est ça qu'il faut retenir. Veux-tu rentrer chez toi pour te reposer ? Je ne bougerai pas d'ici. Je ne tourne pas demain et ma fille est chez une amie.

— Tu es fine, mais ça ne servirait à rien. Je suis trop stressée pour pouvoir m'assoupir. Mais peut-être que Julius pourrait rentrer chez lui.

— Il est arrivé depuis longtemps ?

— Au moins trois heures. Il parle sans arrêt. Je sais bien qu'il est stressé, mais il me répète des histoires de son enfance, quand Hélène l'accueillait au lac Lovering. Il dit que ce sont ses plus beaux souvenirs…

— C'est impossible, déclara Gabrielle.

— Pourquoi ?

— Ça remonterait à une vingtaine d'années, s'il était enfant, et Hélène n'avait pas hérité du chalet à ce moment-là.

— Il doit être confus, dit Ornella. C'est bien normal.

— C'était son grand-père qui devait être là. Julius allait plutôt au lac avec Chantale.

— Il est trop stressé, il mêle tout. Il tremblait quand il est arrivé ici. Il n'en mène pas large. Je ne pensais pas qu'il était si proche d'Hélène. Il m'a dit que c'était sa deuxième mère.

— C'est sûr qu'Hélène a toujours été formidable avec lui. Généreuse, compréhensive, attentive…

— Plus que moi avec notre fils, murmura Ornella. Si je n'étais pas partie si souvent, j'aurais peut-être vu que Milan s'enfonçait et qu'il…

— Arrête de te culpabiliser ! Tu ne t'es jamais absentée plus de quinze jours et tu étais toujours là pour faire déjeuner tes garçons, préparer le souper, voir aux travaux scolaires.

— Mais je n'étais pas là le soir.

— Tu n'étais pas là *tous* les soirs, nuança Gabrielle.

Elle songeait à sa mère qui fuyait la maison, même si elle n'était pas retenue au théâtre, qui préférait la traîner au restaurant plutôt que de rester devant la télé pour passer une soirée au calme avec elle. Gabrielle avait très vite compris qu'elle ne suffisait pas à sa mère qui avait besoin d'un plus large public.

— Ton mari y était, reprit-elle. Et ton aîné n'a pas eu les mêmes problèmes que ton cadet. C'est pourtant vous aussi qui l'avez élevé. De toute manière, Milan va bien maintenant. Il a découvert sa voie et il est heureux d'être fleuriste. On ne peut pas en dire autant de Julius. Cela inquiète de plus en plus Hélène qu'il soit si instable.

— Je sais, fit Ornella. Et là, avec l'accident, il est carrément déboussolé. J'ai dû lui répéter vingt fois le peu que le policier m'avait appris. Et là, je me demande ce qu'il fabrique, il a dit qu'il sortait pour s'acheter un café… D'un autre côté, je ne suis pas pressée qu'il revienne, il est épuisant.

::

16 h 15

— Qu'est-ce qui t'a donné l'idée d'élever des abeilles ? demanda Arnaud à Kim, alors qu'ils s'approchaient des ruches.

— Je les trouve joyeuses. Cela me fascine de les voir s'activer avec autant d'enthousiasme. Leur énergie est contagieuse !

Kim sourit en admettant qu'il pratiquait probablement l'anthropomorphisme en prêtant des sentiments de gaieté aux insectes.

— Elles semblent aussi contentes de quitter la ruche que d'y revenir après avoir parcouru des kilomètres, s'être activées durant des heures pour dénicher leur précieux nectar. Et j'adore le miel. J'en mettrais partout !

— Moi, j'ai un faible pour le sirop d'érable, confessa Arnaud. Quand j'étais chef, je devais me raisonner pour ne pas en abuser. Mais toi, à Paris, tu ne devais pas en utiliser souvent dans la pâtisserie où tu bossais.

— Jamais. J'ai découvert le sirop en arrivant à Montréal.

Établi au Québec depuis quinze ans, Kim Truong venait d'emménager dans un loft du Plateau-Mont-Royal et avait très vite installé les ruches, avant même d'acheter des fauteuils en osier et une table. En voyant Arnaud se protéger du soleil de sa main droite, il s'éloigna pour récupérer le parasol planqué contre un mur.

— Je le range chaque soir, je crains qu'il parte au vent.

— Tu dois avoir eu peur aussi pour tes ruches quand il a grêlé hier soir ?

— J'étais à la boutique, je paniquais ! J'étais certain qu'elles seraient détruites à mon retour.

— Si jamais cela se reproduit, je pourrais venir m'en occuper, si tu me dis comment faire pour les protéger…

Kim sourit à nouveau avant de dire à son vieux voisin qu'il était déjà trop gentil avec lui. Il désigna la table où Arnaud avait déposé des plats qu'il avait préparés.

— Du porc caramélisé ! Je n'en ai pas mangé depuis longtemps. Et tes nems ressemblent vraiment à ceux de ma grand-mère.

— Peut-être bien parce qu'on a le même âge, marmonna Arnaud.

— C'est elle qui m'a élevé. Mes parents travaillaient tout le temps.

— J'espère que tu ne seras pas déçu. Le basilic thaï que j'ai trouvé à l'épicerie était rachitique… j'aurais dû en planter. Ça pousse bien au soleil. En revanche, je m'avoue vaincu pour le cerfeuil. Et la coriandre monte vite en graines.

— J'adore la coriandre, s'exclama Kim.

— Moi aussi. On est chanceux, car il y a un pourcentage de la population pour qui la coriandre a un goût infect, une véritable répulsion. Ils ont l'impression de manger du savon.

— Moi, j'aime tout.

— Tu n'es pas de ta génération, commença Arnaud.

Il expliqua que, ces dernières années, au restaurant, tout était devenu plus compliqué. Les jeunes prétendaient avoir des tas d'allergies, farine de ci, farine de ça, lactose, poisson, blanc ou jaune d'œuf. La liste s'allongeait constamment.

— Je sais qu'il y a des gens qui sont réellement allergiques, poursuivit-il, et nous étions très prudents chez Christophe quand on nous mentionnait un souci avec les noix ou les fruits de mer. Je prends cela au sérieux. Mais c'est peu probable que tant de monde souffre de la maladie cœliaque le même soir, dans le même restaurant. C'est mathématiquement impossible. Pour moi, c'est une mode, un caprice. Qui donne des maux de tête aux chefs. À chaque commande d'un client qui signale une allergie, on doit tout laver en cuisine, tout désinfecter.

— J'ai les mêmes soucis à la chocolaterie, dit Kim.

Arnaud se donna une tape sur le front. Qu'il était bête ! Bien sûr que Kim en connaissait un rayon sur les allergies ! Il devait sans doute prendre mille précautions quand il manipulait les noix. Heureusement qu'il n'y renonçait pas. C'eût été dommage de ne pouvoir se délecter de ses sublimes palets à la noisette, très peu sucrés, qui devaient permettre de savourer le goût de sous-bois du fruit sec. Privé d'odorat, il avait été particulièrement sensible au mélange de textures, de la crème, un pralin très fin, une ganache soyeuse. Arnaud avait été conquis dès qu'il y avait goûté, quelques jours plus tôt, quand Kim était venu boire une limonade. Celui-ci était volontiers resté pour grignoter les bouchées apéritives, avait ensuite accepté son invitation à souper. À la bonne franquette, avait dit Arnaud. Une quiche au crabe, ça lui allait ? Il ferait revenir un peu de fenouil, garderait de la verdure pour décorer, servirait avec une simple salade verte. Quand Kim était rentré chez lui, trois heures plus tard, Arnaud était agréablement surpris de s'être senti si proche de ce voisin qu'il ne connaissait pas deux semaines plus tôt. Et il s'apprêtait maintenant à souper de nouveau avec lui. Il espérait ne pas avoir été trop ambitieux en préparant des mets asiatiques et ne pas s'être trompé en dosant les épices, ne pouvant se fier qu'à sa mémoire. À peu près intacte, heureusement. Puisque Kim lui avait dit qu'il ne cuisinait pas de plats salés, ne confectionnait que des douceurs au miel ou au chocolat, il avait proposé de s'occuper de l'entrée et du plat.

— Ça sent vraiment le caramel, fit Kim en s'approchant de la table. Je ne suis pas le seul à être intéressé.

Quelques abeilles volaient autour des assiettes, repartaient désarçonnées : elles avaient pourtant perçu des effluves sucrés. Arnaud se sentit à la fois flatté que son plat attire les abeilles et coupable de ne pas les satisfaire. Il n'avait pas quitté les ruches des yeux depuis son arrivée sur la terrasse. Kim avait raison, l'activité des abeilles était stimulante. Et apaisante.

— C'est comme si j'oubliais tout quand je les observe, s'étonna-t-il.

— Tu veux tout oublier ? s'inquiéta Kim.

Arnaud Fontaine songea à Jean-Michel qui ne les reconnaissait plus, qui ne savait probablement même pas qu'il était dans un CHSLD. Non, il ne voulait pas perdre la mémoire, il voulait se souvenir de ce soir d'été où la brise faisait frémir les plants de gaura rose pâle où des abeilles continuaient à puiser du nectar. L'activité des ruches avait toutefois ralenti depuis qu'il avait posé la casserole sur la table, déclinant en même temps que les rayons du soleil.

— Je sais qu'il est un peu tôt, mais je te sers un verre ? proposa-t-il à Kim.

Celui-ci ouvrait une bouteille de sauvignon. Qui ne conviendrait peut-être pas au porc avec ses parfums de bourgeon de cassis et d'agrumes, mais qu'importe, si Kim aimait ce vin. Lui n'en saisirait que l'acidité et peut-être le sucre des fruits. Depuis qu'il souffrait d'anosmie, il préférait les champagnes, les bulles qui lui chatouillaient le palais lui faisaient presque oublier les goûts disparus. Reviendraient-ils un jour ? Ou mourrait-il avant ?

Des cris perçants attirèrent son attention. Il s'approcha du bord du toit qui donnait sur la terrasse des voisins du deuxième étage : un gamin tapait du pied, furieux que ses parents lui refusent une glace.

— Tu en as déjà mangé une, ce midi, dit sa maman. Tu en mangeras après le souper.

— Non !

Kim s'approcha à son tour, secoua la tête d'un air dubitatif, puis recula comme s'il craignait que l'enfant l'aperçoive.

— Je n'ai pas envie qu'Antonin me demande de revenir voir les ruches. Cet enfant est une vraie tornade. Il crie, il court, n'écoute rien. Je te parie qu'il aura sa glace.

— Dans mon temps, on obéissait, soupira Arnaud.

Combien de phrases commençait-il par « dans mon temps » ? Il devait se corriger, sinon son nouveau voisin le trouverait vite lassant. Il revint vers la table, but une gorgée de sauvignon, crut deviner des arômes de pamplemousse. Les imaginait-il ? Son cerveau prenait-il le relais, tellement il souhaitait recouvrer l'odorat ?

::

16 h 43

Mathilde était sortie rapidement de la salle du palais de justice où elle avait dû témoigner comme experte pour la Couronne : elle avait senti vibrer son téléphone à plusieurs reprises tandis que l'avocat qui représentait les parents de la victime lui demandait d'interminables précisions sur les coups portés à Joanie Sainte-Marie, vingt ans, tuée par l'homme qu'elle voulait quitter. Mathilde consulta l'afficheur, sentit les battements de son cœur s'accélérer en constatant que Viviane avait tenté de la joindre à six reprises. Qu'est-ce qui se passait ? En composant son numéro, elle se força à se calmer : s'il lui était arrivé quelque chose de grave, elle n'aurait pas pu lui téléphoner. Elle n'était pas ensevelie sous les décombres d'un restaurant détruit par une bombe, elle n'avait pas été fauchée par un camion fou, elle n'était ni morte ni blessée. Elle était probablement à son appartement et s'ennuyait un peu. Beaucoup. Autant qu'elle ?

— Ma chérie ? Tu m'as appelée…

— Il faut que tu t'occupes d'Athéna.

— Athéna ?

— Hélène a eu un accident. Il faut qu'on garde sa siamoise. Elle connaît la maison. Elle sera à l'aise chez nous.

— Un accident ? Où ? Quand ?

— Cette nuit. Ce matin. Elle rentrait de New York. Marie n'en sait pas plus.

— C'est grave ?

— Tu peux aller chercher Athéna ? Marie a les clés d'Hélène. Quand elle ira la voir à l'hôpital, elle pourra la rassurer. Lui dire que sa chatte est bien chez nous. Qu'on la garde le temps qu'il faut. Que tout est correct. Appelle Marie. Tu iras ensuite chez Hélène. N'oublie pas la nourriture.

Les phrases courtes, le débit saccadé de Viviane trahissaient les efforts qu'elle faisait pour se maîtriser.

— Ma chérie, j'appelle tout de suite Marie. Je serai chez Hélène avant le souper. Je vais dorloter Athéna. Et j'irai aussi à l'hôpital voir Hélène. Est-ce que je peux faire autre chose pour t'aider ?

— Non. Je… je me sens si loin…

— Je vais aller à l'hôpital, promit Mathilde. Où es-tu ?

— Chez Justine, nous n'avions pas envie d'être seules. Au cas où Marie nous rappellerait pour… Mais elle ne nous a pas encore téléphoné, c'est bon signe, non ?

— Sûrement, ma chérie, sûrement. J'ai vu ton reportage sur le déraillement, la gamine qui appelait son chien. Ça devait être très difficile pour toi. Tu dois être épuisée.

— Elle se promenait tout près des lieux de l'accident quand le train a déraillé. C'est un miracle qu'elle soit toujours vivante. C'est son chien qui l'a sauvée. Il s'est mis à courir pour fuir le train, il a senti la catastrophe. Hélène doit avoir senti qu'elle perdait le contrôle de sa voiture.

— À moins qu'elle se soit endormie au volant…

— Non, protesta Viviane, elle venait de parler à Marie.

— Elle a conduit durant des heures, elle a été distraite. Peut-être qu'elle a voulu éviter d'écraser un animal…

— Ça devait être un raton laveur. Ils sortent quand il fait noir. Hélène aime tellement les bêtes. Tu t'occupes d'Athéna ?

— Oui, va te coucher, maintenant. Il est tard. Embrasse Justine pour moi. Je t'aime.

— Je t'aime aussi.

— Fais attention à toi.

— Toi aussi, dit Viviane. Je ne veux pas qu'il t'arrive un accident.

— Ce serait plutôt à moi de m'inquiéter pour toi, la corrigea Mathilde.

— Je suis prudente.

— Je l'espère, ma belle, je l'espère de tout cœur.

Mathilde garda longtemps le téléphone dans sa main comme si son amoureuse était toujours en ligne. Était-elle aussi prudente qu'elle l'affirmait ou prenait-elle des risques dans le feu de l'action ? Elle avait été conquise par l'enthousiasme, la passion qui habitaient Viviane quand elle parlait de ses reportages qui lui permettaient de découvrir le monde, de faire des rencontres inusitées, riches, marquantes, de fuir une routine qui l'aurait éteinte si elle avait poursuivi ses études en physique. Elle aimait cet univers paradoxal d'abstractions et d'applications réelles, et si elle s'était dirigée d'abord vers le journalisme scientifique, elle avait élargi rapidement son champ de compétences. Car tout l'intéressait. Elle se décrivait elle-même comme une éponge prête à absorber le plus infime détail. « Celui qui fait la différence », répétait-elle souvent. L'image de la laisse du chien égaré, de sa jeune maîtresse qui avait eu la vie sauve.

Mais quel détail avait modifié la trajectoire d'Hélène ?

Mathilde ferma les yeux, refusa d'imaginer leur amie sur une table d'autopsie, tout en se disant malgré elle qu'il fallait que ce soit sa collègue Caroline qui s'en occupe si... Non. Hélène ne connaîtrait pas son lieu de travail de la rue Parthenais. Elle quitterait l'hôpital pour rentrer chez elle. N'était-ce pas son incroyable énergie qui l'avait frappée lorsqu'elle avait fait sa connaissance ? Et son attitude si particulière envers son travail. Mathilde était habituée aux réactions étonnées des gens à la fois fascinés, apeurés ou trop curieux lorsqu'ils apprenaient qu'elle était pathologiste, mais Hélène lui avait posé des questions précises sur l'odeur qui régnait dans une salle d'autopsie, sur les instruments, sur les organes prélevés. Quand Mathilde lui avait demandé pourquoi elle voulait connaître tous ces détails, elle lui avait répondu que si la vie inspirait ses créations, il était néanmoins nécessaire de réfléchir à son opposé pour utiliser ce contraste entre les ténèbres et la lumière. Mathilde s'était alors souvenue que Viviane lui avait dit qu'Hélène s'intéressait à la philosophie.

Elle composa le numéro de Marie afin de lui emprunter les clés de l'appartement d'Hélène pour pouvoir y récupérer Athéna. Peut-être que Viviane serait moins anxieuse quand elle saurait que la siamoise était en sécurité chez elles. Et qui sait si Marie n'aurait pas de nouvelles informations à leur livrer. Elle ne reconnut pas immédiatement la voix de Marie, métallique, tendue à l'extrême : elle craignait qu'on l'appelle pour lui annoncer le pire et poussa un long soupir lorsque Mathilde se nomma, lui parla d'Athéna.

— Comme je l'ai promis à ma blonde, je vais m'en occuper.

— J'ai les clés de l'appartement d'Hélène. On préviendra sa petite voisine. C'est elle qui était chargée de nourrir Athéna pendant qu'Hélène était à New York.

— Athéna sera bien chez nous.

: :

17 h

— Je vous ai apporté du café, dit Julius Rancourt.

Suzanne Chalifour regarda autour d'elle, pensant que le grand verre de carton était destiné à quelqu'un d'autre, mais il le lui tendait. Puis il fouilla de sa main gauche dans la poche de sa veste pour trouver des sachets de sucre et de petits godets de lait.

— Je ne savais pas ce que vous mettiez dans votre café.

— Noir, je le prends noir, mentit Suzanne qui ne buvait pas de café. C'est gentil, mais…

— J'ai été un peu sec, tantôt, quand vous êtes venue nous parler de ma marraine. Je voulais m'excuser. Je suis tellement inquiet…

Suzanne hocha la tête, compatissante, dit avec conviction qu'Hélène Holcomb était soignée par les meilleurs chirurgiens.

— Il me semble que ça fait longtemps qu'elle est partie au bloc, fit Julius.

— Elle a de graves blessures. Et le temps s'éternise quand on est angoissé, dit Suzanne. Ne vous en faites pas. Dès que j'ai des nouvelles, je reviens vous voir.

— On sait tous les deux qu'elle est dans une situation critique, insista Julius. Vous pouvez me dire la vérité. On se prépare à…

— C'est très sérieux, oui, mais je vous répète que rien n'est perdu, fit Suzanne avant d'esquisser un geste de la main pour retenir Auguste qui se dirigeait vers l'ascenseur.

Julius Rancourt tourna la tête dans sa direction, s'étonna de découvrir un homme vêtu d'un trop long sarrau, arborant un nez rouge. Qu'est-ce que ce clown faisait dans un hôpital ?

— Je sais, ça surprend la première fois, dit Suzanne.

— Je suppose qu'il est là pour les enfants.

— Pas seulement, sourit Suzanne.

Elle déposa son café derrière le long comptoir en U qui occupait le centre de cette aile. Elle remercia de nouveau Julius Rancourt pour le café, puis rejoignit Auguste pour attendre l'ascenseur avec lui.

Mécontent, Julius cligna des paupières plusieurs fois : il avait payé ce café pour amadouer cette vieille infirmière et voilà qu'elle le laissait traîner à côté des ordinateurs et préférait rejoindre ce pitre. Il avait eu tort de miser sur elle. Il devrait investir dans une autre infirmière pour avoir une informatrice privilégiée sur place. Quelqu'un qui pourrait lui dire comment évoluait exactement l'état d'Hélène. Devait-il s'attendre au pire et la voir émerger du coma ? Que dirait-elle quand elle se réveillerait ? Il avait beau se dire qu'elle n'avait pu voir son visage lorsqu'il avait heurté son cabriolet, il frémissait à l'idée qu'elle se rappelle avoir vu le vieux véhicule gris garé tout près du poste douanier. Et quand bien même elle l'aurait remarqué, il faisait sombre. Elle ne pourrait rien apprendre aux enquêteurs. Il devenait fou à inventer n'importe quelle connerie. C'était cette attente à l'hôpital. C'était Ornella qui l'exaspérait en affirmant qu'Hélène était une battante, une femme forte, un phénix. Qu'elle survivrait. Il devait pourtant retourner vers elle, faire semblant d'espérer la même issue. Il passa devant l'ascenseur dont les portes devaient s'être ouvertes et refermées plusieurs fois tandis qu'il observait les infirmières qui allaient du poste de garde aux patients sans jamais s'arrêter. Laquelle pourrait le mieux le servir ? La rousse, peut-être ? Avec son visage chevalin, elle ne devait pas trop attirer les regards masculins. Ou la blonde frisée qui semblait bien timide. En revenant vers Ornella, il constata que Gabrielle l'avait rejointe. Bordel! Il devrait en supporter deux plutôt qu'une! Est-ce que toutes les amies d'Hélène débarqueraient à l'hôpital? N'y avait-il pas une loi pour limiter le nombre de visiteurs? Il but une gorgée de son café. Il l'avait trop sucré pour en chasser l'âcreté, c'était infect. Quelle journée de merde!

::

20 h

Alex Mitchell but sa première gorgée de bière en fermant les yeux pour mieux la savourer, poussa un soupir de bien-être.

— On a eu toute une journée, fit Raoul Dufour en prenant une poignée de chips dans le panier qu'avait déposé la serveuse sur la table.

— Je devrais rentrer directement chez moi, mais je n'ai pas le goût de réchauffer une pizza.

— Moi non plus, dit Adrien Bordeleau. Il est tard, on devrait souper ici. Il ne se passera plus rien à cette heure-ci. Gallant est au poste. Elle nous appellera s'il y a du nouveau. J'ai envie d'un gros steak.

— Avec des frites, compléta Mitchell. Bonne idée.

Il fit signe à Sandra de revenir vers leur table, lui sourit.

— Trois steaks saignants, des frites, trois autres bières.

— Vous n'êtes pas compliqués, approuva Sandra.

— La vie l'est bien assez, soupira Bordeleau tandis qu'elle retournait passer les commandes en cuisine.

— On a quand même avancé. Vous avez fait du bon travail, dit Mitchell.

— T'es optimiste, répondit Dufour. Il ne reste pas grand-chose de l'épave.

— Je suis certain que c'est le véhicule qui a envoyé la Mercedes dans le décor.

— Oui, renchérit Bordeleau, ça ne peut pas être une coïncidence. On cherche un VUS impliqué dans un accident et il y en a un qui brûle à une heure d'ici. En pleine nuit. On a peut-être perdu des indices dans ce feu, mais, moi, j'ai gagné la certitude qu'il y avait une intention criminelle. Ce n'est pas un simple *hit-and-run*. Hélène Holcomb était visée personnellement.

— Ça fait longtemps qu'elle habite dans la région ? demanda Dufour.

— Tout ce que je sais, c'est qu'elle est propriétaire d'un chalet au lac Lovering. Demain matin, j'appellerai son amie pour en savoir plus. On ira faire un tour au lac.

— C'est plate que les travaux ne soient pas encore finis, marmonna Dufour. On devra multiplier les allers-retours entre Sherbrooke et Magog.

— Ils ont promis que le nouveau poste de la SQ sera ouvert au printemps, dit Mitchell, mais je suppose que ce sera plus long. Une chance, il y a de bons restos dans le coin.

— Tu ne changes pas, dit Dufour. Tu penses tout le temps à te bourrer la face.

— Eh ! Un peu de respect pour ton supérieur, l'arrêta Mitchell avant de lui rappeler que son père était cuisinier. Je ne le voyais pas beaucoup pendant la semaine, mais c'était une vraie fête quand on allait le retrouver au resto le dimanche. Ce sont mes meilleurs souvenirs…

— C'est vrai qu'il cuisinait bien, fit Dufour qui connaissait Mitchell depuis les bancs d'école. Je me rappelle son gâteau au chocolat. Je n'en ai plus jamais mangé d'aussi bon.

— Ça ne t'a pas tenté de prendre la relève ? s'enquit Bordeleau.

Dufour échangea un regard désolé avec Mitchell ; Bordeleau ne pouvait pas deviner que Bob Mitchell avait été assassiné. Que c'était cet événement qui avait poussé son fils à entrer dans les rangs de la SQ.

— Non, se contenta de répondre Mitchell. Je fais quelques-unes de ses recettes chez nous, mais ça s'arrête là.

— Ne l'écoute pas, dit Dufour à Bordeleau. C'est un maudit bon cuisinier ! L'automne dernier, on a mangé du chevreuil cuit dans le vin rouge, la viande était tellement tendre...

— C'est certain, du chevreuil ! lança Dufour.

— J'ai hâte qu'on retourne à la chasse, dit Mitchell.

Il sourit à Sandra qui venait vers eux en portant de lourdes assiettes. Il saliva en voyant l'épaisseur du steak, en humant l'odeur du romarin qui montait des rattes rissolées dans l'huile d'olive. Il se dit qu'on ne devait pas servir de simples steaks au restaurant d'Hélène Holcomb. Et que c'était un peu dommage. Il coupa la viande avec enthousiasme, mangea trois bouchées avant de reparler du VUS qui avait été incendié.

— Les techniciens vont trouver des indices, reprit-il avec assurance. La carcasse n'a pas brûlé entièrement. Elle va nous livrer des informations.

— Si c'est un vieux modèle, fit Dufour, ça va nous donner pas mal plus de trouble.

— Mais si c'est un neuf, réfléchit Bordeleau, ça veut dire que notre criminel avait assez peur de laisser des traces pour se résigner à brûler un char de l'année !

— Oui, approuva Dufour, au prix que coûte un VUS ! J'avais envie d'en acheter un, mais, avec les travaux de la maison, je vais devoir attendre un peu.

— Si c'est un vieux VUS, poursuivit Mitchell, notre chauffard peut l'avoir acheté chez un vendeur de chars usagés. Ou c'est un véhicule qui a été volé. Il va falloir vérifier les plaintes pour vol ici, à Montréal, à Québec et même aux États.

Subitement découragé, Mitchell but une longue gorgée de bière.

— On verra bien ce que les techniciens auront à nous apprendre, fit Dufour. Pour ce soir, on ne peut rien faire de plus.

— Peut-être que la victime va sortir du coma, dit Bordeleau. Qu'elle aura vu le criminel ou reconnu sa voiture.

— Peut-être qu'elle a même cherché à l'éviter, à le fuir, ajouta Mitchell. J'espère vraiment qu'elle se réveillera ! Et vite !

— En tout cas, elle n'est pas morte. On nous aurait appelés.

— Demain, vous ferez le tour des concessionnaires de la région, qu'ils vendent du neuf ou du vieux. Le tour des cours à scrap aussi. S'il le faut, on élargira le périmètre de recherche. On doit ratisser large. Prenez Lapointe et Saint-Hilaire avec vous.

::

4 octobre

Le vent s'était levé et Julius quitta à regret la terrasse du chalet où il buvait un Macallan sans apprécier la beauté du lac Lovering, d'un bleu ardoise soutenu, que des rapaces survolaient depuis une heure. Julius s'était interrogé sur leur présence, avait cru qu'ils plongeraient pour saisir une proie, puis s'était désintéressé d'eux. Il s'en foutait de ces maudits oiseaux ! Ils ne l'aideraient pas à régler son problème ! Voilà près d'un mois qu'Hélène était à l'hôpital et aucun des médecins avec lesquels il s'était entretenu n'avait pu lui dire comment son état évoluerait. Si elle allait émerger du coma. Quand elle en émergerait. Ni dans quel état. Les deux premières semaines, Julius s'était rendu tous les jours à l'hôpital pour que tout le personnel comprenne à quel point il était attaché à sa marraine, mais l'exercice était contraignant. Et vain. Chaque jour, il espérait qu'on lui annonce que l'état d'Hélène s'était soudainement dégradé, mais on lui souriait en lui répétant qu'Hélène était stable. Qu'il fallait seulement être patient.

Patient !

Alors qu'il était pris à la gorge ! Les dix mille dollars qu'il avait raflés au casino la semaine précédente ne lui permettraient certainement pas de tenir durant des mois !

Il aurait pourtant pu obtenir une si belle somme pour le chalet s'il en avait hérité, si Hélène avait péri dans l'accident. Pas plus tard qu'hier, une agente immobilière de la région s'était présentée pour lui offrir ses services : tout le monde savait qu'Hélène Holcomb était à l'hôpital, peut-être qu'elle n'aurait plus l'énergie nécessaire pour s'occuper de sa résidence secondaire. L'agente était prête à se charger de la vente, si la famille le souhaitait. « C'est moi, la famille ! » avait failli crier Julius. Oui, il avait envie de vendre ce chalet. Sauf qu'il n'en était pas encore propriétaire. Il avait pensé le louer, mais les amies d'Hélène lui avaient dit qu'elles verraient à l'entretien du chalet, de la serre et du potager, qu'il n'aurait pas à s'en occuper si ça l'ennuyait. L'important était qu'Hélène retrouve ces lieux qu'elle aimait tant en parfait état lorsqu'elle se réveillerait. Ces maudites bonnes femmes évoquaient continuellement tout ce qu'elles feraient avec Hélène quand elle sortirait du coma. Comment pouvaient-elles en être aussi certaines ? Il avait fini par poser la question à Gabrielle : est-ce que les médecins leur avaient dit quelque chose qu'il ignorait ? Pourquoi lui cachait-on la vérité alors qu'il était le seul membre de sa famille ? Gabrielle l'avait dévisagé, visiblement étonnée par ses questions. Non, les médecins ne leur avaient donné aucune assurance quant à l'évolution de la situation, mais elles n'allaient pas baisser les bras si vite.

— Avoir une attitude négative n'aidera pas Hélène à revenir au monde.

— Moi, j'aime mieux être lucide, avait-il répondu. Me préparer au pire, ce sera moins difficile si…

— Tais-toi ! avait dit Marie. Hélène est forte ! Elle aurait dû mourir dans cet accident et elle est toujours parmi nous. Le Dr Gagnon est étonné de sa forme physique. Je suis tellement contente qu'Hélène soit aussi sportive, ça peut la sauver ! Et quand elle reviendra parmi nous, elle se rétablira beaucoup plus vite. Quand j'ai appris à Suzanne Chalifour qu'Hélène court, nage et fait du vélo depuis que je la connais, elle m'a dit que ça jouait en sa faveur. C'est à ça qu'on doit s'accrocher.

Julius avait fait semblant d'acquiescer, mais ce quintette de bonnes femmes l'exaspérait de plus en plus. La pire, c'était Viviane. Depuis son retour à Montréal, elle lui avait posé toutes sortes de questions, sur lui, son travail, ses projets. Elle ne semblait pas savoir qu'Hélène avait refusé de le financer, mais dans ce cas pourquoi l'avait-elle interrogé sur ses projets ? En quoi cela la regardait-elle ? Peut-être que c'était de la déformation professionnelle, mais la journaliste l'agaçait presque autant que les enquêteurs qui l'avaient rencontré à l'hôpital et qui l'avaient relancé chez lui quelques jours plus tard.

Ils lui avaient heureusement foutu la paix ces deux dernières semaines ; ils avaient compris qu'ils ne tireraient rien de lui. Il avait réussi à répéter l'histoire qu'il avait préparée sans jamais la modifier : il était à son appartement et regardait une série lorsque Hélène avait été heurtée par un chauffard. Point à la ligne. Il était même parvenu à dissimuler sa surprise quand le capitaine Mitchell avait évoqué la mort accidentelle de sa mère. Ces maudits policiers avaient donc mené une enquête sur lui ? Jusqu'où étaient-ils allés ? Comme s'il avait lu dans ses pensées, Mitchell lui avait dit qu'ils avaient fait des recherches sur tous les proches d'Hélène.

— C'est la routine dans ce genre de dossier.

— Ce genre de dossier ? avait demandé Julius.

Il avait hésité à poser la question. Mais s'il s'en abstenait, les policiers s'interrogeraient peut-être sur son manque de curiosité.

— Quand on pense que c'est criminel, avait dit Mitchell.

— Criminel ?

— Il semble qu'un véhicule a heurté celui de Mme Holcomb.

— Un *hit-and-run*, avait précisé l'autre policier, un rouquin aux sourcils broussailleux.

— Ça peut être n'importe qui, avait repris Mitchell, mais on doit faire le tour de l'entourage de la victime.

— Je ne comprends pas, avait menti Julius.

— Ce que mon supérieur veut dire, avait expliqué Bordeleau, c'est que c'est peut-être quelqu'un de malintentionné qui a foncé sur le cabriolet de votre tante. Que c'est délibéré. Dans ces cas-là, on est obligés de voir tout le monde pour savoir si quelqu'un avait une raison d'en vouloir à la victime.

— Voyons donc, ça n'a pas de sens ! avait protesté Julius en tentant de mettre autant d'indignation que de stupéfaction dans sa voix.

— C'est la routine, comme je vous l'ai dit, avait fait Mitchell. C'est pour ça qu'on est venus vous déranger aujourd'hui. Et qu'on a besoin de voir votre voiture.

— Ma voiture ?

Julius avait fait semblant de mettre un moment à saisir les propos du policier, puis il avait acquiescé, fouillé dans ses poches et tendu les clés de son véhicule à l'enquêteur.

— Elle est dans le stationnement de l'immeuble, place A-13.

— Ça ne doit pas être donné une place de stationnement dans un bloc comme celui-ci, avait avancé Bordeleau. Vous payez par mois ou à l'année, parce que…

— On ne laisse pas une BMW traîner dans la rue, l'avait coupé Mitchell en jouant avec les clés de la voiture. J'ai toujours rêvé d'avoir une BM. Quel modèle ?

— BMW X5.

— Quelle couleur ?

— Noir. Un 2016.

— Wow ! Le X5, c'est ça que je voudrais, avait confessé Mitchell. Bon, on y va. Vous pouvez rester ici.

— Je devrais…

— Je vous rapporterai les clés, promis ! avait fait Mitchell avec un clin d'œil. Ce ne sera pas long. Comme je vous l'ai dit, c'est juste la routine. On prend quelques photos et on s'en retourne chez nous. Moi, je n'aime pas trop la ville…

Julius avait regardé sortir Mitchell en souriant. Si ce dernier espérait trouver une trace suspecte sur sa BMW, il serait déçu. Julius n'aurait jamais été assez idiot pour utiliser sa propre voiture pour heurter celle d'Hélène. Ou être repéré par les caméras de surveillance de l'immeuble en sortant du garage. Il n'avait pas à s'inquiéter : sa voiture n'avait pas bougé d'un pouce durant les heures entourant l'accident. Et il avait veillé à quitter l'immeuble pour récupérer le VUS en évitant la porte d'entrée principale où il y avait aussi une caméra.

Mitchell ne lui avait pas menti. Il lui avait rendu les clés quinze minutes plus tard, lui avait dit qu'il le tiendrait au courant s'il y avait des développements. Mais il ne l'avait pas rappelé depuis cette visite et les craintes de Julius s'étaient apaisées : les policiers n'avaient rien contre lui, sinon ils seraient revenus le questionner. Ou l'arrêter. C'était stupide, irrationnel de sa part de s'inquiéter : les enquêteurs ne pouvaient pas le relier à l'accident, le VUS avait brûlé. Avaient-ils même fait le lien entre cet incendie et l'accident d'Hélène ? De toute manière, il portait des gants, des lunettes qui modifiaient son apparence lorsqu'il avait acheté le VUS. Non, ce qui l'embêtait vraiment, c'était que Mitchell ait évoqué la noyade de Chantale. Il avait sûrement lu le rapport du coroner qui avait conclu à une mort accidentelle ; dans ce cas, pourquoi y avait-il fait allusion ? « On sait que votre mère a péri tragiquement, que votre tante est votre seule famille. Vous vivez des heures d'angoisse depuis son accident, mais on a encore des questions à vous poser », avait dit Mitchell quand il s'était présenté à son appartement avec son collègue. Julius se demandait toujours si l'enquêteur lui avait ainsi témoigné de la sympathie ou s'il avait voulu lui signifier qu'il en savait beaucoup sur lui.

Comment allait-il pouvoir se débarrasser d'Hélène, maintenant ? Il se versa une nouvelle rasade de Macallan, but son verre d'un trait en fixant la bouteille: quand aurait-il les moyens de s'offrir à nouveau ce nectar ? Il n'en restait que deux bouteilles dans la cave d'Hélène.

6

10 octobre

— Avez-vous passé une belle fin de semaine ? demanda Ornella après avoir salué Suzanne Chalifour et Auguste Trahan qui s'avançaient dans le corridor. Il a fait si beau…

— J'ai travaillé dehors, dit Auguste. J'ai ramassé des feuilles, recouvert les arbustes, rangé les meubles du jardin. J'ai mal partout.

— Je suis allée voir ma filleule à Québec, dit Suzanne. Je l'ai emmenée souper au restaurant du musée, le Tempéra, au pavillon Lassonde. C'est vraiment beau. Et bon ! De belles assiettes, colorées, originales…

— Hélène apprécie beaucoup Marie-Chantal Lepage, dit Ornella. Elles ont participé ensemble à un événement caritatif alors qu'elle travaillait au Bonne Entente. Ça fait un bail…

— C'est l'hôtel où j'avais réservé, s'exclama Suzanne. Si raffiné, un accueil d'une grande gentillesse, un brunch délicieux, le spa, ma chambre, tout était parfait ! Je n'avais pas du tout envie de quitter cette oasis de confort…

— Heureusement pour nous, vous êtes revenue, dit Ornella.

Elle se tut un instant avant de poser la question qu'elle savait inutile : y avait-il des changements dans l'état d'Hélène ?

— Non, quelqu'un vous aurait aussitôt prévenue. On vous l'a promis.

— Je sais que Gabrielle est venue la voir avec Justine, hier. Je suis bête de penser qu'il aurait pu y avoir un…

— Mais non, la coupa Auguste, vous gardez espoir, ne changez surtout pas !

— Je me demande si elle nous entend, dit Ornella, si elle sent qu'on vient la voir, qu'on est là, qu'on l'aime. J'ai beaucoup lu sur le coma ces dernières semaines sans trouver de réponses précises…

— Chaque cas est différent, dit Suzanne.

— Mais vous avez déjà vu des gens se réveiller après des semaines, insista Ornella. On nous a parlé d'un coma de stade 2. C'est bon, non ? J'ai lu que les troubles végétatifs apparaissent au stade 3. Ce n'est pas son cas, n'est-ce pas ?

— Chaque cas est différent, répéta Suzanne.

Elle aurait bien voulu avoir une boule de cristal et pouvoir rassurer Ornella sur l'avenir d'Hélène, mais aucune échelle de Glasgow, aucune IRM ne pouvaient garantir son réveil. Ni l'état dans lequel elle serait alors.

— Votre amie était vraiment en forme avant l'accident, rappela-t-elle. C'est toujours encourageant pour un meilleur pronostic. Il n'y a aucune cause métabolique à son coma et les mouvements oculaires nous font croire à l'intégrité du tronc cérébral, c'est plutôt bien.

— Qu'est-ce qui a fait revenir ces patients au monde ? demanda Ornella.

— Si on le savait… Ça peut être un tas de facteurs. Le mieux, c'est de…

— Continuer à patienter, dit Ornella. Je suis désolée de vous poser toujours les mêmes questions, mais je voudrais tant trouver un moyen de réveiller Hélène ! C'est trop étrange de la voir immobile. C'est une femme qui est toujours en mouvement, qui ne s'assoit jamais plus de dix minutes. Même quand on soupe ensemble, Hélène se lève sans arrêt durant le repas…

Ornella s'interrompit, s'excusa. Elle n'avait pas à retenir Suzanne et Auguste qui devaient avoir une journée bien chargée.

— Je ne vous dérange plus, fit-elle en contournant l'îlot central de l'aile, je connais le chemin. Est-ce que Mme Turmel est toujours dans la chambre en face de celle d'Hélène ?

— Oui, mais elle devrait obtenir son congé aujourd'hui ou demain, répondit Suzanne. On a enfin trouvé une place pour elle au CHSLD. Ce sera plus calme…

— C'est tout un personnage, dit Ornella, mais elle n'est pas gênante. Elle s'ennuie.

— Elle n'a reçu aucune visite, souligna Suzanne. Elle n'a pas de famille.

— Elle n'a pas eu le temps d'en avoir une, si j'ai bien compris, dit Ornella. Quelle vie étonnante !

— Elle me vole la vedette, rigola Auguste. C'est elle qui nous donne un *show* quand on va la voir. Dompteuse dans un cirque ! C'est incroyable !

— Elle s'est promenée dans le monde entier, ajouta Ornella. J'avoue que j'aime bien l'écouter me raconter sa vie. Ça ne me gêne pas qu'elle vienne dans la chambre d'Hélène quand j'y suis. Peut-être qu'Hélène entend toutes ces histoires fabuleuses.

— Pourquoi pas ? dit Suzanne.

— On le saura quand elle se réveillera, fit Ornella avant de s'éloigner vers l'aile voisine où était située la chambre d'Hélène.

Elle s'arrêta avant de traverser les lourdes portes qui séparaient les ailes, faillit appuyer sur le distributeur de liquide désinfectant avant de décider de pousser les portes avec son épaule. Elle ne pouvait arriver dans la chambre d'Hélène dans un sillage d'odeurs chimiques.

Elle ralentit devant la chambre de Cécile Turmel en entendant des voix : avec qui parlait-elle ? Avait-elle enfin un visiteur ? La porte s'ouvrit et elle reconnut le préposé qui aidait Cécile Turmel à se redresser avant de lui servir son plateau-repas.

Quand Chheng souleva la cloche, une odeur indéfinissable envahit la pièce.

— Qu'est-ce que c'est? demanda Cécile Turmel en examinant l'assiette. Je reconnais les patates et les carottes, mais ce truc beige sous la sauce beige, c'est quoi?

— Il paraît que c'est du poulet.

— On parie?

Elle fit signe à Ornella de s'avancer.

— D'après vous, qu'est-ce que ça peut être?

Ornella échangea un regard avec le préposé qui haussa les épaules. Bien sûr que ce repas manquait de couleurs et sûrement de saveurs, mais il n'y était pour rien.

— Je reviendrai tantôt, se contenta-t-il de dire avant de sortir en poussant le chariot de plateaux-repas.

— J'espère qu'on mange mieux au CHSLD, marmonna Cécile Turmel.

— Voulez-vous que je passe à la cantine vous chercher autre chose avant d'aller voir Hélène? fit Ornella.

— Non, non, ne vous dérangez pas, ce n'est pas grave. J'aime juste me plaindre un peu. Je m'en fous, de la nourriture. J'ai mangé des trucs tellement plus bizarres quand j'étais en tournée.

Elle attaqua la purée avec entrain, puis goûta au poulet, mastiqua sa bouchée avant de dire qu'elle ne savait toujours pas si c'était de la volaille.

— Votre amie qui est chef aurait peut-être pu nous dire ce que c'est, reprit-elle. En tout cas, elle ne manque rien. Elle ne ressuscitera sûrement pas pour me voler mon lunch.

Ornella jeta un coup d'œil à l'assiette si terne, flaira une odeur de carton bouilli, songea que le coma d'Hélène était certainement très profond, sinon elle se serait réveillée pour s'indigner qu'on serve un repas aussi désolant à des malades. Elle se mettait rarement en colère, mais là, elle aurait sûrement fait un scandale!

— C'est conçu pour qu'on n'ait pas le goût de rester ici, continua Cécile Turmel. Si c'était aussi bon que dans un trois étoiles, on ne voudrait pas s'en aller. Mais bon, l'important, c'est que j'aie quelque chose dans le corps. Que je reprenne des forces.

— Bien sûr, répondit distraitement Ornella sans quitter l'assiette des yeux, en proie à un trouble qu'elle ne parvenait pas à identifier.

Elle se tourna vers la chambre d'Hélène, la devinant derrière la porte entrouverte, fixa le plateau-repas, puis regarda de nouveau en direction d'Hélène.

— Il y a un truc qui ne va pas? demanda Cécile Turmel. Je parle trop et…

— Non, non! s'écria Ornella.

Elle sentit un long frisson la parcourir: est-ce que l'idée qui venait de s'imposer à son esprit était valable?

Elle regarda le plateau-repas à moitié vide, puis se mit à rire pour la première fois depuis l'accident d'Hélène sous les yeux ahuris de Mme Turmel. Ornella finit par se calmer, fouilla dans son sac à main, récupéra son portable et appela Marie.

— Je sais ce qu'on doit tenter pour tirer Hélène du coma: cuisiner. Lui faire sentir des plats qu'elle aime. Ou qu'elle n'aime pas. Peu importe, il faut solliciter son sens qui est le plus développé, l'odorat. Ça peut sembler fou, mais on n'a rien à perdre à essayer. Si on s'y met toutes…

— Elle est intubée…

— Mais les odeurs peuvent tout de même lui parvenir un peu. Et on lui décrira les plats qu'on apportera. Il faut recréer son univers.

Marie garda le silence durant quelques secondes avant d'affirmer que l'odorat était le sens le plus intime.

— Je me souviens de l'odeur de mon fils nouveau-né. J'avais l'impression de l'avoir toujours connu.

— Et les fameuses doudous qui sont imprégnées de tous ces parfums familiers et dont nos enfants refusent de se séparer. Je me rappelle le lapin en ratine bleue que Milan trimbalait partout avec lui. C'était une vraie loque, mais elle le rassurait…

— Et quand on revient de voyage, le bonheur de sentir l'odeur de notre maison.

— Ou l'inverse : je suis toujours émue lorsque j'arrive à Rome, que je longe les bords du Tibre, que je bois un verre de Pinot Grigio dans Trastevere. J'imagine facilement les calmars grillés qui pourraient l'accompagner. Et la fameuse pizza d'Hélène aux tomates confites…

— Tu as raison ! Il faut tenter de la réveiller en sollicitant son odorat. Je suis certaine que les filles seront d'accord avec nous. Justement, on se réunit tantôt pour organiser un peu mieux nos horaires de visite. On leur parlera de ton idée. C'est toujours bon pour toi à 17 h ?

— J'y serai, dit Ornella. J'apporterai du Prosecco. On boira des Spritz. On a découvert les Spritz ensemble, Hélène et moi. À Venise. Elle m'avait dit que le Campari goûtait un médicament qu'elle avait utilisé pour cesser de se ronger les ongles.

— Ça n'a jamais fonctionné, pouffa Marie. Elle a fini par les tailler très court. Je continue à les lui couper, à l'hôpital…

— En tout cas, elle a bien changé d'avis sur l'amertume, fit Ornella. Elle l'a vraiment apprivoisée. Il faudra qu'on trouve des recettes où ce goût est présent.

— Je vais apporter son livre de cuisine à l'atelier, tantôt. J'appelle Gabrielle et Viviane.

— Peut-être qu'on pourrait utiliser ses carnets ? Il y en avait un dans les affaires d'Hélène que les policiers m'ont remises.

— Tu rêves ! C'est très minimaliste, nous n'aurons pas assez d'indications pour réaliser quoi que ce soit. Mais avec son livre et les recettes qu'on a faites avec elle au fil des ans…

— Sans compter nos propres recettes, l'interrompit Ornella. On devrait y arriver ! On va y arriver !

Tandis qu'elle glissait le téléphone dans son sac à main, Cécile Turmel l'interpella.

— Vous allez vraiment faire à manger pour votre amie ?

— Je sais bien qu'elle est intubée, que les odeurs lui parviendront partiellement, mais on ne perd rien à essayer.

— Je vais peut-être regretter de partir d'ici. J'aurais pu goûter à ce que vous lui préparerez. Qu'est-ce que sa pizza a de si particulier ?

— Le mélange d'épices qui fait chanter les tomates.

— J'ai eu un ours qui aimait les tomates.

— Un ours ?

— Je l'ai eu bébé. Sa mère avait été tuée par un chasseur qui ne faisait pas la différence entre un orignal et un ursidé. Artaban était tellement gourmand ! Je pouvais lui faire faire n'importe quoi pour du *toffee*.

— Je le comprends, fit Ornella en songeant à la glace au caramel et au beurre salé servie sur un praliné de noisettes grillées qu'elle avait dégustée chez Strega.

Il faudrait parler à l'équipe d'Hélène de ce projet de thérapie par l'odorat. Elles auraient besoin de ses talents pour les plats plus élaborés. Car si elle-même se débrouillait correctement en cuisine, si on pouvait compter sur Marie pour réaliser des plats classiques réconfortants et sur Gabrielle pour mettre l'accent sur des mets santé, il fallait oublier Viviane qui se nourrissait de sandwichs jusqu'à ce qu'elle s'installe avec Mathilde. Quant à Justine, elle avait dû rentrer à Paris après une visite éclair au chevet d'Hélène. Elle espérait néanmoins revenir avant les premières neiges. Il faudrait lui dire d'apporter ses recettes si exotiques, glanées au cours de ses voyages. Elle pourrait peut-être concocter aussi certaines combinaisons d'huiles ou d'arômes qui titilleraient l'esprit d'Hélène. Peut-être qu'elle saurait même recréer ces odeurs maritimes qu'affectionnait tant leur amie ? La mer, le fleuve, le lac Lovering.

En pensant au lac, Ornella sentit une bouffée de contrariété l'envahir : est-ce que Julius y était encore ? Quand il s'était rendu chez Marie pour récupérer les clés du chalet, il avait prétendu vouloir y aller régulièrement pour s'assurer que tout était en ordre. Il devait aussi participer à l'entretien du terrain. Ornella, qui ne l'avait jamais vu tondre la pelouse ni biner le potager, avait songé qu'il se chargerait surtout de boire les bonnes bouteilles de la cave d'Hélène. Des bouteilles qu'elles avaient achetées ensemble au fil des ans, qui témoignaient d'un séjour en Bourgogne ou en Californie, dans le Piémont, à Barcelone ou dans la vallée du Douro. Ornella revoyait Hélène alors qu'elle savourait un Clos Vougeot en évoquant *Le festin de Babette*, les sublimes cailles en sarcophage farcies de truffes et de foie gras, les baignades avant l'apéro sur la terrasse d'un petit resto qu'elles avaient découvert près du marché où elles avaient goûté cet inoubliable serrano au goût de châtaignes, à la chair tendre d'un rose soutenu qui se mariait si bien avec le Cava. Elle se rappelait les escargots grillés au sel et la paella où abondaient les fruits de mer partagés avec Justine qui les avait rejointes sur la Rambla, la robe translucide du Godello qui rehaussait les plats, l'insatiable curiosité d'Hélène qui voulait tout apprendre sur les cépages espagnols, qui lui posait mille questions. Comme les « comment », « où » et « pourquoi » de son amie lui manquaient ! Combien d'explications aurait-elle demandées en apprenant qu'Ornella avait dégusté des vins chinois ?

Devait-elle récupérer ces bouteilles qui jalonnaient des années d'amitié et les mettre en lieu sûr jusqu'à ce qu'Hélène sorte du coma ? Elle raconterait à Julius qu'elle était aussi allée au chalet et avait remarqué une modification de température dans le cellier qui l'avait poussée à entreposer ailleurs les précieuses bouteilles.

Il serait sûrement furieux, mais il ne pourrait pas critiquer ouvertement cette décision. Hélène aurait peut-être été blessée qu'elle se méfie autant de Julius, peut-être même qu'elle le lui reprocherait lorsqu'elle se réveillerait. Tant pis, Ornella souhaitait que tous ces élixirs soient encore à sa disposition quand elle retournerait à son chalet du lac Lovering. Et si Marie, Gabrielle et Justine n'arrivaient pas à blâmer Hélène d'excuser les échecs répétés de Julius, Viviane le surnommait le « parasite ». Elle serait certainement d'accord pour l'aider à transporter les bouteilles en lieu sûr. Julius ne boirait ni la cuvée Sir Winston Churchill de la Maison Pol Roger, ni celle des Millénaires de Charles Heidsieck.

Elle embrassa Cécile Turmel sur les deux joues, se dirigea vers la chambre d'Hélène en souriant, s'assit à son chevet et lui jura qu'elles déboucheraient ensemble ces champagnes exceptionnels. Lui dit que le premier plat qu'elle lui apporterait ici serait le *stracotto al Barolo*. Elle mettrait le bœuf à mariner en rentrant à la maison avant de rejoindre les filles à l'atelier. Elle retrouverait le thermos que son mari utilisait quand il partait à la pêche avec les garçons. Il devait être dans une des armoires du garage. Ou au sous-sol ? Elle allait plutôt s'arrêter dans une quincaillerie en se rendant chez elle où elle achèterait des thermos qu'elle distribuerait à l'apéro en expliquant sa théorie de la thérapie par les effluves.

Il fallait que cela fonctionne ! Les scanneurs cérébraux ne pouvaient pas tout dire, les bilans biologiques, tout définir, les examens, tout expliquer. Hélène recevait les meilleurs traitements, surveillance attentive, apports caloriques, apports de vitamines, d'eau, d'ions, matelas contre les plaies de lit et bientôt kinésithérapie, mais il fallait aussi s'occuper de son âme. Hélène avait voué sa vie à la gastronomie, aux mariages entre les saveurs, les textures, les parfums : elle devait renouer avec sa vocation !

::

— Comment les abeilles savent-elles où elles doivent aller pour trouver de la nourriture? demanda Arnaud Fontaine en étouffant un bâillement.

— Tu n'es pas habitué à te lever tôt, le taquina Kim. Tu regrettes de m'avoir dit que tu voulais m'aider avec les ruches?

— Pas du tout! C'est passionnant. Je n'imaginais pas qu'il y avait tout ce cérémonial autour du décès d'une reine, qu'il fallait habituer les abeilles aux phéromones de sa remplaçante.

— Elle méritait un bel enterrement. Elle a bien travaillé en pondant près de deux mille œufs par jour.

— Deux mille? s'écria Arnaud.

— Elle n'a pas le respect de ses sujettes pour rien!

— Tu parles toujours de ses sujettes, mais il n'y a tout de même pas que des femelles dans une ruche?

— Il y a quelques faux bourdons qui ne servent qu'à l'accouplement, répondit Kim.

— Ils peuvent défendre la ruche si elle est attaquée, non?

— Même pas, ils n'ont pas de dard. Ce qui fait que, l'hiver, il arrive que des abeilles les jettent hors de la ruche parce qu'elles n'ont pas envie de les nourrir à ne rien faire.

— Que les femmes sont cruelles! s'exclama Arnaud sur un ton grandiloquent.

— Les gars peuvent l'être aussi, assura Kim qui avait évoqué plus tôt sa rupture amoureuse avec Fabio. Je pensais pourtant que c'était le bon! Mais il me reproche de trop travailler! De n'être jamais là pour lui. Je viens d'ouvrir la chocolaterie, c'est normal que j'y mette toutes mes énergies. Je pense plutôt qu'il n'était pas vraiment amoureux de moi et qu'il a pris ce prétexte pour me laisser tomber. J'ai vu sur Facebook qu'il est déjà avec quelqu'un d'autre.

— Ce n'était pas celui qu'il te fallait, dit Arnaud. Tu n'aurais pas été heureux avec lui.

— On n'a pas eu le temps de le savoir, fit Kim sans remarquer la gêne de son vieux voisin.

Il ne pouvait pas deviner qu'Arnaud se sentait coupable d'être aussi à l'aise avec lui, quand il avait tant de mal à communiquer avec son fils.

Celui-ci lui avait reproché de ne jamais venir le voir à Boston, alors qu'il était à sa retraite. Arnaud avait évidemment protesté, mais il n'avait pu convaincre Marc. Il aurait dû lui dire qu'il se sentait vieux, inutile, qu'il ne comprenait rien à son métier à la Bourse, qu'il craignait que son fils le trouve idiot. Il avait été presque soulagé que Marc renonce à venir à Montréal en juillet même s'il lui manquait. Mais c'était peut-être mieux ainsi. Marc avait réussi sa vie, il n'avait pas besoin de lui depuis des années. Et encore moins maintenant. Ils vivaient dans des mondes résolument différents. Que pourrait-il lui apporter ? Qu'aurait-il d'intéressant à lui raconter ? Que ses plus beaux souvenirs avec Laura et lui étaient ces dimanches en famille où ils l'aidaient à confectionner des gâteaux ? Il se rappelait le fraisier qu'ils avaient préparé pour la fête des Mères. Et plus tard, celui des dix-huit ans de Marc. La magie n'était plus la même, mais ils avaient partagé une bouteille de Krug avec Laura dans les cuisines du restaurant. Kim ne remplacerait jamais Marc, mais en le faisant se sentir un peu moins borné, l'Asiatique lui permettait d'espérer qu'il pourrait peut-être apprendre à parler avec son fils. Ainsi, il n'avait jamais imaginé que les ruptures amoureuses pouvaient autant se ressembler, mais quand Kim avait évoqué le départ de Fabio, Arnaud s'était dit que les serveuses qu'il avait écoutées chez Christophe racontaient les mêmes histoires. Nicole et son mari qui la trompait avec sa propre sœur, Josiane qui s'était entichée d'un paresseux qui profitait d'elle, Martine dont le copain était si jaloux qu'elle ne prenait jamais un verre avec la brigade à la fin de la soirée mais se précipitait pour rentrer à la maison… Toutes ces filles qu'Arnaud estimait pour leur gentillesse, leur professionnalisme, leur bonne humeur avec les clients vivaient des peines semblables à celle de Kim. Mais pourquoi, bon sang, avait-il pu être leur confident alors qu'il n'avait pas su écouter ses propres enfants ? Une des serveuses était allée jusqu'à le surnommer Teddy Bear, disant qu'il lui rappelait la douceur rassurante de la peluche de son enfance. Ce surnom avait fait rire toute la brigade qui trouvait que le chef le méritait bien, puisqu'il était prompt à grogner à la moindre contrariété.

— Peux-tu me passer le papier journal ?

— À quoi ça sert ?

— Je dois séparer les abeilles qui étaient sujettes de la Blonde des sujettes de la Brune et de la reine elle-même, le temps qu'elles s'habituent à elle.

— L'odeur de l'encre du journal ne les dérange pas ?

— Je ne pense pas. On se sert du journal comme d'un filtre à gruger, les abeilles doivent s'entendre.

— Qu'est-ce qu'elles peuvent bien se raconter ? dit Arnaud en se penchant vers la ruche de droite.

— Un tas de choses. Où trouver de la nourriture.

— Comment ?

— Leur position sur les alvéoles sert d'indication pour le nectar.

— Elles sont remarquablement organisées, s'émerveilla Arnaud.

— Encore plus que tu le penses. Elles pourvoient à tous les postes dans la ruche à tour de rôle. Elles travaillent au nettoyage, à la cire, sont gardiennes, nourricières, butineuses. Toutes les fonctions sont assurées !

Arnaud, impressionné, regarda les abeilles qui tourbillonnaient autour de la ruche avec un œil nouveau : s'il avait toujours aimé utiliser le miel en cuisine, il avait de vagues notions sur sa fabrication, mais sans plus. Il avait manqué de curiosité. Pour cela et pour combien d'autres choses. Il n'avait pensé qu'à son travail, n'avait de vie qu'au restaurant : comment les années avaient-elles pu s'accumuler sans qu'il se rende compte qu'il ressemblait à un lemming, avançant en ligne droite sans rien voir autour de lui ? Sans s'intéresser aux gens ?

— Que parviennent-elles à trouver à l'automne ? Les fleurs sont fanées partout…

— Je les fournis en eau sucrée.

— Qu'est-ce qu'elles deviennent durant l'hiver ?

— On va isoler les ruches avec de la styromousse, répondit Kim. Beaucoup de styromousse.

— Mais ce n'est pas assez ! protesta Arnaud. Voyons donc, il peut faire -30 °C en janvier.

— Les abeilles maintiennent une certaine chaleur dans la ruche avec un mouvement rotatif. Elles changent de place constamment, passant du froid au chaud. Un peu comme les pingouins qui forment un cercle où il fait très bon à l'intérieur et glacé à l'extérieur. À chacun son tour d'avoir chaud puis de se rafraîchir en se tenant sur le périmètre du cercle. Ou de la ruche qui…

Un cri aigu les fit sursauter. Kim leva les yeux au ciel, retint Arnaud qui allait se précipiter au bout du toit.

— C'est Antonin, le petit voisin. Il hurle parce qu'il ne veut pas aller à la garderie. C'est comme ça tous les matins. Heureusement, ça ne dure pas…

::

Après avoir enlevé son manteau, Marie déposa son grand sac à côté du lit d'Hélène. Elle l'observa durant quelques secondes, à l'affût du moindre changement qui aurait pu lui faire espérer une amélioration de son état, soupira, replaça une mèche de cheveux et lui effleura la joue avant de lui raconter la visite de sa fille, tout en sortant le thermos de son sac. Elle récupéra aussi un bol et une cuillère dans la petite table de chevet, dévissa le couvercle du thermos qu'Ornella lui avait fourni, remplit le bol, goûta à la minestrone et approcha le bol du visage d'Hélène tout en agitant sa main pour libérer les arômes de tomate, de sauge, d'huile d'olive et d'ail. Sans quitter Hélène des yeux, elle lui expliqua qu'elle avait fait la soupe avec Marlène qui avait passé la journée avec elle.

— Tu connais ma fille. Elle a mis du temps avant de me dire pourquoi elle venait me voir à l'improviste, mais j'ai fini par apprendre qu'elle se demande si elle est vraiment amoureuse de Jean-René. Je ne savais pas quoi lui répondre. J'ai toujours su si j'étais amoureuse ou non d'un homme. Je l'ai été de Hans, puis je ne l'ai plus été. Puis il y a eu Simon durant un moment. Puis on s'est quittés parce qu'on s'ennuyait ensemble. Et, bon, tu connais les autres hommes qui ont traversé ma vie. Que ce soit pour quelques semaines ou plus longtemps, je savais ce que j'attendais d'eux, si c'était sérieux ou non, profond ou non. Si mon amant m'émouvait ou non. Si j'espérais plus, ou moins, ou trop. Marlène semble ignorer ce qu'elle ressent. Elle dit qu'elle aime faire des activités avec Jean-René. Qu'elle s'entend bien avec lui. Mais, franchement, elle peut partager des activités avec n'importe laquelle de ses copines, non ? Ça fait cinq ans qu'elle vit avec Jean-René et elle ne sait pas si elle veut des enfants avec lui. J'avoue que j'étais désarçonnée. Je pense que se demander si on aime réellement un homme ou non, c'est répondre à la question. Mais ça, c'est moi, c'est ma façon de voir les choses. Marlène est si différente de moi, je ne veux pas l'influencer. Je me suis contentée de l'écouter. Dans le fond, c'était peut-être seulement ce dont elle avait besoin. Et elle était contente qu'on prépare ta soupe ensemble. C'est toujours sa soupe préférée. C'est vrai que c'est bon. Et il commence à faire froid. Je sais que tu aimes l'automne, mais les jours ont tellement raccourci ! Je perds de la lumière à l'atelier, je déteste l'automne pour ça. Puis ? Ça sent bon ? J'ai ajouté un peu de parmesan.

Marie se tut, savoura la soupe en fixant la main d'Hélène. Il lui sembla qu'elle était plus fine. Son amie avait-elle vraiment perdu assez de poids pour que ses doigts paraissent plus maigres ?

— Tu n'as jamais été bien grosse. C'est sûr, tu bouges tout le temps. Sauf quand tu contemples ton lac. On y retournera, je te le jure. Avec toutes les filles et…

Est-ce que cela se produirait ou était-ce une promesse en l'air ? La veille, alors qu'elles étaient réunies à son atelier, l'enthousiasme de Gabrielle et Viviane pour le projet d'Ornella l'avait réconfortée. Elles avaient trinqué au retour d'Hélène parmi elles, s'étaient répété que celle-ci était forte, qu'elle surmonterait cette épreuve. Puis elles avaient dressé une liste des plats qu'elles pouvaient réaliser, consulté leurs agendas pour établir un horaire qui garantirait au moins trois séances d'aromathérapie par semaine.

— Pour la première fois de ma vie, avait confessé Viviane, je regrette d'être nulle en cuisine. Mais je peux apporter des fruits, des charcuteries, aller au marché Atwater chercher des trucs bien odorants. C'est mieux que rien… Sauf que je dois partir pour Washington en reportage cette semaine. Je me sens coupable de vous laisser…

— Ne t'en fais pas, l'avait rassurée Gabrielle, on s'arrangera. Tu viendras plus souvent à ton retour.

— Ce sera mieux pour toutes avec cet horaire, avait dit Ornella.

— C'est moi la plus flexible, avait rappelé Marie. Je n'ai pas d'homme ni d'enfants qui m'attendent à la maison. N'hésitez pas si vous devez changer vos heures à la dernière minute…

— Je suis libre le jour, avait dit Gabrielle. Je ne vais chercher Félicie qu'à la fin de l'après-midi. Et c'est aussi bien que je m'occupe, sinon je tourne en rond chez moi.

Elle avait gardé quelques secondes de silence avant d'avouer qu'elle pensait constamment à Hélène.

— Moi aussi, avait avoué Ornella. Même la nuit. Elle est dans mes rêves, mais je n'arrive pas à lui parler. Quand je me réveille, j'ai… j'ai une impression de vide. Je ne peux pas imaginer qu'elle ne reviendra pas. Mon mari me répète d'être patiente. Mais je suis patiente ! Nous sommes patientes ! Ça fait assez longtemps qu'Hélène est dans le coma.

— On se sent si impuissantes, avait résumé Viviane.

Marie avait murmuré « si vulnérables », ne doutant pas que chacune d'elles avait aussi réfléchi à la fragilité de la vie comme elles ne l'avaient peut-être jamais fait avant.

— C'est fou, avait repris Viviane, je couvre des événements où il y a des morts et des blessés, mais je n'avais pas l'impression que ça pouvait arriver à quelqu'un que j'aime. Faut croire que nous ne sommes pas bénies des dieux…

En se rappelant les paroles de leur jeune amie, Marie leva les yeux au ciel, les baissa en secouant la tête : elle aurait aimé être croyante, capable d'imaginer un dieu qui leur offrirait le miracle tant attendu. Ce n'était pas le cas.

— Il faut que l'aromathérapie fonctionne. Hélène, il faut que tu reviennes parmi nous !

::

Minestrone

- 30 ml (2 c. à soupe) d'huile d'olive
- 2 gousses d'ail hachées
- 1 oignon tranché
- 500 ml (2 tasses) de carottes en rondelles
- 6 branches de céleri en lamelles
- 500 ml (2 tasses) de chou de Savoie en lanières
- 1 boîte (796 ml) de tomates en conserve
- 250 ml (1 tasse) de haricots blancs (en conserve, ou secs et réhydratés pendant la nuit)
- 750 ml (3 tasses) de bouillon de bœuf
- 500 ml (2 tasses) de bébés épinards
- 250 ml (1 tasse) de petites pâtes alimentaires
- 30 ml (2 c. à soupe) de persil frais
- Parmesan frais, au goût
- Croûtons grillés

Dans une casserole, faire revenir l'ail et l'oignon dans l'huile d'olive. Ajouter les carottes, le céleri, le chou et faire cuire 5 minutes. Ajouter ensuite les tomates, les haricots et le bouillon. Laisser mijoter à feu doux pendant 1 heure. Ajouter les épinards, les pâtes et le persil. Continuer la cuisson pendant 10 minutes, le temps que les pâtes soient cuites. Servir avec le parmesan et les croûtons.

::

12 octobre

— C'est toujours mieux que rien, dit Alex Mitchell dans la salle de réunion.

— J'aurais voulu une réponse plus claire, maugréa Adrien Bordeleau qui croyait aussi à la culpabilité de Rancourt.

Les recherches concernant le VUS qui avait été brûlé le matin même de l'accident n'avaient pas permis aux enquêteurs d'identifier formellement Julius Rancourt comme étant l'acheteur. Ils avaient fini par retrouver le marchand de voitures d'occasion, mais si celui-ci se souvenait vaguement d'avoir vendu 3 000 $ un Mazda Tribute 2005 dans la semaine précédant l'accident et que l'acquéreur l'avait payé en liquide, il n'avait conservé aucune trace de la transaction. Il ne l'avait pas reconnu non plus dans le lot de photos d'hommes dans la trentaine que lui avait présenté Mitchell. Il avait répété que son client avait des lunettes, un bonnet gris, qu'il semblait jeune. C'est tout ce qu'il avait remarqué. Il y avait eu beaucoup de monde ce jour-là, il avait vendu plusieurs véhicules, il ne pouvait se rappeler tous les acheteurs. Tout ce qu'il avait à montrer aux enquêteurs, c'était un document où apparaissait une signature illisible.

— Ce n'est pas une signature, dit Anne-Lise Gallant. Il a fait ce gribouillis exprès.

— Mais on a au moins le chauffeur de taxi qui a ramené Rancourt à Montréal quelques heures après l'incendie, insista Mitchell pour les encourager. Vous avez cherché une aiguille dans une botte de foin et vous l'avez trouvée ! La description qu'il a faite de son passager nous permet de croire que ça peut être Rancourt. Même s'il avait encore des lunettes et un bonnet.

— Que j'haïs donc cette mode de porter un bonnet ! s'exclama Dufour. Ce n'est même pas l'hiver ! Maintenant, plus personne ne remarque les gars qui gardent une tuque en permanence. Dans mon temps, on en mettait quand il faisait froid.

— L'heure correspond à peu près à ce qu'on imaginait, reprit Gallant. Rancourt aurait fait brûler le VUS vers deux ou trois heures du matin. Il aurait marché un bon bout de temps avant de trouver un taxi.

— On a un élément de plus qui indique la préméditation : Rancourt a préféré faire des kilomètres à pied plutôt que d'appeler un taxi et d'être trahi par les données de son cellulaire. Il n'y a aucune activité sur son téléphone après vingt et une heures et avant neuf heures.

— Ce qui me paraît suspect. Il n'a pas de téléphone fixe chez lui. Il n'utilise que son portable. Il n'y aurait pas touché pendant douze heures ? Connaissez-vous quelqu'un qui n'utilise pas son portable durant une demi-journée ? C'est sûr qu'il l'a éteint pour ne pas être repéré. Et on n'a aucune image de lui sur les caméras de surveillance de son immeuble. C'est clair qu'il est sorti par l'escalier de secours.

— On continue à fouiller sur Rancourt, dit Mitchell. De toute façon, on n'a aucun autre suspect pour le moment. Et on essaie de trouver comment Rancourt s'est rendu chez le concessionnaire.

::

17 octobre

Viviane déposait le bol de porcelaine sur la table de chevet à côté du lit d'Hélène tout en lui racontant que Mathilde avait préparé le curry d'agneau durant le long week-end de l'Action de grâce.

— Elle a réussi à avoir trois jours de congé consécutifs. Nous sommes allées au marché Jean-Talon. Des familles remplissaient leur coffre d'auto de paniers de tomates, de poivrons, de concombres pour les marinades. On a acheté des petits grelots pour faire tes oignons marinés. Marie nous a donné ta recette. C'est long à éplucher ! Je ne peux pas croire que tu en fais vingt pots chaque année. Quand trouves-tu le temps ? Tu ne dors jamais ?

Viviane se tut; elle disait des âneries, Hélène n'avait jamais autant dormi. Sa gorge se serra tandis qu'elle effleurait son front d'une caresse. Hélène était dans ce lit depuis plus d'un mois, mais Viviane ne s'habituait pas à cette immobilité qui lui semblait si peu naturelle. Elle ne reconnaissait pas son amie dans cette femme aux yeux obstinément clos, aux lèvres sèches, aux cheveux ternes. Elle avait envie de la secouer pour l'arracher à cette léthargie, de crier, de tempêter: son impuissance face à l'état d'Hélène la maintenait dans une colère qui la minait. Mathilde avait beau lui répéter qu'elle faisait tout ce qu'elle pouvait pour Hélène en gardant Athéna et en apportant toutes sortes de fruits à lui faire sentir, elle était si frustrée, si tendue qu'elle avait commencé à grincer des dents durant la nuit. Mathilde lui avait suggéré de se mettre au yoga. Au yoga! Comme si le yoga pouvait la débarrasser de ce sentiment d'injustice qui lui serrait le cœur! Quand Hélène se réveillerait-elle? Il fallait qu'Ornella ait raison et que les effluves de tous les plats qu'elles lui présentaient à tour de rôle finissent par atteindre une région de son cerveau et l'excitent suffisamment pour qu'elle revienne parmi eux. Marie était persuadée que leur amie avait froncé le nez quand elle lui avait fait humer son pain à la viande. Il est vrai qu'Hélène avait toujours aimé les plats indiens; cet agneau qui avait mijoté durant trois heures la veille avait empli leur appartement d'un parfum d'épices chaudes, exotiques qui perdurait ce matin quand Mathilde et elle avaient quitté leur nouvel appartement.

— Athéna est adorable, dit-elle à Hélène. Et très gourmande. Avec un faible pour le poulet au beurre. J'ai failli t'en apporter, mais Marie passe demain avec son poulet basquaise. Aujourd'hui, on mange indien.

Viviane sortit le thermos de son sac de sport et dévissait le couvercle lorsqu'elle perçut une présence derrière elle. Elle se retourna, reconnut le Dr Mathieu et s'apprêtait à lui sourire, mais son regard qui balayait la pièce l'en empêcha.

— Personne n'est venu ici ? s'enquit-il d'un ton excédé.

— Pas depuis que je suis arrivée. Vous devez examiner Hélène ?

— Hélène ?

— Mme Holcomb, fit Viviane en posant la main sur l'épaule d'Hélène.

Le Dr Mathieu paraissait dérouté.

— Vous l'avez opérée, non ? Est-ce que vous allez bien ?

Fabien Mathieu haussa les épaules avant de percevoir les vapeurs qui s'échappaient du thermos.

— Qu'est-ce que c'est ?

— Curry d'agneau : pommes, oignons, lait de coco, une pointe de cardamome. Parce qu'Hélène adore la cardamome. Est-ce que vous en voulez ?

Fabien Mathieu la dévisagea durant quelques secondes avant de dire que ces odeurs étaient incommodantes.

Viviane allait protester, mais le chirurgien héla une infirmière qui passait dans le corridor. Allait-il se plaindre qu'elle ait apporté de quoi dîner avec Hélène ? En quoi cela pouvait-il le déranger ?

Fabien Mathieu tapotait le numéro inscrit sur la porte de la chambre.

— Qu'est-ce que je fais ici ? On m'a bipé. J'ai rappelé, on m'a dit qu'on m'attendait à la chambre 1002. Mais personne n'a besoin de moi. Vous me faites perdre mon temps et je…

— Je me renseigne, docteur Mathieu. Il y a peut-être quelqu'un qui… un retard…

— Il n'y a que ça dans cet hôpital ! fulmina-t-il. Je suis entouré d'incompétents !

— J'appelle tout de suite…

— Je vous donne une minute pour me dire ce qui se passe !

L'infirmière hocha la tête en s'excusant. Elle était nouvelle à l'hôpital. Elle allait s'informer au poste de garde et revenir rapidement avec une explication.

— Vous pensez que je vais rester ici à poireauter? fit le Dr Mathieu. Mais d'où sortez-vous? Qu'est-ce que vous avez dans la tête? Un pois chiche?

— Elle vient de vous dire qu'elle est nouvelle, s'insurgea Viviane. Qu'elle allait s'informer pour vous donner une réponse. Laissez-la se renseigner. Pour les pois chiches, ça tombe bien, il y en a dans le curry.

— Mais de quoi je me mêle? dit Fabien Mathieu en la fixant avec stupeur.

Qui osait s'adresser ainsi à lui? Qu'est-ce qui se passait aujourd'hui pour que tout aille si mal? D'abord cette patiente qui devait être opérée ce matin, mais dont l'état s'était si subitement dégradé durant la nuit que l'intervention n'était plus envisageable, cet accidenté fantôme qui n'était pas dans la 1002 et maintenant cette fille qui lui faisait la leçon.

— Ce n'est pas de mes affaires, vous avez raison, répondit Viviane. Mais cette infirmière fait tout son possible...

— Rangez-moi tout ça, dit-il en désignant le thermos. Ce n'est pas un souk, ici...

— En effet, les souks sont en plein air, le coupa Viviane. Et arabes. Mon curry est indien et je...

Fabien Mathieu allait lui répéter de quitter la chambre en emportant son foutu curry quand il perçut la vibration de son téléphone. Un texto de son frère Laurent qui devait changer ses plans: il ne pourrait pas arriver à Montréal avant vendredi. Vendredi? Alors que la fête était samedi? Il poussa un soupir exaspéré et s'apprêtait à lui répondre lorsque Suzanne Chalifour s'arrêta devant la porte, surprise de le voir dans cette chambre. Pourquoi voulait-il revoir Hélène Holcomb?

— Ce n'est pas elle que je venais voir. On m'a bipé et...

L'infirmière en chef secoua la tête: il y avait sûrement une erreur. Fabien Mathieu était plutôt attendu aux urgences.

— Aux urgences? Pourquoi est-ce qu'on ne m'a pas dit de me rendre aux urgences?

— Une course en voiture, seize ans tous les deux, fractures multiples, continua Suzanne Chalifour.

Elle était persuadée que le Dr Mathieu avait mal écouté les directives et elle se demandait comment il avait pu entendre ce numéro de chambre. Distraction? Fatigue? Des poches sous les yeux, un teint brouillé trahissaient une mauvaise nuit. Mais, à l'hôpital, tout le monde était habitué à manquer de sommeil.

— Je ne comprends pas d'où vient la confusion, fit-elle, mais...

— C'est la faute des clowns, dit-il. Ils chahutaient dans la chambre de mon patient quand j'ai pris le message.

— Les clowns?

— Le grand roux, puis la petite blonde.

Suzanne se retint de soupirer, l'animosité de Fabien Mathieu envers les clowns la dépassait. Elle se contenta de lui répéter que sa présence était souhaitée aux urgences. Tandis qu'il s'éloignait, Viviane dit qu'elle avait vu des clowns travailler dans un camp de réfugiés et qu'elle admirait leur travail.

— Il devrait aller faire un tour là-bas, ajouta-t-elle. Il verrait leur importance.

— C'est ce qui est paradoxal. Fabien Mathieu a travaillé dans l'humanitaire. Il n'en parle jamais. Ni de ça ni de rien d'autre. Rien à part ses interventions. On ne sait rien sur lui.

— Hormis qu'il est daltonien et n'aime pas le curry, dit Viviane.

— Daltonien?

— Il porte des chaussettes de couleurs différentes.

— Je ne l'avais jamais remarqué. Auguste aussi est daltonien. Tu as un bon sens de l'observation.

— Déformation professionnelle. Quand j'arrive sur les lieux d'un drame, je dois tout voir, tout remarquer pour rendre les images le plus fidèlement possible. Vous voulez du curry?

— Je n'ai pas le temps de manger maintenant, mais...

— Je vous le garde.

— On avait dit qu'on se tutoyait, lui rappela Suzanne. Si tu continues à me vouvoyer, je vais avoir l'impression que je suis encore plus vieille.

— Tu dis n'importe quoi ! Je passerai tantôt à l'îlot central. J'ai des contenants dans mon sac.

— Cela me gêne un peu d'en profiter, avoua Suzanne, mais j'adore le curry. Tout ce qui est exotique.

— Hélène aussi. C'est sa recette que mon amoureuse a faite.

— Ça me semblait compliqué quand je l'ai lue dans le livre de Mme Holcomb.

Viviane eut un petit rire, précisa que c'était surtout long à préparer.

— À moins que vous n'achetiez un mélange d'épices à curry prêt à l'emploi. Mais Hélène crierait au sacrilège. Mathilde a broyé patiemment le cumin, la cardamome, la coriandre, le macis, les clous de girofle avec un pilon de marbre. Je pense que les arômes sont imprégnés dans les murs de notre appartement pour longtemps. Mais pas ici. Je fais seulement sentir le plat à Hélène durant quelques minutes.

Elle se tut avant d'avouer son inquiétude : elle avait agacé le Dr Mathieu, il lui avait dit que ce curry empestait toute la pièce.

— J'ai réagi trop vite en répliquant au Dr Mathieu. C'est plus fort que moi ! Ma blonde me dit toujours que je dois apprendre à maîtriser mes indignations, mais il n'avait pas à engueuler la petite nouvelle…

— Il va tout oublier, fit Suzanne Chalifour en espérant avoir raison. Il n'aura pas à revenir ici prochainement. La patiente qu'on installera en face a été opérée pour une appendicite. Rien qui relève de la chirurgie orthopédique.

— Je me demande…

— Quoi ?

— Combien de voisines aura encore Hélène ? Je me sens tellement inutile.

L'infirmière l'interrompit d'un geste de la main : elle avait tort, terriblement tort.

— Mme Holcomb est très bien entourée. Vous lui parlez, lui faites écouter de la musique, la massez et maintenant vous apportez des plats. Savez-vous combien de patients ne reçoivent aucune visite ? Hormis celles des clowns. Ce n'est pas pour rien que je les aime autant. Pour certaines personnes, ils font toute une différence. Après avoir ri, chanté, oublié où ils sont durant un moment, certains malades sont moins agités, dorment mieux.

Viviane la remercia d'un sourire avant de s'asseoir auprès d'Hélène pour lui raconter qu'elle avait conversé avec Justine par Skype. Elle était partie en Belgique avec Thierry et avait mangé des petits-gris tous les jours.

— Elle a rapporté une recette d'escargots à la moelle et promis de la faire quand elle reviendra à Montréal. Ce ne sera pas aussi bon, car ils seront en conserve, mais ça devrait tout de même être chouette. Et peut-être que tu les goûteras chez toi, que tu seras réveillée. Sais-tu que Justine m'a expliqué que les fleurs communiquent par les arômes, qu'elles s'aiment et que cette émotion génère un profil aromatique unique qui s'évanouit quand elles se séparent ? Si les plantes échangent des odeurs, il me semble que c'est tout à fait possible pour toi de réagir à mon curry ! Je te le fais sentir à nouveau. Je suis certaine que tu peux déceler la cardamome ! Puis je te lirai la suite de *Sans terre*. J'aime beaucoup ce roman, très crédible. Et il me donne envie de retourner à l'île d'Orléans. On pourrait y aller avec Mathilde, quand tu seras guérie, passer la fin de semaine à Québec. Ce serait chouette, non ?

: :

Curry d'agneau

- 30 ml (2 c. à soupe) d'huile végétale
- 1 oignon émincé
- 2 gousses d'ail émincées
- 1 kg (2,2 lb) d'épaule d'agneau en gros cubes
- 1 boîte (400 ml) de lait de coco
- 1 boîte (796 ml) de tomates en conserve coupées grossièrement
- 100 g (⅔ tasse) de jambon blanc en petits dés
- 250 ml (1 tasse) de pommes coupées en cubes
- 5 ml (1 c. à thé) de curry
- 2,5 ml (½ c. à thé) de cardamome
- 2,5 ml (½ c. à thé) de curcuma
- Noix de coco râpée non sucrée, au goût

Dans une grande casserole, faire revenir l'oignon et l'ail dans l'huile jusqu'à ce que l'oignon devienne translucide. Ajouter les cubes d'agneau et faire revenir de tous les côtés. Ajouter les autres ingrédients, sauf la noix de coco râpée. Cuire deux heures à feu doux.

Servir avec du riz et un bol de noix de coco non sucrée: chacun parsème son assiette à sa guise.

::

19 octobre

— Je me félicite tellement d'être allée chercher le courrier d'Hélène, dit Marie à Ornella chez qui elle s'était invitée à prendre un café.

— Pourquoi ?

— Je crois qu'Hélène a reçu des nouvelles de son fils, fit Marie en tirant une lettre de son grand sac.

— Quoi ?

— Hélène m'a dit qu'il s'appelait Aymeric Brüner.

— Mais quand t'en a-t-elle parlé ? s'écria Ornella.

— Il y a quelques mois. Le détective lui a donné un nom. Elle lui a écrit en France.

Marie se tut durant quelques secondes, observant l'étonnement, puis le regret sur le visage d'Ornella.

— Je voulais qu'elle vous le dise, j'ai insisté. Mais Hélène avait peur…

— Peur de quoi ? demanda Ornella.

— Elle pensait que, si elle en parlait trop, ses espoirs s'évanouiraient. Par superstition.

— Hélène ? Superstitieuse ?

— Je sais, approuva Marie, ça ne lui ressemble pas du tout. Mais quand il s'agit de son fils, ce n'est plus la femme réfléchie que nous connaissons. Elle passe de l'excitation à l'angoisse, craint que son fils la déteste et l'ignore à tout jamais. Elle redoute de n'avoir jamais un signe de vie pour espérer ensuite qu'il vienne passer l'été au lac Lovering…

— Tu dis qu'il s'appelle Aymeric ?

— Aymeric Brüner. Et c'est bien ce qui est écrit sur l'enveloppe. Elle vient de Strasbourg. Qu'est-ce qu'il fait dans l'est de la France ? Il est né à Québec.

— Oui, à Québec, murmura Ornella en se rappelant son arrivée à la gare d'autobus du boulevard Charest, la côte d'Abraham, l'Hôtel-Dieu, l'appartement de Marie qui avait recueilli Hélène pour les trois derniers mois de sa grossesse.

Jamais elle n'oublierait le regard effaré de son amie, ni son refus de dire quoi que ce soit sur son accouchement, sur le sentiment si troublant d'être à la fois anéantie d'avoir dû se séparer de son bébé et si soulagée que tout soit terminé. L'impression d'une perte irréversible piétinée par l'euphorie d'une liberté retrouvée. Hélène s'efforçait de cadenasser ses émotions contradictoires et Ornella ne s'était jamais sentie aussi démunie, aussi impuissante, incompétente. Marie lui avait dit alors qu'elles ne pouvaient faire qu'une seule chose: assurer Hélène de leur affection. Elles étaient parties peu de temps après pour l'Italie. Deux gamines sur les routes de l'Europe. En repensant à cette époque, Ornella mesurait l'inquiétude qu'avaient ressentie ses parents tandis qu'elle s'envolait pour Rome où elle voulait célébrer ses vingt ans. Qu'elles étaient jeunes! Comme cette époque lui paraissait lointaine. Comment les années avaient-elles pu s'écouler aussi vite?

— Son fils doit avoir… trente-sept, trente-huit ans, dit-elle en effleurant la missive du bout des doigts pour se persuader de cette réalité. Il lui a répondu.

— C'est incroyable. Je dois avoir regardé la lettre dix fois pour me persuader que je ne rêvais pas. Je ne veux pas être la seule à décider de ce qu'on doit faire avec cette missive. Hélène t'a désignée comme mandataire pour t'occuper de ses affaires en cas d'inaptitude. Jusqu'à maintenant, tu as refusé de faire ouvrir son coffre parce que tu tiens à respecter son intimité et que tu ne veux pas fouiller dans ses papiers personnels…

— Parce qu'elle va se réveiller! On y croit!

— Ce courrier est destiné à Hélène. Nous savons que sa teneur est sûrement intime, poursuivit Marie, mais d'un autre côté…

— Les circonstances sont particulières, admit Ornella. Si nous n'ouvrons pas cette enveloppe, nous ne saurons pas ce que nous devons répondre à ce garçon.

— À cet homme, la corrigea Marie. Comme tu l'as dit, il a plus de trente ans, si c'est bien le fils d'Hélène.

— Il lui a écrit, il est en droit d'espérer une réponse.

— Nous pouvons nous contenter de l'informer de l'accident d'Hélène.

— C'est trop froid, fit Ornella. Il prend la peine d'écrire et on lui répond que sa mère est dans le coma ? Je crois qu'il faut en savoir plus pour pouvoir établir un lien avec lui. Hélène ne nous pardonnerait pas de ne pas lui avoir témoigné un minimum d'intérêt, de gentillesse.

Marie ne quittait pas la lettre des yeux, hésitant à violer l'intimité de leur amie, tout en sachant qu'Ornella avait probablement raison. Il fallait au moins connaître les intentions d'Aymeric Brüner.

— Et s'il a fait des recherches sur Hélène ? S'il sait qu'elle est célèbre et se manifeste pour de mauvaises raisons ?

— On ne pourra pas en juger tant que nous ne lui aurons pas parlé, dit Ornella. Peut-être qu'il lui donne ses coordonnées dans cette lettre. Nous pourrions l'appeler pour lui parler de la situation d'Hélène.

— Peut-être qu'on pourrait communiquer avec le détective qui a retrouvé sa trace ? Il en sait sûrement un peu sur lui.

— Comment s'appelle-t-il ? demanda Ornella.

— Dominique… Dominique… quelque chose… Maudite mémoire ! Dominique qui ?

— Cesse de chercher, ça te reviendra, l'assura Ornella.

Elle savait que le spectre de l'alzheimer épouvantait Marie qui redoutait de connaître la même vieillesse que son père.

— Je me demande comment il a réagi en apprenant que sa mère le cherchait, dit Marie en tapotant la lettre.

— Je sais ce qu'on va faire. Nous allons nous rendre à l'hôpital et lire cette lettre à Hélène. Nous ne pouvons l'ouvrir sans qu'elle soit présente. Même si elle est aussi absente. Et peut-être que cette nouvelle la réveillera.

— De toute façon, c'est mon jour. J'ai préparé des baklavas. J'ai peut-être un peu forcé sur la cannelle…

— Hélène ne t'en voudra pas, sourit Ornella. Elle adore cette épice. Plus jeune, elle buvait même la liqueur Bols… Tu te souviens ?

— La bouteille avec la danseuse à l'intérieur et les paillettes d'or ! J'avais reçu cette liqueur en cadeau. C'était infâme, mais Hélène l'aimait bien.

— Elle a parfois des goûts bizarres, confirma Ornella. C'est étrange chez quelqu'un qui a un palais aussi fin.

Marie pouffa de rire, rappelant à Ornella son goût immodéré pour les crottes au fromage.

— Je vais chercher les baklavas. J'ai fait aussi de la soupe au poulet.

: :

Auguste Trahan se tenait derrière sa partenaire tandis qu'elle poussait doucement la porte de la chambre d'Abigail à qui Vanessa devait poser un cathéter. La fillette serrait contre elle un porc-épic, flattant d'une main crispée ses aiguilles en velours fauve tout en dévisageant les clowns. Ils s'immobilisèrent pour permettre à Abigail de découvrir leur allure, de décider si elle avait envie d'accueillir les docteurs Oh Lala et Grand V, qui devaient saisir en quelques secondes dans quel état émotif se trouvaient la petite malade et son père, lire les informations au moniteur, tout en repérant les objets qui pourraient leur être utiles pour distraire Abigail de sa peur. Suzanne Chalifour avait demandé à Auguste et Diane de commencer leur tournée en pédiatrie afin d'apaiser la fillette qui revenait à l'hôpital en présentant cette fois-ci des signes de fatigue, dont l'appétit avait diminué et qui avait des nausées.

— On a fait des prises de sang qui font soupçonner un lymphome.

Auguste avait secoué la tête, imaginé l'enfant qui subirait peut-être une ponction de la moelle, une biopsie des ganglions.

— La petite a des veines si fines… Ce n'était pas facile la dernière fois avec le cathéter.

Quand les clowns avaient gagné sa chambre, son père lui caressait les cheveux. Il parut soulagé de voir les clowns s'approcher du lit de sa fille : Abigail se souvenait-elle du D^r^ Oh Lala ?

— Oui, oui, affirma la fillette, elle a toujours peur de perdre sa voix ! Elle chante « Oh la la la la » tout le temps pour être certaine qu'elle peut parler, que tout le monde l'entend.

— Je suis une grande chanteuse, dit la clownette en saisissant le stéthoscope qui pendait au cou de son partenaire pour l'utiliser comme s'il s'agissait d'un micro.

Auguste protesta aussitôt. Ce serait terrible si elle se mettait à chanter, elle dérangerait tout le monde.

— Est-ce que je te dérange si je chante *Au clair de la lune ?* demanda le D^r^ Oh Lala à Abigail.

— Je la connais ! Je l'ai chantée à l'école devant toute la classe.

— Est-ce que tu te souviens des paroles ? fit Auguste. Parce que le D^r^ Oh Lala les oublie tout le temps.

En se tournant vers Diane pour tenter de récupérer son stéthoscope à rayures vertes, Auguste fit mine d'avoir accroché son pied dans un montant du lit, trébucha, tenta de se redresser avant de foncer vers le mur. Abigail poussa un petit cri de plaisir en voyant Auguste essayer de se relever, glisser, se cogner de nouveau avant de réussir à se remettre sur pied.

— C'est toujours ce qui arrive quand on va trop vite, on fait des bêtises, pontifia le D^r^ Oh Lala tout en tentant de cacher le stéthoscope sous les draps, espérant la complicité de la fillette qui le tira aussitôt vers elle avant de le tendre à son père qui le glissa dans une des poches de son veston.

— Rendez-moi mon appareil ! gémit Auguste. Vous n'avez pas le droit ! C'est à moi !

Il roula sur lui-même pour tourner le dos à Abigail.

— Oh la la la la ! Il boude ! dit Diane en se penchant vers la fillette. Je vais te dire un secret : quand le Dr Grand V n'est pas content, il se sauve.

— Il se sauve où ?

— Il se cache dans les toilettes. Et aussi quand il a peur.

— Je n'ai pas peur, protesta le Dr Grand V. Vous saurez que j'ai dompté toute une colonie de colibris très féroces.

— Mais c'est tout petit, des colibris ! dit Abigail. Ça ne fait pas peur du tout !

Auguste haussa les épaules.

— Peut-être qu'il y a des choses plus inquiétantes, finit-il par admettre. Mais comme quoi ?

— Le tonnerre ! dit le D^r^ Oh Lala. Quand le tonnerre gronde, on ne m'entend plus du tout ! Si je me perds, personne ne pourra me retrouver !

— Moi, je n'aime pas trop être le dernier, marmonna le Dr Grand V.

— Le dernier ? fit le père d'Abigail.

— Le dernier dans la file.

— Il a toujours peur qu'il ne reste plus d'éclairs au chocolat, expliqua le D^r^ Oh Lala. C'est pour ça qu'il se précipite à la vitesse grand V. Partout !

— Même quand il n'y a pas d'éclairs ?

— Je cours très vite, répondit le Dr Grand V. Aussi vite que le monarque, mais moins que l'abeille.

— Je n'aime pas les abeilles, murmura Abigail.

— Tu n'aimes pas le miel ? s'étonna le D^r^ Oh Lala.

— C'est pourtant délicieux dans les baklavas…

— Mais les abeilles piquent !

— Pas souvent. Seulement si on n'est pas gentil avec elles.

— Je n'aime pas les piqûres, murmura Abigail.

— Je crois que personne n'aime beaucoup ça, fit Auguste en espérant que le fait de formuler ses craintes libérerait un peu la fillette qu'il devinait si tendue depuis son arrivée dans la chambre.

— Mais moi, je ne peux pas me sauver dans les toilettes comme toi ! dit-elle avec une certaine colère dans la voix.

— Sais-tu ce que je fais quand j'ai peur ? demanda le Dr Grand V. J'écoute mon cœur avec mon stéthoscope. Veux-tu essayer ?

Abigail échangea un regard de connivence avec son père qui lui tendit l'appareil pour qu'elle le rende au clown. Auguste inséra délicatement les tubes dans les oreilles d'Abigail, puis prit l'extrémité du pavillon qu'il appuya sur son cœur. Elle écarquilla les yeux.

— C'est fort !

— Et maintenant, écoute le tien, fit-il en posant doucement cette fois le pavillon sur le torse de l'enfant.

— C'est mon cœur ?

— Ton cœur bat aussi fort que le mien. Tu es une championne, c'est sûr !

— Savais-tu que le stéthoscope existe depuis deux cents ans ? s'enquit la Dre Oh Lala.

— Deux cents ans ? C'est bien plus vieux que grand-maman Jacinthe, fit-elle en se tournant vers son père. Écoute mon cœur ! C'est comme l'horloge chez mamie, toc, toc, toc.

— Toc, toc, toc ! dit alors Vanessa qui écoutait l'échange depuis quelques minutes. J'ai rendez-vous avec une grande fille qui a un grand cœur. C'est bien ici ?

— Affirmatif, dit Auguste. Tu veux que je te prête mon stéthoscope jusqu'à la fin de la matinée ?

Le clown vit les yeux d'Abigail papillonner de l'infirmière qui déplaçait le chariot près du lit au stéthoscope qu'elle avait prêté à son père. Elle le lui reprit, dit qu'elle écouterait son cœur un peu plus tard.

— On se verra tantôt, dit le Dr Grand V.

— Et tu me chanteras *Au clair de la lune?* fit le Dr Oh Lala avant de quitter la chambre en soufflant des baisers vers Abigail.

Les clowns s'éloignèrent en silence: avaient-ils aidé la fillette autant qu'ils le souhaitaient?

— Et alors? dit Suzanne Chalifour qui les héla avant qu'ils arrivent au poste des infirmières.

— Elle a ri un peu. Je lui ai prêté mon stéthoscope.

— Et elle a réagi quand nous avons parlé des pâtisseries, ajouta Diane. Je crois que c'est une petite gourmande.

— Je n'aime pas quand nos petits patients reviennent, avoua Suzanne. Je pensais pourtant qu'Abigail était tirée d'affaire…

— Qu'est-ce qui sent si bon? demanda Auguste en tournant la tête à la recherche de l'odeur chaude qu'il venait de capter.

— La soupe au poulet de Marie. Elle vient de nous en apporter avant de se rendre dans l'autre aile.

— Marie? Marie qui? demanda Diane.

— C'est vrai, tu étais absente, dit Auguste à sa partenaire. Figure-toi que les amies d'Hélène Holcomb pensent qu'elles peuvent solliciter son cerveau et l'amener à se réveiller en lui faisant sentir des odeurs de cuisine qu'elle a toujours aimées.

— Des odeurs? s'étonna Diane.

— Il y a bien des gens qui font écouter de la musique à leurs proches qui sont dans le coma, rappela l'infirmière en chef. Ils leur chantent des berceuses, leur parlent, les caressent, les massent. L'odorat est aussi intime que l'ouïe ou le toucher. Faites un petit détour par la 1002. Marie et Ornella ont aussi apporté des baklavas.

— Des baklavas? s'écria Diane. Je viens tout juste d'en parler avec la petite Abigail. Est-ce que…

— Les consignes sont strictes, commença Suzanne, mais je peux m'informer auprès de son père. Je sais qu'elle n'a aucune allergie aux noix ni aux arachides.

— Et aux épices ? fit Auguste. De toute manière, on ne sait pas s'il reste des pâtisseries. De plus en plus de personnes s'arrêtent comme par hasard devant la 1002.

Suzanne Chalifour hocha la tête. Les parfums qui s'exhalaient régulièrement de la chambre d'Hélène étaient maintenant familiers et surtout espérés par les infirmières. L'une d'entre elles avait même apporté un gâteau aux cerises pour les amies d'Hélène, afin de les remercier de partager les plats qu'elles préparaient avec le personnel. Désiré, un des préposés, projetait de frire une montagne d'acras durant la fin de semaine. « Comme je le faisais à la Pitié-Salpêtrière, quand je vivais à Paris. On se retrouvait les dimanches, infirmières, aides-soignants, brancardiers. J'apportais aussi du boudin. » Suzanne l'avait entendu discuter avec Ornella qui cherchait une bonne recette de ti-punch. Les arômes n'avaient peut-être pas encore agi sur Hélène, mais modifiaient doucement l'ambiance qui régnait dans l'aile où dormait la célèbre chef, en s'opposant aux relents des produits d'entretien, de sueur, de maladie, tandis que les couleurs pimpantes de la salade fattouche, de la charlotte aux framboises, du tajine de poulet au citron confit, de la glace à la pistache appelaient de la joie en ces lieux si ternes. Ginette Pouliot, travailleuse sociale attachée à l'hôpital depuis vingt ans, avait résumé sa pensée en quelques mots : cette gourmandise célébrait la vie.

— Sauf que je ne sais pas combien de temps vous pourrez…

— On pourra se délecter de toutes ces merveilles sans avoir de plaintes ? avait dit Suzanne.

— D'un autre côté, tout le monde est tellement occupé, s'était reprise Ginette. Peut-être que personne ne vous embêtera.

— Ce serait dommage, vraiment dommage. Au poste des infirmières, on guette l'arrivée des Muses d'Hélène avec impatience.

— Les Muses ?

— C'est Thilda, notre plus vieille bénévole, qui les surnomme ainsi. Elle fait la lecture aux malades qui le souhaitent. D'après elle, les Muses sont des sources d'inspiration. Pourquoi pas ?

En y repensant, Suzanne trouvait que ce surnom leur convenait. Marie, Gabrielle, Ornella, Viviane, Mathilde étaient inspirantes dans leur désir de réveiller la Belle au bois dormant. Cela créait un certain équilibre avec le pessimisme du neveu d'Hélène Holcomb, qui obligeait Suzanne à faire beaucoup d'efforts pour dissimuler l'agacement qu'il suscitait chez elle. Julius Rancourt répétait qu'il ne voulait pas se bercer d'espoirs sur le réveil de sa marraine parce qu'il était inquiet, mais cette attitude si négative était surtout vaine. Et déprimante. Chaque fois que Julius Rancourt interrogeait les médecins sur l'état d'Hélène Holcomb, il donnait l'impression d'être déçu de sa stabilité, d'avoir tort de ne pas redouter le pire.

— Je vais faire un petit tour à la 1002, annonça Auguste Trahan.

— Elles avaient l'air soucieuses quand elles sont arrivées, dit Suzanne. Pourtant, il n'y a aucun changement inquiétant concernant Mme Holcomb. Ça doit bien faire une heure… Il vaut peut-être mieux attendre…

— Je vais frapper doucement, dit Auguste, on verra bien. J'avais promis un pot de confiture de vieux garçon à Mme Longchamps.

— Et moi ?

— C'est mon dernier pot, désolé.

— Dis-le que c'est ta préférée parmi les Muses, le taquina Suzanne sans savoir qu'elle avait raison, que Marie ressemblait à la mère d'Auguste trop tôt disparue et que, de son côté, Marie appréciait l'originalité du clown qui trouvait un écho dans sa propre fantaisie.

En arrivant à la chambre 1002, Auguste s'étonna de ne pas entendre les voix de Marie ou d'Ornella qui parlaient habituellement à Hélène, lui prêtaient des commentaires auxquels elles répondaient. Il frappa doucement à la porte, attendit quelques secondes, puis s'annonça tout en demeurant immobile, percevant le silence de cette chambre malgré les bruits ambiants qui jamais ne se taisaient dans un hôpital. Il entendait ce silence et s'en inquiétait, se rappelant que Suzanne avait dit qu'Ornella et Marie semblaient préoccupées quand elle les avait croisées.

La porte s'ouvrit et Auguste fut soulagé de voir Marie lui faire signe d'avancer tout en essuyant ses larmes.

— Ça va, aujourd'hui ? dit-il en saluant Ornella.

— On est un peu émotives, mais c'est…

— C'est normal, fit Auguste, vous êtes inquiètes. Depuis un bon moment.

Il posa une main sur l'épaule d'Ornella, la sentit frémir, lui ouvrit les bras. Elle s'y réfugia, lui accrochant le nez au passage, qui tomba au sol dans un bruit mat sans qu'Ornella s'en aperçoive. Percevant ses sanglots étouffés, il la serra un peu plus fort, cherchant à lui communiquer son affection.

— J'ai apporté des baklavas, dit Marie pour éviter de raconter à Auguste qu'elles venaient de lire une lettre d'importance capitale à Hélène, qu'elles étaient démunies devant son inertie dans un moment si crucial. J'ai laissé de la soupe à l'îlot, mais je n'ai pas pensé aux baklavas. Je ne sais pas où j'ai la tête…

Elle s'empressa de lui tendre l'assiette où elle avait empilé une douzaine de pâtisseries. Sers-toi. C'est un mélange d'amandes, de noix, de pistaches. J'ajoute aussi des pacanes.

— Hélène adore la cannelle, murmura Ornella.

Elle se détacha d'Auguste et trébucha aussitôt en tentant d'éviter d'écraser la boule de caoutchouc rouge qui avait roulé à ses pieds.

— Mais qu'est-ce que c'est que ça ? fit-elle en se penchant en même temps qu'Auguste, poussant un cri alors que leurs têtes se heurtaient.

— C'est mon nez, dit Auguste en le récupérant tout en se frottant le front.

— Désolée…

— Il a vu bien pire, crois-moi !

Tout en glissant son nez dans la poche de son sarrau, il mordit dans un baklava qui dégoulinait de sirop, ferma les yeux, s'étonnant de reconnaître le goût de chaque ingrédient, savourant la douceur du miel.

— Il est particulièrement bon, dit-il à Marie. Parfois, les miels sont plus âcres, moins équilibrés. Celui-ci est délicieux. Où l'avez-vous trouvé ?

— C'est le père d'un petit garçon à qui j'enseigne le dessin au centre qui me l'a offert.

— J'ai une faveur à vous demander, dit Auguste. Est-ce que je peux en apporter un à la petite Abigail ? Je suis certain qu'elle adorera cette pâtisserie. Elle a une rude journée…

— Bien sûr, si Suzanne est d'accord, répondit Marie qui tenait à respecter l'autorité de l'infirmière en chef avec qui elles s'entendaient toutes si bien. Je n'ai pas pensé à toutes les mises en garde à propos des allergies avant d'apporter ces baklavas, mais je suppose que ces aliments sont interdits ici comme ailleurs.

— La dernière fois que j'ai pris l'avion, dit Ornella, le commandant a demandé à tous les passagers d'éviter de consommer des produits pouvant contenir des noix, car une personne à bord y était gravement allergique. C'est dingue, non ?

— Dans mon temps, on fumait dans les avions, fit Marie. On buvait de la bière et de la crème de menthe et on se bourrait de cacahuètes. On vivait dangereusement !

— De la crème de menthe ? Ma mère adorait ça… Elle en buvait un petit verre le vendredi soir avec ma tante Germaine. Elle aimait aussi les After Eight.

— Est-ce que ça existe toujours ? demanda Ornella d'une voix raffermie. Je suppose que je trouverais ces chocolats trop sucrés maintenant, mais j'avoue que j'aimais ça aussi.

Elle souriait en se remémorant son plaisir à laisser fondre les fins carrés de chocolat noir fourrés à la menthe verte.

Auguste qui s'était permis de se lécher les doigts lui sourit à son tour, soulagé que l'ambiance se soit adoucie dans la chambre, mais demeurant vigilant, s'inquiétant de l'anxiété qu'il avait perçue chez les Muses en poussant la porte. Suzanne lui avait pourtant dit qu'il n'y avait aucun changement inquiétant à l'état d'Hélène Holcomb, mais il s'approcha du lit, se pencha vers elle pour s'en assurer, effleura son front du bout de son index, le retira aussitôt, se rappelant qu'il venait de se sucer les doigts.

— Ce n'est pas grave, fit Marie. Elle ne t'en voudrait pas. J'ai souvent vu Hélène tremper un doigt dans une sauce pour la goûter.

— J'ai tellement hâte de la connaître, dit Auguste.

Il lut immédiatement de la gratitude dans les yeux de Marie et d'Ornella. En conférant un futur à Hélène, il validait leurs efforts pour croire à son réveil, pour le susciter.

— On va porter cette assiette au poste des infirmières, dit Marie. Garde un baklava pour ta petite protégée.

— Abigail dit qu'elle n'aime pas le miel, mais je suis certain qu'elle changera d'idée. C'est juste parce qu'elle croit que les abeilles piquent et qu'elle déteste les piqûres... Je vais lui expliquer que ce sont surtout les guêpes qui agissent traîtreusement. Les abeilles sont trop occupées à nous fabriquer leur fameux nectar. Bon, je me sauve. Je dois rejoindre Lady Butterfly en gériatrie. Je dois me changer.

Après avoir fait la bise à Hélène, Ornella et Marie suivirent Auguste vers le cœur de l'aile. L'enthousiasme des infirmières qui étaient appuyées le long du comptoir les rasséréna: les baklavas seraient dévorés en un clin d'œil. Le parfum de la cannelle n'avait pas réveillé Hélène, mais il ferait sans nul doute des heureuses.

Les Muses se sentaient un peu moins tendues en quittant l'hôpital, même si elles savaient qu'elles devaient prendre une décision en ce qui concernait le fils de leur amie. Elles marchaient en silence vers la voiture d'Ornella quand Marie avoua qu'elle se sentait gênée d'avoir lu la lettre, bien qu'elle crût qu'il fallait que Gabrielle, Viviane et Justine soient au courant de cet événement qui pouvait changer la vie d'Hélène quand elle s'éveillerait.

— Et si jamais… si jamais elle reste encore longtemps dans le coma, Aymeric Brüner doit savoir que sa lettre s'est bien rendue, que le silence d'Hélène n'est pas dû au fait qu'elle a changé d'idée, qu'elle n'a plus envie de le connaître.

— Oui, approuva Ornella. Il a mis du temps à entrer en contact avec elle. Il pourrait faire marche arrière s'il n'a pas de réponse à sa missive. Même si je trouve qu'il manque de…

— De chaleur ?

— Oui, mais surtout de précisions. On ne sait rien de lui, de sa famille, de son travail. Il dit qu'il est au service de l'État. Fonctionnaire ? Politicien ?

— Il semble cependant vouloir rencontrer Hélène, reprit Marie. C'est le principal.

— Il faut en parler rapidement aux filles, décréta Ornella. Viviane vient de rentrer de Boston et Justine arrive de Paris dimanche. On pourrait souper ensemble lundi si Gabrielle n'est pas en tournage. Pourquoi pas aux Héritiers ? Je me chargerai du vin.

— Bonne idée, tu pourras soutirer une recette au chef, dit Marie. J'ai un faible pour son gravlax. Et c'est simple à apporter à l'hôpital.

::

Baklavas rapides

- 65 g (½ tasse) de noix de Grenoble écrasées
- 35 g (¼ tasse) de pistaches écrasées
- 35 g (¼ tasse) de pacanes écrasées
- 60 ml (4 c. à soupe) de miel
- 30 ml (2 c. à soupe) de sirop d'érable
- 150 g (⅔ tasse) de beurre mou
- 2,5 ml (½ c. à thé) de cannelle
- 1,25 ml (¼ c. à thé) de muscade
- 4 feuilles de pâte filo

Préchauffer le four à 180 °C (350 °F).

Dans un bol, mélanger tous les ingrédients, sauf la pâte filo.

Badigeonner de beurre une plaque à pâtisserie.

Directement sur la surface de travail, empiler les feuilles de pâte filo. À environ 1 pouce du rebord, étendre une première ligne de mélange sur toute la largeur des feuilles (environ 2 c. à soupe). Rouler ensuite la pâte sur elle-même de manière à cacher cette première ligne de mélange (un peu à la façon d'un gâteau roulé). Puis, étendre une nouvelle ligne de mélange tout le long de ce premier rebord plié. Rouler de nouveau la pâte sur elle-même et répéter jusqu'à ce qu'il ne reste plus de mélange. On obtient ainsi une sorte d'escargot.

Déposer le rouleau sur la plaque à pâtisserie beurrée et le badigeonner de beurre fondu. À l'aide d'une fourchette, piquer la pâte à quelques endroits pour créer de petits trous d'aération. Cuire jusqu'à ce que la pâte soit dorée et couper en portions individuelles.

7

20 octobre

Alex Mitchell relisait le menu du Strega pour la troisième fois même si la carte était courte : trois choix d'entrée, trois pour les plats et idem pour les desserts. Viviane avait expliqué à l'enquêteur qu'Hélène préférait mettre au point moins d'éléments, mais en changer plus souvent pour suivre le plus fidèlement possible les saisons.

— Hélène m'a appris à manger des fraises en été, à oublier celles qui arrivent en janvier, qui sont ruineuses pour l'écologie. Et qui manquent de goût après des kilomètres sur la route dans des camions réfrigérés. Les agrumes l'hiver, les petits fruits à la belle saison. Ou alors, il faut les traiter pour les utiliser plus tard. Chez Strega, tout le monde passe des heures au début de septembre à travailler les tomates pour en avoir toute l'année.

— Mon père faisait du ketchup.

— Votre père ?

— Il tenait un petit resto à Magog. Rien de chic comme ici, mais il devait être bon, car les clients revenaient. Il était bien placé, au bord de l'eau.

— Le resto existe toujours ?

— Non. Mon père est décédé d'une crise cardiaque à cinquante-trois ans, mentit Mitchell.

— C'est pour cette raison que vous avez choisi un boulot plus calme, fit Viviane.

Alex Mitchell dévisagea la jeune femme sans cacher son étonnement.

— Mauvaise blague, commença-t-elle, je voulais...

— Non, c'est seulement que vous me surprenez. Que je me demande ce que je fais ici.

— Vous savez que je suis journaliste, dit Viviane. Vous vous êtes renseigné sur tous les proches d'Hélène. J'ai l'impression que vous voulez vraiment savoir ce qui s'est passé lors de l'accident.

— C'est peut-être parce que mon père était *cook* que ce qui est arrivé à Mme Holcomb m'interpelle autant. J'ai souvent eu peur, enfant, que mon père ait un accident sur la route en rentrant du restaurant. Il était tard, je savais qu'il prenait un verre avec le *staff* pour décompresser...

Lisant une lueur de protestation dans le regard de Viviane, Alex Mitchell leva aussitôt la main droite en signe d'apaisement.

— Je ne veux pas dire que votre amie avait bu le soir de l'accident. Ses examens sanguins étaient nets, nous le savons tous les deux. Des traces d'alcool infimes, pas de drogue, pas de médicaments. Et même si c'était le cas, les marques sur sa voiture nous ont amenés dès le lendemain de l'accident à croire qu'on l'a heurtée.

— Mais vous ne savez toujours pas qui est responsable, dit Viviane. Sinon, je suppose qu'il y aurait eu des accusations, une arrestation.

— Ça prend des preuves pour accuser quelqu'un. Pourquoi nous retrouvons-nous ici ?

— Vous êtes direct, c'est bon. Je voulais vous parler d'Hélène chez elle, dans ses lieux.

— Dans quel but ?

— Quand vous n'avez pas d'informations sur un criminel, vous cherchez à en obtenir sur la victime, non ?

— En effet, dit Mitchell en se demandant où Viviane voulait en venir.

— Je pense que vous devriez vous intéresser au filleul d'Hélène.

— Julius Rancourt? Pourquoi? Et pourquoi m'en parler maintenant?

— Parce que je vais quitter Montréal pour les prochaines semaines. Et que ça m'inquiète de plus en plus de le savoir près de sa marraine. J'aurais même dû vous en parler avant, mais je suis partie pour Washington et ensuite New York. Et je n'ai aucune preuve.

Mitchell but une gorgée de Saint-Joseph avant de répondre.

— Ce que vous dites est grave.

— Ici, tout le monde aime Hélène, tout le monde lui est dévoué. La seule personne qui a intérêt à ce qu'elle disparaisse, c'est Julius. Vous devez savoir qu'il a dépensé l'argent de l'héritage de sa mère?

— Quel rapport avec Mme Holcomb?

— C'est un parasite. Il n'a jamais conservé longtemps un emploi. Hélène lui pardonne tout parce qu'il est sa seule famille, mais vous devez continuer à enquêter sur lui.

Alex Mitchell nota la nuance: Viviane avait dit « continuer » à enquêter. Elle était donc certaine qu'il s'intéressait à Julius Rancourt?

Elle hocha la tête.

— Vous n'êtes pas des idiots. Qui d'autre dans l'entourage d'Hélène peut souhaiter sa mort?

— Ce sont des suppositions, avança Mitchell. Ça prend des preuves pour accuser quelqu'un. Et on doit absolument s'abstenir de focaliser nos recherches dans une seule direction. Vous avez reconnu que vous n'avez rien de concret.

— Julius se conduit déjà comme si le chalet d'Hélène lui appartenait, maugréa Viviane. Il l'a certainement fait évaluer. Sinon pourquoi aurait-il reçu la visite d'un agent d'immeubles?

Mitchell fronça les sourcils: comment avait-elle eu cette information?

— J'ai une chance par rapport à vous, dit Viviane. Je connais les lieux d'Hélène, ses amis, ses voisins. Ils me parlent sans que j'aie à les interroger. Je suis allée au lac Lovering et M. Langlois est certain que Valérie Ouimet, qui est agente d'immeubles, est passée au chalet quand Julius y était.

— Ils peuvent se connaître pour d'autres raisons, fit Mitchell.

— Qu'est-ce que Julius ferait avec une femme qui a deux fois son âge? Alors qu'il peut avoir toutes les filles qu'il veut avec sa belle gueule? Et pourquoi connaîtrait-il une agente d'immeubles à la campagne? Il n'a sûrement pas l'intention d'acheter une résidence secondaire, il n'a pas d'argent.

— Il a pu la rencontrer lorsqu'il a vendu la maison de sa mère, il y a trois ans.

Viviane ne put s'empêcher de sourire: elle avait raison de croire que Mitchell n'était pas prêt à classer le dossier d'Hélène.

Mitchell sembla lire dans ses pensées: bien sûr qu'il s'intéressait à Julius Rancourt, sinon il serait un piètre enquêteur.

— Il est proche d'elle, il n'a pas d'argent, n'a pas d'emploi fixe et ses dépenses ne cadrent pas avec ses revenus, insista Viviane. Si Hélène disparaît, ses problèmes de fric seront résolus. Pour un moment, en tout cas…

— Dans l'hypothèse où il hériterait, fit Mitchell. Vous pensez qu'il aurait pu tenter de la tuer sans en être certain?

— Hélène a toujours passé tous ses caprices à Julius. Il est bien trop imbu de lui-même pour penser qu'il ne sera pas son héritier. Il est sa seule famille. Et il est impulsif. Paresseux. Joueur. Je l'ai suivi au casino. Il a gagné, ce soir-là, si j'en juge par la mine réjouie qu'il affichait ensuite au bar, mais on sait bien que le jeu est une arnaque. Que ce ne sont pas les joueurs qui remportent la mise en fin de compte, mais toujours le casino. De plus, Ornella est persuadée que le chalet a été fouillé.

— Fouillé ?

Viviane allait répondre quand Manuel, le maître d'hôtel, vint s'enquérir de leurs choix.

— Tout semble merveilleux, décidez pour nous, fit Viviane avant de raconter au capitaine Mitchell qu'elle et Ornella étaient allées au chalet pour mettre les meilleures bouteilles d'Hélène à l'abri.

— À l'abri ?

— Dans le cellier d'Ornella. Pas question qu'on laisse Julius vider la cave d'Hélène. Il s'est sûrement aussi renseigné sur la valeur des bouteilles. On venait d'arriver et j'étais dehors en train de jaser avec M. Langlois qui ramassait des feuilles quand Ornella m'a demandé de venir la rejoindre. Elle avait l'impression que des objets avaient été déplacés dans le bureau d'Hélène. Des cadres, des livres dans la bibliothèque. Comme si la pièce avait été fouillée.

— C'est possible que Julius ait bougé des choses, dit Mitchell, qu'il ait fait un peu de ménage.

— Julius ? Du ménage ? On a dû vider les poubelles dont il ne s'était pas occupé.

— Admettons qu'il a fouiné : que cherchait-il à votre avis ?

— Je ne sais pas, avoua Viviane. Hélène ne garde pas de documents au chalet. Ils sont dans le coffre-fort de son appartement à Montréal. Mais il ne lit jamais, alors pourquoi a-t-il scruté sa bibliothèque ?

— C'est tiré par les cheveux, dit Alex Mitchell. Je comprends que vous cherchiez un coupable, mais…

— Vous pensez que j'invente tout ?

— Ce n'est pas ce que j'ai dit, protesta le policier.

— Il n'a rien devant lui et n'est pas habitué à l'effort…

— Et si cette agente d'immeubles était plus qu'une connaissance ? Qu'elle l'aidait un peu…

— Vous voulez dire qu'il serait son gigolo ? Ça m'étonnerait. Est-ce que Julius a un alibi en béton pour la nuit de l'accident pour que vous lui laissiez ainsi la paix ?

— Je ne peux pas vous parler de l'enquête, dit Alex Mitchell, et vous le savez parfaitement. Comme vous savez aussi que nous avons fait des recherches sur tout le monde. Et donc sur Hélène Holcomb. Son succès peut faire des jaloux…

— Au point de vouloir sa disparition ?

— On continue à chercher dans son passé. Que savez-vous de ses séjours à l'étranger ? Pourquoi a-t-elle choisi de vivre en France, puis au Japon ?

— Pour apprendre, répondit aussitôt Viviane.

Elle but une gorgée d'eau avant de raconter qu'Hélène vénérait le raffinement nippon et avait voulu l'apprivoiser en travaillant à Tokyo durant quelques mois. Elle s'était imprégnée de cette culture en visitant les marchés, les temples, les jardins, en apprenant les secrets de la culture des thés d'ombre ou de la coupe des poissons, en tentant de définir l'umami.

Alex Mitchell scruta le visage de la jeune femme, se demanda ce qu'elle lui cachait pour lui fournir une aussi longue réponse. Il insista.

— Et en France ?

— En France ? Est-ce qu'il y a un chef qui ne passe pas par la France ? C'est le berceau de la gastronomie.

— Réponse banale, dit Mitchell. La vraie raison ?

Viviane fronça les sourcils, soupira tout en jouant avec sa serviette de table, partagée entre son refus de parler de la vie privée d'Hélène et sa satisfaction de constater que Mitchell ne se laissait pas berner facilement.

— Elle a fui sa famille, finit-elle par lui dire. Mais c'était il y a si longtemps. Je ne vois pas le rapport avec l'accident.

— C'est loin, admit l'enquêteur, mais je dois en apprendre le maximum sur Mme Holcomb.

— Vous excluez donc formellement l'hypothèse d'un chauffard ivre qui aurait heurté la voiture d'Hélène parce qu'elle se trouvait bêtement sur sa route ?

Alex Mitchell fixa Viviane quelques secondes avant de dire qu'Hélène Holcomb avait eu du flair en s'installant dans Hochelaga-Maisonneuve avant que le quartier devienne à la mode.

— Elle a choisi en fonction du terrain, expliqua Viviane. Elle l'a acheté juste avant qu'on commence à construire à droite et à gauche ou à exproprier. Elle voulait absolument préserver un espace vert, avoir un potager. Elle a engagé des gens du quartier pour s'en occuper…

— Il n'y a pas eu des frictions ? Ce n'est pas tout le monde qui apprécie que le quartier change. J'ai vu un reportage où des commerçants se plaignaient de l'animosité de certains résidents.

— Hélène n'a délogé personne, protesta Viviane.

— Mais elle contribue à donner un autre visage à ces lieux en ouvrant un restaurant chic.

— Elle a créé des emplois, insista Viviane.

— Je ne lui adresse pas de reproches, dit Mitchell. Je constate, c'est tout. Je fais le tour de toutes les options pour trouver qui pouvait en vouloir à Mme Holcomb.

— Un promoteur qui aurait l'intention de démolir le resto et de racheter le terrain ? avança Viviane. Qui aurait voulu la faire disparaître pour ça ?

Alex Mitchell but une gorgée de vin, ferma les yeux pour le savourer, les ouvrit lorsque le serveur déposa les plats, admira la composition de l'assiette.

— Ça ressemble à un tableau moderne, une sorte de jardin.

— C'est sûrement ce qu'Hélène a voulu recréer : une partie du potager qui est derrière le resto. Le jaune clair des ananas, les billes de lime, la coriandre, les feuilles de céleri rappellent probablement la pelouse et la ligne de cacao, la terre. J'adore le poisson mariné !

— Et ces tomates ! Elles sont minuscules ! s'étonna Mitchell, elles ont la grosseur d'une goutte de sang... Pardon, c'est une mauvaise comparaison.

— Ça ne me dérange pas. N'oubliez pas que ma blonde est pathologiste.

— Elle est très compétente, commenta l'enquêteur. Elle ne doit pas se souvenir de moi, mais je l'ai déjà rencontrée.

— Je sais, oui. Mais Mathilde ne m'a rien dit de plus. Elle est plus muette que tous les poissons que je pourrais pêcher dans le lac Lovering.

— Vous pêchez réellement ou vous voulez me reparler de Julius Rancourt ?

Viviane hocha la tête, répéta qu'elle s'inquiétait pour Hélène. S'il avait voulu la tuer une fois, qu'est-ce qui l'empêcherait de recommencer ?

— Je sais bien que vous ne pouvez pas poster quelqu'un en faction devant la chambre d'Hélène, d'autant plus qu'elle est hospitalisée à Montréal... Mais je ne pouvais pas repartir sans vous dire que je soupçonne l'empereur Julius : cet homme se croit supérieur au commun des mortels. Les lois ne sont pas pour lui. Je suis même persuadée que le suicide de sa mère l'a bien arrangé.

— Vous ne l'aimez vraiment pas, répondit Mitchell en prenant note de relire le rapport d'accident concernant le décès de Chantale Rancourt.

L'autopsie n'avait rien révélé de suspect, hormis le fait que la mère de Julius avait pris de l'alcool et des somnifères avant de se rendre au lac. Ce qui pouvait accréditer la thèse du suicide. À moins qu'elle n'ait été forcée de les avaler, mais Mitchell n'avait rien lu au sujet de signes de lutte, de contusions aux poignets, à la bouche, aux épaules de la victime qui auraient pu faire croire au pathologiste que Chantale Rancourt avait été maintenue de force, immobilisée pour lui faire ingurgiter des comprimés ou de l'alcool.

— Non, je ne l'aime pas, reconnut Viviane. Julius est un pervers narcissique. Mais Hélène se refuse à l'admettre, même si elle commençait à en avoir assez de l'épauler. D'après ce que m'a confié Marie, elle lui avait dit qu'elle fermerait le robinet. À trente ans, il était temps qu'il se prenne en main, travaille, avance, fasse quelque chose de sa vie.

— Eh... «elle lui avait dit», à qui? À Marie ou à Julius Rancourt?

— À Marie.

Viviane observa un court silence avant de suggérer qu'Hélène avait peut-être averti Julius de ne plus compter sur elle.

— Dans ce cas, il avait de bonnes raisons de lui en vouloir. J'ai toujours pensé qu'il avait prémédité l'accident pour toucher du fric. Peut-être était-il furieux contre elle... Un pervers narcissique ne supporte pas d'être rejeté.

Mitchell promit d'exposer ses craintes à ses collègues à qui cette enquête tenait autant à cœur qu'à lui. Il se rappelait la frustration de Bordeleau lorsque le vendeur de voitures d'occasion n'avait pu reconnaître Rancourt.

::

Ceviche de poisson blanc

- 150 g de filet de poisson blanc coupé en cubes
- 45 ml (3 c. à soupe) de jus de lime
- 60 ml (¼ tasse) de céleri et feuilles coupés en très petits dés
- 1 concombre libanais coupé en petits dés
- 1 oignon nouveau émincé
- 15 ml (1 c. à soupe) de coriandre fraîche hachée
- 60 ml (¼ tasse) d'ananas frais broyé au mélangeur
- 15 ml (1 c. à soupe) d'huile d'olive
- 0,5 ml (⅛ c. à thé) de paprika fumé
- 60 ml (¼ tasse) de poivron rouge coupé en petits dés

Mélanger tous les ingrédients, sauf le poivron rouge.

Dans une assiette, mouler le mélange à l'aide d'un petit cercle de métal, pour obtenir une forme ronde, ou faire un petit dôme. Parsemer de dés de poivron rouge et saupoudrer d'un peu de sel. Servir très frais.

: :

31 octobre

Justine déambulait dans les allées du jardin des Tuileries en humant l'odeur fumée des marrons grillés qui rivalisait avec celle du diesel s'échappant de la rue de Rivoli et celle, plutôt apaisante, du gravier et des feuilles mortes qu'une averse avait mouillés une heure plus tôt. Elle n'avait pas faim, mais elle était incapable de résister au plaisir de sentir la peau des marrons s'effriter entre ses doigts et les brûler légèrement, de mâcher cette chair dense qui lui rappelait son premier Noël à Paris avec son parrain. La grande roue illuminée. Les vitrines des magasins près de la Madeleine. Le chocolat crémeux chez Angelina. Elle s'approcha du marchand de marrons, tendit deux euros en échange d'un cornet tout chaud qui lui fit penser à Hélène : elle adorait la glace aux marrons de la Maison Berthillon. Était-il possible qu'une année seulement se soit écoulée depuis leur passage à la boutique de l'île Saint-Louis ? Leur promenade au Luxembourg où Hélène avait justement acheté un cornet de châtaignes en disant qu'elle songeait à créer une recette de pétoncles au beurre de marrons. « Avec de l'aneth. Et je grillerais les pétoncles. Peut-être que j'ajouterais une racine… » Justine avait l'impression qu'il y avait une éternité qu'elle n'avait pas accueilli Hélène à Paris, comme si le temps s'était arrêté au moment de l'accident, que tout était gelé, qu'il fallait attendre le réveil d'Hélène pour que la vie reprenne son rythme normal. Elle replia le sachet de papier taché de gras, le glissa dans un sac de tissu tiré de son grand fourre-tout, traversa le jardin et longea les quais jusqu'à la rue du Pont-Louis-Philippe, s'attarda devant la vitrine de Kimonoya avant de gagner la rue François-Miron et pousser la porte de l'épicerie Izraël où elle achetait, chaque semaine, des olives marinées aux herbes pour son parrain. En sortant de la boutique, elle attrapa le 96 à l'instant même où il recommençait à pleuvoir. Elle sourit à sa chance en s'assoyant dans le bus, vit son reflet dans la vitre et s'étonna de son propre sourire. Elle faisait des efforts pour ne pas présenter en permanence un visage fermé à ses proches, mais il ne s'écoulait pas une journée sans qu'elle pense à Hélène. Ornella, Marie, Gabrielle, Viviane lui donnaient régulièrement des nouvelles, commentaient les recettes qu'elle leur avait envoyées, répétaient que l'état d'Hélène était stable, sans aucun changement depuis sa visite, mais elle se sentait tellement loin! Enfin, jusqu'à samedi dernier. L'appel d'Ornella l'avait tout d'abord déboussolée, puis ragaillardie: elle pourrait agir pour le bien de leur amie, se rendre utile. La mission que les filles lui confiaient était complexe; Justine ne pouvait se permettre le moindre faux pas, mais elle l'avait acceptée avec empressement. Et voilà qu'elle s'apprêtait à rencontrer Aymeric Brüner. Le fils d'Hélène. Elle avait beau y repenser, la conversation qu'elle avait eue avec Ornella dix jours auparavant lui semblait toujours aussi étrange. Elle savait bien sûr qu'Hélène avait donné son enfant en adoption, mais Ornella venait tout juste de lui apprendre qu'Hélène avait engagé, au début de l'année, un détective privé qui avait retrouvé la trace d'Aymeric Brüner et que ce dernier avait écrit à Hélène.

Marie avait joint Brüner pour le prévenir de la situation et avait spontanément offert à cet inconnu de rencontrer Justine à Paris: elle pourrait lui parler d'Hélène, répondre à ses nombreuses questions, ce serait plus chaleureux que par Skype, non?

— Comment a-t-il réagi? avait demandé Justine, interloquée par le culot de Marie.

— Il a paru surpris, avait reconnu Marie.

— On le serait à moins! Une pure étrangère l'appelle pour lui dire que sa mère biologique est dans le coma, mais qu'il peut parler d'elle avec une autre pure inconnue à Paris... Il n'était pas furieux? Vous avez ouvert le courrier d'Hélène! Sa lettre. C'est tellement intime.

— Peut-être. Mais il semblait davantage sous le choc d'apprendre l'accident. Et il voulait que je lui parle d'Hélène. Je ne savais pas par où commencer. Surtout, au téléphone, c'était bizarre.

Alors je lui ai suggéré de te rencontrer, afin qu'Hélène vive à travers tes propos. Je veux qu'elle s'incarne pour lui. Je ne veux pas qu'il la voie déjà… morte.

— Marie…

— Personne ne veut entendre ce mot, je le sais. On fait tout pour qu'Hélène revienne à la vie. Mais pour Aymeric Brüner, son existence a été jusqu'ici virtuelle et maintenant elle est couchée, inanimée, sur un lit d'hôpital. Il doit connaître Hélène. Il faut qu'il ait envie de venir la voir.

— Parce que vous espérez toutes qu'il pourra la réveiller ?

— On ne croit rien. Et on croit tout. C'est peut-être de la pensée magique, mais ça nous prend justement de la magie. La science n'est pas trop efficace pour l'instant.

— Je sais, Viviane m'a dit qu'elle avait parlé hier aux médecins. Rien de nouveau et…

— Ça peut changer, la coupa Marie.

— Mais on ne sait pas quelle Hélène émergera du coma.

— C'est prématuré d'en parler.

Le ton ferme de Marie n'arrivait pas à cacher ses inquiétudes. Avait-elle raison de vouloir éviter d'envisager l'avenir ? De penser aux séquelles dont pouvait être atteinte leur amie ? C'était impossible qu'elle se réveille du coma comme d'un sommeil paisible. Justine avait lu plusieurs ouvrages sur le sujet jusqu'à ce que Thierry lui dise que ces lectures ne faisaient qu'augmenter son anxiété. « Aucun coma ne se ressemble. Attends d'être au bord de la rivière pour traverser le pont. » Il avait raison. Peut-être. Ou pas. Le pire serait-il moins pire si on l'appréhendait ? Marie et Gabrielle refusaient d'en parler, alors que Viviane avait déjà dressé une liste des établissements spécialisés accueillant les victimes de traumatismes crâniens et qu'Ornella s'entêtait à s'informer sur les traitements dans les hôpitaux américains et européens. Justine s'était contentée de dire à Marie de transmettre ses coordonnées à Aymeric Brüner.

— Comment est-il ?

— Je ne sais pas, avait avoué Marie après un court silence. Cet appel était si particulier. Je tentais de trouver dans sa voix quelque chose qui m'aurait fait penser à Hélène. Je suis une vieille folle...

— Non, ce n'est pas toi, c'est la situation qui est dingue, avait conclu Justine.

Et voilà qu'elle se dirigeait maintenant vers le bar à vin où elle avait donné rendez-vous à Aymeric Brüner, tout près de chez Nose, une parfumerie qu'elle aimait bien pour sa volonté de faire connaître les parfums de vrais créateurs. Aymeric Brüner et elle avaient échangé des photos afin de pouvoir se reconnaître : combien de fois avait-elle regardé l'image du fils d'Hélène en scrutant l'ovale du visage, la forme des yeux, le nez, les cheveux, en tentant elle aussi de repérer les gènes d'Hélène ? Elle lui trouvait l'air très sérieux. C'était peut-être cet élément qui le rapprochait le plus de sa mère. Cette façon de garder les lèvres closes.

Les lèvres closes d'une femme sur son secret.

Justine n'en voulait pas à Hélène d'avoir tu ses démarches auprès d'un détective, car elle-même n'avait que très rarement abordé les saccages de son enfance avec ses amies. Elles savaient qu'elle ignorait encore, trente-six ans plus tard, si la blessure la plus grave avait été les abus de son frère ou la trahison de sa mère. Trente-six ans, presque l'âge du fils d'Hélène. Tandis que celle-ci fuyait sa peine en Europe, Justine s'échappait de la maison familiale. La simultanéité de leurs drames les avait sans nul doute rapprochées même si elles n'en parlaient pas.

Et voilà que plus de trois décennies avaient passé et qu'elle sentait son cœur qui battait à tout rompre tandis qu'elle poussait la porte du bar, qu'elle balayait trop vite la salle du regard. Il n'était pas arrivé. Si. Un homme lui faisait signe, se levait. Elle se dirigea vers lui. Il hésita un peu avant de lui tendre la main. Elle la fixa un instant avant de la serrer.

— J'ai... j'ai l'impression d'être dans un film, balbutia Justine.

Il hocha la tête et Justine pensa qu'elle devait cesser de le dévisager, mais les yeux d'Aymeric Brüner étaient du même bleu polaire que ceux d'Hélène.

— Est-ce que je lui ressemble ? dit-il en se rassoyant.

— Vous avez ses yeux. Ce n'était pas si net sur la photo. C'est tellement étrange. Hélène a les yeux fermés depuis des semaines et voilà que je les retrouve.

Justine prit une longue inspiration pour chasser l'émotion. Elle devait se contrôler, faire honneur à Hélène. Il fallait qu'Aymeric la trouve cohérente, qu'il se dise que les amies de sa mère étaient des femmes bien, sensées, qu'Hélène devait être formidable.

— Vous voulez la banquette ? s'enquit Aymeric.

— Je… oui… je ferais mieux de m'asseoir.

— Vous buvez ?

— Un Viognier. C'est Hélène qui m'a fait connaître ce cépage.

— Moi, j'ai été élevé dans le pays du riesling.

— Dans mon cas, c'était le bordelais, fit Justine.

Est-ce qu'elle saurait décrire l'épaisseur du silence qui tomba ensuite entre elle et le fils d'Hélène ? Elle craignait que ce dernier, malgré le brouhaha de l'endroit, ne perçoive les battements de son cœur. Elle avait cru qu'ils seraient embarrassés, mais elle avait sous-évalué la charge émotive qui la tétaniserait sur place, l'effet que le regard d'Aymeric lui ferait. Elle avait l'impression que ses jambes étaient lestées de plomb, que ses bras se mouvaient avec une lenteur infinie, qu'elle renverserait ce verre de vin que le serveur déposait devant elle.

Elle parvint pourtant à le porter à ses lèvres et huma intensément les arômes du vin : elle devait impérativement se concentrer sur eux pour se calmer. Les parfums d'abricot, de pêche, de fleurs blanches s'exhalèrent et elle ferma les yeux en avalant la première gorgée, ravie par l'équilibre du vin.

— J'aurais pu me rendre à Strasbourg, finit-elle par dire. J'aime beaucoup cette ville, ses canaux et les marchés de Noël. C'est un peu cliché de dire cela évidemment, mais toutes ces odeurs salées et sucrées qui s'échappent des kiosques ont quelque chose de très vivant, de très joyeux et je…

Justine se tut, soupira.

— Je parle trop.

— Non, j'aime aussi ma ville natale…

Aymeric se tut à son tour avant de se corriger.

— Enfin, la ville où j'ai grandi.

— Vous aviez quel âge quand vous avez quitté le Québec ?

— Un an. Ma mère était native de Québec, mais mon père a la double nationalité. Il a eu une occasion dans son boulot qui les a fait s'installer en France.

— Vous connaissez donc le Québec ! s'exclama Justine.

Aymeric hocha la tête, il avait passé ses étés en Mauricie avec ses cousins.

— On se faisait dévorer par les maringouins au bord du lac.

— Il paraît qu'il y en a moins dans les Cantons-de-l'Est, dit Justine. Hélène a un chalet près de Magog.

— Là où l'accident a eu lieu, c'est ça ?

— Oui, elle rentrait de New York. Elle avait reçu un prix très prestigieux pour… enfin… vous savez, c'est une femme exceptionnelle.

— Non, dit Aymeric, justement, je ne sais pas.

Justine retint son souffle. Avait-elle perçu une note d'amertume ou d'animosité dans la voix d'Aymeric ? Elle avait cru quelques instants auparavant que le fait qu'il connaisse bien le Québec faciliterait leur échange, mais son attitude demeurait courtoise. Neutre. À quoi s'attendait-elle ? Il était réservé. Prudent. Pouvait-elle lui en vouloir ? Il avait raison, il ne savait rien d'Hélène.

— Posez-moi toutes les questions que vous voulez.

Aymeric Brüner observa Justine et finit son verre de vin en s'étonnant de ne pas savoir par où commencer, alors que des dizaines de questions l'obsédaient.

— Est-ce que vous connaissez… ma… ma… est-ce que vous vous connaissez depuis longtemps ?

Avait-il voulu dire « ma mère » ou « madame » ? se demanda Justine.

— Des années. Je l'ai rencontrée sur un vol entre Paris et Montréal.

— Est-ce que vous connaissiez mon existence ?

— C'est compliqué. Nous savions qu'Hélène avait eu un enfant, mais nous ignorions qui vous étiez jusqu'à ce qu'elle entreprenne des démarches pour vous retrouver.

Aymeric dévisagea Justine en serrant les lèvres comme Hélène le faisait lorsqu'elle était hésitante. Un silence se prolongea, Justine s'inquiéta d'avoir mal répondu à ses questions, de lui avoir déplu, d'avoir tout fait foirer, mais Aymeric reprit la parole.

— Pourquoi s'est-elle décidée maintenant ?

Justine avait redouté cette question à laquelle elle n'avait pas de réponse. Elle se rappelait ce que Marie lui avait dit : Hélène avait eu peur de ne pas être à la hauteur des attentes d'Aymeric. Elle avait dit qu'elle lui écrirait ses craintes, mais elle ne l'avait vraisemblablement pas fait.

— Selon Marie, elle craignait de vous décevoir. Elle s'est décidée après une alerte. Elle a cru qu'elle avait un cancer. Elle s'est dit qu'elle ne pouvait pas mourir sans vous avoir vu. J'exprime sûrement mal ses doutes, mais Hélène a toujours été discrète sur vous. Je suppose qu'on en aurait appris davantage s'il n'y avait pas eu cet accident qui l'a plongée dans le coma.

— Que s'est-il passé ? s'enquit Aymeric.

— Une voiture a embouti son cabriolet, répondit Justine.

Elle avait espéré qu'Aymeric lui demande comment se portait Hélène. Qu'il s'inquiète pour elle. Mais c'était probablement prématuré. Elle devait suivre son rythme, ne pas le brusquer. L'apprivoiser pour Hélène. Taire toutes les questions qui lui venaient à l'esprit à son sujet. Et toutes celles que lui avaient envoyées les filles en préparation de cette rencontre qu'elle ne savait pas comment gérer. C'est Ornella qui aurait dû être à sa place. Ou Gabrielle qui savait si bien s'adresser à n'importe qui. Mais Aymeric Brüner n'était pas n'importe qui. Il était le fils d'Hélène. Elle fixa ses yeux si clairs, attendant la prochaine question.

— On a retrouvé le chauffard?

— Non. L'enquête avance lentement.

— Je suppose que c'est la Sûreté du Québec qui s'en charge?

Justine hocha la tête. Qu'Aymeric s'interroge sur l'enquête était une façon de démontrer son intérêt. Moins intime que s'il s'était renseigné sur l'état d'Hélène, plus concrète, plus technique, mais bien réelle.

— Ils n'ont aucune piste?

— J'ai cru comprendre que c'est compliqué. Mais c'est bien un délit de fuite. Le capitaine Mitchell est formel.

— Aucune accusation n'a été portée?

— Non. Le criminel n'a pas encore été identifié.

— Il y a des indices? Qu'ont dit les enquêteurs?

— Il y avait des traces de peinture sur le cabriolet d'Hélène. C'est tout ce que je peux vous dire. Sa voiture s'est encastrée dans un arbre. C'est un miracle qu'elle soit toujours en vie.

— Quels sont les pronostics des médecins?

— Ils sont surpris qu'elle ait survécu. Elle est forte. C'est une sportive, en très bonne condition.

— Elle est sportive?

Justine s'illusionnait-elle ou devinait-elle pour la première fois une sorte d'élan chez Aymeric? Elle l'observa un moment, se dit qu'elle n'avait pas remarqué les muscles sous le gros pull de laine gris, le ventre plat. Un homme en forme.

— Elle court un jour sur deux, nage, joue au tennis quand elle prend des vacances. Ce qui n'arrive pas souvent. Elle se lève à l'aube pour jogger avant de se rendre au restaurant. Elle a même fait des marathons. Le seul truc qui ne la branche pas, c'est le yoga. Trop zen pour elle. En voyage, elle nous épuise toutes.

— Nous ?

— Ses amies. Vous avez parlé à Marie. Il y a aussi Ornella, Gabrielle et Viviane.

— Je cours aussi, avança Aymeric. Quel marathon a-t-elle fait ?

— Boston, New York, Philadelphie, Montréal évidemment. Elle a un peu ralenti ces dernières années par manque de temps, mais elle est la première à piquer une tête dans le lac au printemps.

Justine ne put réprimer un frisson en repensant à une baignade au début de juin au lac Lovering. Elle rajusta son écharpe de cachemire sur ses épaules.

— Vous avez froid ?

— Non, non, je songeais aux matins frisquets à la campagne. Le lac est magnifique, mais il met du temps à se réchauffer !

— Où est-ce, exactement ?

— Au lac Lovering, à quelques kilomètres de Magog, près de la frontière américaine.

— Je suis déjà allé à Magog avec mon cousin Pierre.

— Vous allez encore au Québec durant l'été ?

— Pas depuis la mort de ma mère.

— Je suis désolée d'apprendre cela, fit Justine.

Comme chaque fois qu'une personne évoquait le décès de sa mère, elle se demanda quelle serait sa propre réaction quand la sienne disparaîtrait. Puis elle s'en voulut de penser à elle alors qu'elle devait observer Aymeric, le faire parler, en apprendre le plus possible sur lui. Les filles lui poseraient mille questions lorsqu'elle les appellerait en rentrant chez elle.

— Ma mère était malade, confia Aymeric. Depuis plusieurs années. Elle… elle m'a dit qu'elle était heureuse que je n'aie pas hérité de ses gènes, de cette saloperie de cancer. Mais savez-vous... de quoi ai-je hérité, à part des yeux de… ?

— D'Hélène ? De sa façon de pincer les lèvres lorsqu'elle est hésitante. Ce qui est rare, elle est habituée à prendre des décisions et...

Justine se tut : peut-être qu'Aymeric Brüner cherchait plutôt à savoir si Hélène pouvait lui avoir transmis des problèmes de santé. Avait-il voulu la connaître pour cette raison ?

— Elle n'est jamais malade, si c'est ce que vous souhaitez savoir. C'est la première fois qu'elle va à l'hôpital. Sa mère est morte d'une crise cardiaque, son père d'une infection contractée lors d'un de ses voyages en Afrique. Et sa sœur s'est noyée. Comme je vous l'ai dit, les médecins ont été étonnés de sa forme pour une femme de son âge.

— Ses muscles vont s'avachir si le coma s'éternise.

Justine prit une longue inspiration : Aymeric pensait-il qu'elle l'ignorait ?

— Vous voulez la vérité ? Pas un jour ne passe sans que je me demande dans quel état sera Hélène lorsqu'elle s'éveillera. Je lis tout ce que je peux trouver sur le coma, mais tant qu'elle dort, on ne peut rien prédire.

Aymeric Brüner pinça les lèvres, les rouvrit, conscient pour la première fois de ce tic, les pinça pourtant de nouveau avant de confier à Justine qu'il avait été lui-même dans le coma.

— Durant dix jours. Commotion cérébrale à la suite d'une chute. J'ai récupéré très vite. Je suis même un cas d'étude.

— Une chute ?

— Dans un squat délabré.

Un squat ? Que faisait-il dans un squat en ruine ? se demanda Justine.

Elle n'osait pas l'interroger, mais peut-être espérait-il ses questions ? Et si sa discrétion passait pour un manque d'intérêt à son égard ? Alors qu'elle avait réussi à communiquer avec des cueilleuses de jasmin sans parler leur langue, elle craignait à chaque phrase qu'elle prononçait d'être inadéquate. Elle songea à Thierry qui lui avait conseillé d'être simplement elle-même, de se fier à ses intuitions.

— Je ne sais pas si je dois vous demander ou non ce que vous faisiez dans un squat. Je ne sais pas ce que je dois dire pour que vous ayez une bonne opinion de moi. Pour que vous souhaitiez m'entendre parler de votre mère. Je regrette qu'il n'y ait pas de mode d'emploi. Et je mets beaucoup d'énergie à ne pas pleurer en vous regardant parce que plus je vous regarde, plus je vois vos ressemblances.

Aymeric parut un peu surpris, esquissa un demi-sourire qui rassura Justine.

— Je suis… j'étais policier. On pourchassait un type. L'immeuble était en démolition. J'ai chuté du premier étage. Commotion cérébrale, main gauche bousillée.

— Bousillée? fit Justine en jetant un regard vers la main d'Aymeric.

— Je ne sais pas encore si je pourrai récupérer ma mobilité. Mais j'ai entraîné ce salopard dans ma chute. Il a eu moins de chance que moi, écrasement de la colonne vertébrale. Il ne pourra plus jamais violer personne.

— Quand est-ce arrivé?

— Il y a quelques mois. J'ai reçu la lettre de… d'Hélène après mon séjour à l'hôpital.

— Vous devez avoir été surpris.

— Je ne sais pas. C'était une chose de plus à considérer.

— De plus que quoi?

— Je sortais du coma. Je devais faire de la rééducation tout en ignorant si j'allais pouvoir tirer de nouveau, exercer mon travail comme je l'entends, garantir la sécurité de mes collègues sur le terrain. Cette lettre s'ajoutait à ces bouleversements. C'était étrange.

— C'est pour cette raison que vous avez attendu avant de répondre à Hélène?

— Je suppose que oui.

— Qu'est-ce qui vous a décidé ? Vos enfants ?

— Mes enfants ? s'étonna-t-il.

— Pour savoir quels sont vos gènes, ce qu'Hélène vous a transmis, votre ADN. C'est légitime d'être curieux.

— C'est plutôt mon père qui m'a poussé à répondre, dit Aymeric en fixant Justine. Il répète que c'est sain que j'en sache davantage sur mes origines. Sur ma mère et sur mon père biologiques. « C'est ce que voudrait aussi Lucie », pensait-il. Ma mère adoptive.

Justine soutint le regard bleu d'Aymeric avant de lui dire qu'elle ignorait tout de son géniteur.

— Vous mentez mal, fit-il.

— C'est vrai, vous êtes policier. Vous êtes habitué à...

— À m'apercevoir qu'on me mène en bateau. Qu'est-ce que vous savez que...

— C'est à Hélène de vous en parler, l'interrompit Justine d'une voix ferme. Je peux tout de même vous dire qu'elle était amoureuse de lui. Même s'il n'a été qu'un météore dans sa vie. Elle ne l'a jamais revu.

— Je sais qu'elle était jeune, elle me l'a écrit. Mais lui ?

Justine secoua la tête, répéta que ces révélations appartenaient à Hélène.

— Et si elle ne sort pas du coma ? Si elle ne se souvient de rien à son réveil ?

Justine haussa les épaules : quelles garanties espérait-il qu'elle lui donne ?

— Je ne connais pas l'avenir. Je sais seulement qu'Hélène est solide. Et si jamais elle ne pouvait pas vous entretenir elle-même de votre père, Marie pourra peut-être vous en parler. Elle était auprès d'Hélène quand vous êtes né.

— Que sait-elle ?

— Vous...

Justine se mordit les lèvres, se retenant de dire à Aymeric qu'il était têtu.

— Je vous embête avec mes questions, dit-il.

— C'est seulement que je ne veux pas trahir Hélène. C'est son histoire.

— Et la mienne.

— Vous devez être un bon enquêteur. Vous ne lâchez pas facilement le morceau…

— Je suis ici pour en savoir plus, non ?

Justine hocha la tête, attendant une autre question, s'enhardissant à couper le silence.

— Est-ce que les policiers laissent tomber une enquête quand elle ne donne pas de résultats probants après un certain temps ?

— Vous craignez que l'enquêteur… ce Mitchell abandonne ?

— Il semble déterminé à découvrir qui est le criminel, mais si ses supérieurs trouvent qu'il perd trop de temps à faire ces recherches… D'un autre côté, Viviane est certaine qu'Alex Mitchell ne croit pas au hasard.

— Que sous-entendez-vous ?

— Qu'on a embouti volontairement la voiture d'Hélène.

— Elle a des ennemis ?

— Non, c'est ça, le problème. Mitchell nous a posé un million de questions pour tenter de cerner la personnalité de notre amie, mais vous êtes son seul secret. Hélène n'entretient pas de zones d'ombre.

— Un rival ? souleva Aymeric.

— Nous n'y croyons pas et Mitchell non plus. Il y a bien une concurrence dans le milieu de la restauration, mais pas au point de s'entretuer…

— Je suppose que votre Mitchell a aussi pensé au racket ? Il y a une tradition mafieuse à Montréal comme partout ailleurs. Hélène a pu refuser une certaine protection.

— On l'aurait su.

— Un employé furieux d'avoir été congédié ?

— Il y a des limites…

— Non. On tue pour bien peu de chose, croyez-moi. De toute manière, votre enquêteur a sûrement commencé par chercher à qui profite la disparition de…

Aymeric n'avait pas terminé sa phrase qu'il lisait la consternation sur le fin visage de Justine.

— À qui pensez-vous ?

— À personne, murmura Justine.

Elle avait refusé d'écouter les hypothèses de Viviane au sujet de Julius. Mais qu'Aymeric demande aussi vite à qui pouvait servir le décès d'Hélène l'obligeait à envisager le pire.

— Je vous ai dit que vous mentez mal. À qui profiterait le crime ?

— Je suppose que c'est son filleul Julius qui hériterait.

— Elle n'a pas de conjoint ?

— Non, le travail a pris toute la place dans sa vie. Son seul parent est Julius.

— On tue toujours pour les mêmes raisons : pour de l'argent, par jalousie, par haine, pour éviter qu'un secret ne soit dévoilé ou pour liquider un témoin gênant…

— Je prendrais un autre verre de vin, dit Justine en levant la main pour attirer l'attention du serveur.

— Vous pensez que son neveu a voulu la tuer ?

— Parlons plutôt de vous. Vous exerciez votre métier à Strasbourg ?

— Oui. Et je ne suis pas marié. Je n'ai pas d'enfant. Mais un frère et une sœur, qui sont jumeaux. Mes parents ont eu toute une surprise. Nous avons dix ans de différence. On s'adore.

— Je vous envie.

— Vous êtes enfant unique ?

— Non. J'ai un frère.

Justine ferma les yeux quelques secondes avant d'ajouter qu'elle ne voyait plus son frère depuis des années.

— Je ne sais pas pourquoi je vous raconte ça.

— Parce que j'écoute bien. Prenez-vous un autre Viognier ou changez-vous de cépage ?

— Un riesling. Pour faire honneur à votre région.

— Les marchés de Noël…

— Oui, sourit Justine. Et surtout les cigognes. Elles m'émeuvent. Leur fidélité conjugale me touche. Je suis trop fleur bleue, j'imagine. Mais ça ne me gêne pas.

— Pourquoi pensez-vous que le neveu a quelque chose à voir dans l'accident ?

— Je n'ai pas dit ça, protesta Justine.

Elle se félicita d'avoir éveillé la curiosité d'Aymeric : il n'exerçait pas son métier actuellement, mais l'enquêteur qu'il était refaisait surface. Il était à l'affût de la moindre anomalie.

— Vous espérez vous tromper, mais vous avez des soupçons. Il se drogue ? Joue ? A des ennuis d'argent ?

— Julius ne garde jamais un emploi très longtemps et il vit au-dessus de ses moyens, selon Viviane.

— Je suppose que Mitchell sait tout ça.

— En effet. Mais peut-être qu'un regard neuf…

Aymeric Brüner dévisagea Justine, émit un sifflement. Elle ne manquait pas d'audace !

— Je n'ai rien à perdre à vous proposer de venir au Québec, fit Justine. Non ? Le pire qui peut arriver, c'est que vous refusiez.

— C'est un grand chef, d'après ce que j'ai lu, dit Aymeric.

— Oui, Hélène est une sorcière, une magicienne. C'est d'ailleurs ce que Strega signifie en italien. C'est Ornella et moi qui avons trouvé le nom de son resto. J'espère que vous y viendrez.

::

Pétoncles au beurre de marron

- 55 g (¼ tasse) de beurre en pommade
- 30 ml (2 c. à soupe) d'aneth finement ciselé
- 45 ml (3 c. à soupe) de marrons broyés (en sachet sous vide)
- 4 salsifis tranchés en lamelles
- 8 gros pétoncles (2 par personne)
- 15 ml (1 c. à soupe) d'amandes effilées grillées
- Sel et poivre

Mélanger le beurre, la moitié de l'aneth et les marrons. Saler et poivrer. Étendre sur une pellicule de plastique et rouler pour former un cylindre serré. Réfrigérer au moins 2 heures, afin que le mélange durcisse.

Dans une casserole, faire cuire les salsifis à la vapeur jusqu'à ce qu'ils soient tendres. Les répartir également au fond de quatre coquilles ou petites assiettes de service, afin de former une sorte de nid. Parsemer du reste d'aneth.

Dans une poêle, faire dorer les pétoncles dans du beurre. Les disposer sur les nids de légumes. Déposer une rondelle de beurre à l'aneth et au marron sur chaque pétoncle. Parsemer d'amandes effilées.

Donne une entrée pour 4 personnes.

8

3 novembre

Auguste Trahan se demandait depuis le début de la journée s'il irait ou non au party costumé où Pierre-Hugues l'avait invité. Avait-il l'énergie pour rentrer à Saint-Hyacinthe, se doucher, se changer et revenir à Montréal ? L'Halloween avait toujours été sa fête préférée, mais il avait, ces dernières années, assouvi son désir de se déguiser en endossant ses habits de clown pour incarner le Dr Grand V ou Arthur Papillon. Et puis, l'Halloween, c'était mardi dernier. Il avait distribué des bonbons, raconté des histoires de fantômes et de monstres aux enfants qui ne pouvaient pas aller sonner aux portes avec leurs camarades, consolé les parents d'Abigail qui savaient que le costume de princesse serait porté une ultime fois. Mais, d'un autre côté, lui n'avait pas tellement fêté et, surtout, il n'avait pas encore étrenné le *tabarro* et la *bauta* qu'il avait rapportés de Venise. Il sourit en se rappelant du temps infini qu'il avait mis à choisir un masque. Il avait quitté son hôtel décidé à acheter le costume du médecin de la peste, le masque au long nez si menaçant, car il avait lu que la tradition vénitienne voulait qu'on se travestisse en son opposé. Un pauvre se déguisait en noble, une femme en homme, un mécréant en religieux. Avait-il déjà fait peur à quelqu'un dans sa vie ? Non. Il incarnerait donc ce médecin qui faisait frémir tous ceux qu'il croisait, intrigué de ce qu'il pourrait ressentir en étant durant une nuit une personne si différente. Mais lorsque Auguste était arrivé à la réputée boutique du Dorsoduro, il avait changé d'idée, se rappelant qu'on avait qualifié de « nouvelle peste » le sida dont étaient morts nombre de ses amis. Il ne pouvait revêtir ce costume. Il avait failli opter pour un costume d'Arlequin, mais il avait finalement acheté la *bauta*, un masque plutôt large qui permettait de manger facilement. Strié de motifs argentés, le masque était si beau qu'Auguste se disait qu'une telle œuvre d'art irait mieux sur un mur que sur son visage. Il avait néanmoins acheté le *tabarro* en velours noir et la chemise blanche à volants pour compléter la tenue. Quand il s'était vu dans la glace de sa chambre d'hôtel, il s'était trouvé beau. Puis un peu ridicule d'avoir dépensé une telle somme pour un costume qu'il ne porterait qu'une fois par année.

Mais ce serait encore plus ridicule de ne pas le porter du tout ! se fustigea Auguste. Il irait au party. Il mettrait ses vêtements vénitiens. Il cesserait d'hésiter, laissant toutes ses velléités à son personnage d'Arthur qui ne savait jamais ce qu'il voulait, qui papillonnait d'une envie à l'autre, qui avait toujours peur de rater quelque chose, de faire les mauvais choix. Il n'était pas Arthur. Enfin, pas tout à fait. Et pas ce soir en tout cas.

Aux abords du pont Jacques-Cartier où une file de voitures immobilisées annonçait un long retour à la maison, il faillit revenir sur sa décision pour éviter d'avoir à affronter de nouveau le trafic. Mais en tentant d'écouter les informations routières, il entendit les premières notes de *Via con me*, la voix chaude de Paolo Conte et s'interdit de changer d'idée. C'est ce soir qu'il étrennerait sa cape de velours sombre, son masque argenté. Et puis, il serait heureux de revoir Pierre-Hugues qu'il avait connu vingt ans plus tôt, alors que celui-ci faisait du bénévolat au même centre d'écoute téléphonique que lui. Ils avaient entendu des voix brisées, rageuses, désespérées, résignées, tremblantes, répondu à des questions étranges, tenté d'être le plus empathique possible tout en évitant de donner des conseils qui auraient pu sembler paternalistes. Et surtout, ne jamais juger. Réconforter et réconforter encore. Pierre-Hugues et lui avaient eu une courte aventure, puis ce dernier avait rencontré Stefan avec qui il vivait depuis. Stefan qui avait rénové de la cave au grenier la maison dont Pierre-Hugues avait hérité à la mort de sa mère, une maison maintenant plus claire grâce au puits de lumière, aux planchers de chêne blond, aux teintes pâles des canapés, des tapis du salon. Une maison où il faisait bon vivre, où flottait en permanence une odeur de café depuis que Pierre-Hugues avait investi dans une Faema hors de prix. Mais ce n'est pas ce soir qu'il montrerait ses talents de barista. Les invités boiraient plus volontiers de la bière, du vin, du scotch. Auguste, lui, apporterait deux bouteilles du crémant de Bourgogne de la maison Chevalier que lui avait recommandé Ornella. Il aimait lui demander des conseils pour choisir des vins. Elle s'animait alors, oubliait durant un moment qu'elle était à l'hôpital, dans la chambre de son amie qui ne s'était toujours pas réveillée. Elle le questionnait sur ses goûts, sur les plats avec lesquels il boirait un chardonnay ou un Graves, lui apprenait que la Grèce produisait des vins très intéressants depuis quelques années, racontait une soirée de dégustation avec Hélène chez Taittinger, leur bonheur de découvrir ensemble le sublime Comtes de Champagne dans les caves voûtées de cette vénérable maison. Ornella parlait d'Hélène avec une telle chaleur, une telle vivacité qu'il avait quasiment l'impression de l'avoir déjà rencontrée. Chacune des Muses traçait à sa manière un portrait de cette femme immobile qui ignorait tous les efforts qu'elles lui prodiguaient pour la ressusciter. Ou peut-être pas. Peut-être qu'Hélène les entendait, que leurs voix se frayaient un chemin dans l'opacité de sa conscience, que les descriptions et les odeurs des plats qu'elles apportaient à la chambre 1002 imprégnaient son cerveau, la berçaient et finiraient par la faire émerger du coma.

Des citrouilles étaient disposées sur chacune des marches de l'escalier de pierre qui menait à l'entrée principale et Auguste songea avec une certaine fierté au succès qu'il avait eu, quelques jours plus tôt, avec son potage au potiron. Vanessa, une des infirmières qu'il préférait, lui avait dit qu'elle n'avait rien mangé d'aussi réconfortant depuis très longtemps et Marie avait acquiescé en ajoutant qu'Hélène l'aurait sûrement félicité. Il avait pourtant mis du temps à se décider à apporter, lui aussi, un plat pour la célèbre endormie de la 1002, mais il avait voulu faire plaisir à Marie en participant à l'aromathérapie, en démontrant qu'il y croyait.

Tout en entendant la musique du party, Auguste se demandait s'il rencontrerait quelqu'un d'intéressant, se traita d'incorrigible romantique : pourquoi le hasard ferait-il bien les choses ce soir-là ? Il regardait décidément trop de films. Il s'apprêtait à sonner quand la porte s'ouvrit. Pierre-Hugues, qui portait une toge romaine, lui fit l'accolade en lui disant qu'il était heureux de le voir.

— On ne s'est pas vus depuis notre souper au Cadet. Ça fait presque un an ! Ça n'a pas de bon sens d'être si occupés ! Tu es magnifique ! Tu as bien fait d'acheter ce costume.

— Tu… tu m'as reconnu ?

— Voyons, Auguste, tu nous as parlé dix fois de ta somptueuse dépense à Venise. Ne sois pas déçu, il n'y a que Stefan et moi qui savons qui se cache derrière ce superbe masque. Tu risques cependant d'avoir chaud. Et ce n'est pas pratique pour boire, j'imagine ?

— Tu te trompes, la *bauta* est précisément le masque le plus commode à porter. Je suppose que Stefan s'est déguisé en pirate.

— Comme l'an dernier, et l'année précédente et toutes celles d'avant. Il n'est pas fou des déguisements.

— C'est paradoxal pour quelqu'un qui adore l'Halloween, fit Auguste. Il y a beaucoup de monde ?

— Pas trop, une trentaine d'invités, le rassura Pierre-Hugues. Tu en connais plusieurs. On a dressé la table des cocktails dans mon atelier. J'espère qu'on a bien choisi le traiteur, c'est un jeune qui commence.

— Je t'ai apporté un crémant que m'a conseillé Ornella.

— Ornella ?

— Une amie d'une patiente de l'hôpital. Elle est sommelière et m'a suggéré ce crémant de Claude Chevalier, pur chardonnay. Comme tu aimes ce cépage… Je le mets au frigo ?

— Plutôt dans la glacière, il n'y a plus de place dans le réfrigérateur.

Alors qu'il s'avançait vers la cuisine, Auguste sourit en voyant que François et Serge étaient là. Ils avaient tous deux repoussé leurs loups sur leur tête. Pierre-Hugues avait raison. Il faisait chaud. Il ne supporterait pas la *bauta* très longtemps.

— Vous êtes déjà revenus de voyage ? fit-il en attendant quelques secondes.

— Auguste ?

— C'est toi ? demanda Serge.

— Vous m'avez reconnu, dit Auguste légèrement dépité mais soulagé de soulever son masque.

— C'est ta belle voix grave qui te trahit, rigola François. Oui, on est rentrés avant-hier. On sent encore le décalage, mais on ne pouvait pas manquer le party annuel.

— Vous avez aimé Copenhague ?

— Adoré. Malgré un temps plutôt maussade. Les Danois sont très gentils.

Auguste sentit une présence derrière son dos, s'effaça pour laisser passer un invité qui s'excusa de les interrompre.

— Je ne vous dérange pas. Je vais seulement me chercher un verre.

— Fabien ? dit Serge en retirant totalement son loup.

— Serge ?

— Fabien ! Je n'en reviens pas ! Ça fait quoi… trois ans ? Plus ?

— Tu vis à Montréal maintenant ?

— Qui prend mari prend pays, fit Serge en posant une main affectueuse sur l'épaule de François.

Ce dernier serra fermement la main de Fabien Mathieu qui tendit à son tour la sienne à Auguste, éberlué par la présence du Dr Mathieu chez ses amis. De sa présence à un party. De son apparence décontractée qui le faisait paraître encore plus jeune qu'à l'hôpital. Il lui serra la main en espérant réussir à dissimuler sa surprise, cherchant quelque chose d'intelligent à lui dire, mais Fabien Mathieu le devança en affirmant qu'il était ravi de faire sa connaissance, puis il lui demanda s'il fréquentait Serge et François depuis longtemps.

— Quel… quelques années, bredouilla Auguste.

Il s'interrogeait sur l'attitude de Fabien Mathieu. Faisait-il semblant de ne pas le reconnaître ? Pourquoi ? Comment lui-même devait-il réagir ?

— Nous avons étudié ensemble, poursuivait Serge. Le secondaire, le cégep. Mais moi, j'ai lâché après la première année de médecine. Ce n'était vraiment pas pour moi. Je ne comprends pas encore comment j'ai pu me fourvoyer autant.

— Je vais ranger ces bouteilles au frais, le coupa Auguste. Avant qu'elles tiédissent. Il fait chaud ici !

— Je t'accompagne, dit François. On va laisser Serge et Fabien évoquer leurs souvenirs.

Tandis qu'ils se frayaient un chemin vers le bar, Auguste questionna François : Serge lui avait-il souvent parlé de Fabien ?

— Ils s'entendent bien, même s'ils sont très différents. Et je ne te parle pas de leur façon de s'habiller. Serge est un modèle d'élégance, mais Fabien… Fabien s'en fout totalement. Il faut dire qu'il est daltonien.

— Et alors ? se rebiffa Auguste.

— Toi, tu fais attention, tu mets des couleurs que tu peux identifier, dit François. Mais regarde Fabien… Je suis superficiel, non ? Ce que je voulais dire, c'est que Fabien est tellement plus sérieux que François. Il a toujours été premier de classe, la tête dans les livres, pas trop habile en société. Mais c'est un homme généreux.

— Ah bon ?

— Il a fait partie d'une équipe de médecins qui s'occupaient de soigner les rescapés des naufrages en Méditerranée.

— En Méditerranée ? répéta Auguste, abasourdi.

— Je n'en sais pas beaucoup plus, Serge a entendu parler de cette histoire-là par Annie, qui a étudié avec eux, qui savait que Fabien s'était rendu sur la côte italienne. Étais-tu venu ici depuis les rénovations ? Stefan a fait un beau boulot ! Ça donne une impression d'espace tout en gardant le cachet original de la maison.

Alors que François hélait une grande femme blonde, Auguste glissa les bouteilles dans la glacière en continuant à s'interroger à propos de Fabien Mathieu. Il se redressa et s'approchait de la table où diverses bouteilles étaient ouvertes lorsqu'il reconnut la voix du médecin qui se dirigeait aussi vers la table. Celui-ci fronça les sourcils tout en le dévisageant.

— Il me semble qu'on s'est déjà vus, commença-t-il.

— C'est une entrée en matière très classique, répondit Auguste qui vit rougir Fabien Mathieu.

— Non, non, je ne veux pas dire que… je… je pense que je vous ai vu quelque part. Mais je n'arrive pas à me souvenir… J'ai pourtant de la mémoire.

— Ça vous reviendra peut-être, répondit Auguste en se versant un verre de Pinot Grigio.

Il but une gorgée, puis fit semblant de voir une amie plus loin, s'éloigna du Dr Mathieu. Ainsi, il ne le reconnaissait pas sans son nez de clown! Même s'ils s'étaient croisés vingt fois dans les corridors de l'hôpital.

— Tu connais Fabien? l'interrogea Pierre-Hugues.

— Pas vraiment. Hormis le fait que nous sommes tous deux daltoniens.

— Je ne suis pas sûr de te comprendre.

— Oublie ça.

— Il faut que je te présente quelqu'un, dit Pierre-Hugues. C'est un nouveau, au bureau, Marc-Olivier. Il est très sympathique, beau garçon…

— Tu ne changeras jamais, le taquina Auguste. Tu as une âme de marieuse.

Pierre-Hugues allait protester lorsque Stefan le héla à la cuisine. Auguste finit d'un trait son verre, le remplit à nouveau en se demandant combien de temps il supporterait la cape de velours qui était beaucoup plus chaude qu'il ne l'aurait cru. Il ferait tout de même un effort, plus de la moitié des invités s'étaient donné la peine de se travestir et il appréciait l'ambiance festive qui lui rappelait le carnaval vénitien. Un léopard côtoyait un robot, un fantôme s'entretenait avec une geisha, une Dalida, un homme des cavernes et deux sorcières discutaient près de la cheminée, tandis qu'un pompier suant sous son casque entrouvrait la porte-fenêtre de la cour, s'y glissait pour s'ajouter aux fumeurs.

Alors qu'Auguste hésitait à les rejoindre, Serge l'interpella. Quel était le nom du comédien qui jouait le rôle du garde du corps dans le film *Victor, Victoria*?

— Alex Karras, ancien joueur de football, comédien, puis producteur. Il est mort il y a quatre ou cinq ans.

— Tu es le meilleur, s'exclama Serge avant de se tourner vers Fabien Mathieu. Je te l'avais dit. On peut lui poser n'importe quelle question sur le cinéma.

— Je n'ai pas de mérite, dit Auguste, j'ai toujours aimé le cinéma. Ça doit dater de la première fois où j'ai vu Paul Newman dans *Exodus*.

— C'est vrai qu'il était beau, approuva François.

— Qui interprétait le général Jivago ?

— Omar Sharif, répondit Serge. C'est trop facile, tout le monde s'en souvient, il…

— Non, le coupa Auguste, Sharif incarnait le docteur Jivago, mais c'est Alec Guinness qui tenait le rôle du général, le demi-frère de Youri, qui recherche sa nièce.

— Je te l'avais dit ! jubila Serge. Auguste est une véritable encyclopédie !

— Auguste ? répéta Fabien Mathieu en le dévisageant, le reconnaissant enfin.

— Oui, le clown, répondit Auguste en le regardant écarquiller les yeux de stupéfaction. Le clown qui vous tape tellement sur les nerfs.

— Vous vous connaissez ? fit François.

— Oui, dit Fabien Mathieu tandis qu'Auguste secouait la tête et s'éloignait vers la cour pour échapper à des explications oiseuses qui n'auraient pas dissipé ce malaise.

Il regrettait d'être venu à cette soirée, d'avoir voulu être admiré dans cette chemise qui lui collait à la peau, cette cape qui le gênait dans ses mouvements, ce masque embarrassant. Il prit une longue inspiration en ouvrant la porte-fenêtre, fut momentanément soulagé par la fraîcheur du soir, puis inquiet d'avoir irrité Fabien Mathieu. Il fallait pourtant éviter tout conflit avec lui, ne pas attirer son attention. C'était raté maintenant. Il décida d'ouvrir une des bouteilles qu'il avait apportées, afin de pouvoir dire à Ornella qu'il avait goûté au crémant de Bourgogne, puis de rentrer chez lui. Personne ne remarquerait son départ.

::

Potage à la citrouille

- 1 citrouille
- 1 oignon émincé
- 15 g (2 c. à soupe) de beurre
- 500 ml (2 tasses) de bouillon de poulet maison
- crème à 35 %
- ciboulette hachée
- tranches de pancetta grillées au four
- croûtons frottés d'ail

Préchauffer le four à 180 °C (350 °F).

Couper la citrouille en deux et en retirer les pépins. Déposer les deux moitiés, côté chair vers le bas, sur une plaque à pâtisserie recouverte de papier parchemin. Cuire au four de 30 à 40 minutes ou jusqu'à ce que la chair soit tendre. Retirer la chair et réserver.*

Dans une casserole, faire revenir l'oignon dans le beurre, puis ajouter la chair de citrouille et le bouillon de poulet. Cuire 10 minutes, puis passer au robot mélangeur. Ajouter un peu de crème.

Pour servir, parsemer de ciboulette. Présenter les tranches de pancetta et/ou les croûtons à côté.

** Astuce : nettoyer les pépins, les sécher, puis les faire griller au four avec un peu d'huile d'olive et des épices (Herbamare, un mélange d'épices maison ou cajun ou encore du tabasco). Présenter le bol de pépins avec le potage.*

: :

Marie posa le pinceau qu'elle tenait depuis de longues minutes, s'éloigna du chevalet, poussa un soupir d'exaspération. Elle n'arrivait pas à se concentrer, à créer la forme désirée. Tout semblait trop flou, trop mou. Trop rien. Elle avait envie de lancer la peinture en vrac sur la toile, de l'étendre n'importe comment avec ses mains, de tout mélanger, de tout saccager et de tout jeter. Comme le petit Omar au centre d'aide qui avait renversé le pot de gouache rouge sur sa feuille à dessin en hurlant. Marie n'avait pas compris tous les mots qu'Omar avait criés, mais elle n'avait pas eu besoin qu'on les lui traduise. Elle savait qu'il vomissait l'attentat dont il avait été témoin, tout le sang des blessés, les nuits de terreur. Elle se sentit honteuse de son élan de découragement; ces enfants qu'elle voyait chaque semaine avaient, eux, de vraies raisons d'être en colère alors qu'elle ne pouvait s'en prendre qu'à elle-même. Elle emplit la bouilloire, un thé lui remettrait les idées en place. Un matcha qu'elle aimait autant pour sa couleur que pour sa texture un peu crémeuse. Tout en fouettant le thé, elle repensa à Justine. À la manière dont elle lui avait parlé. Elle n'arriverait pas à peindre quoi que ce soit de valable tant qu'elle ne se serait pas excusée auprès d'elle. Pourquoi lui avait-elle reproché de ne pas avoir convaincu Aymeric Brüner de sauter dans un avion pour venir voir Hélène? Les mots lui avaient échappé. Elle avait trop espéré de la rencontre avec cet inconnu. Comment la pauvre Justine aurait-elle pu leur garantir qu'Aymeric Brüner achèterait un billet pour Montréal après leur rencontre? Alors qu'il avait mis des semaines avant de répondre à la lettre d'Hélène, il se serait décidé illico à tout lâcher pour se précipiter au chevet de leur amie? Même si elle s'était exprimée avec prudence, même si son ton n'était pas acrimonieux, elle avait néanmoins été injuste avec Justine qui avait sûrement fait tout son possible pour donner la meilleure image d'Hélène à son fils.

Marie but une gorgée de thé, scruta sa montre. Il n'était pas trop tard pour appeler à Paris. Elle reposa son bol de thé, composa le numéro de Justine.

— J'ai été bête avec toi. Je veux m'excuser, je n'aurais pas dû...

— Tu attendais plus, la coupa Justine, je sais. Mais Aymeric semble rétif à toute coercition. Je ne pouvais pas lui mettre davantage de pression. J'ai peut-être même trop insisté. Cependant, il était curieux d'en savoir plus sur Hélène. Il a posé des tas de questions sur l'accident.

— Il va te rappeler, dit Marie. Tu m'as dit qu'il était tendu au début de votre rencontre, mais plus ouvert quand vous vous êtes quittés.

— C'est notre foi en l'aromathérapie qui l'a fait sourire, rappela Justine.

— Tu ne devais pas m'envoyer une recette que ton Thierry a rapportée de Moscou ?

— Oui, mais je suis un peu déçue, c'est celle du poulet à la Kiev. Rien de bien révolutionnaire. Et c'est frit. Tu m'as dit que vous évitiez d'apporter des aliments frits à l'hôpital à cause de l'odeur.

— Ce n'est pas une toute petite fois qui nous causera des embêtements, paria Marie. Nous avons un beau soutien de la part du personnel. Avant-hier, Sue nous a fait des rouleaux de printemps d'une telle fraîcheur qu'ils portaient magnifiquement leur nom. Les germes de soja étaient géants ! Et tellement croquants. C'était délicieux. Je ne sais pas quand Sue a trouvé un moment pour les faire ! Elle m'impressionne : elle travaille à temps plein, s'occupe de ses trois garçons et de sa belle-mère, et elle est toujours d'un grand calme. Suzanne l'estime beaucoup. D'autant plus qu'avec tous ces changements dans le domaine de la santé, la motivation des troupes n'est pas toujours au beau fixe. Nous sommes chanceuses d'être aussi bien accueillies.

— Si je t'envoyais plutôt la recette des blinis d'Anna, l'amie russe de mon parrain ? Ce serait plus facile à apporter à l'hôpital que des poitrines de poulet qui doivent être servies croustillantes. Et tu pourrais faire le gravlax d'Hélène. On a toutes sa recette. Et elle n'est pas compliquée à réaliser.

— Bonne idée, admit Marie. Tu me pardonnes pour tantôt ?

— C'est déjà oublié. Tu veux juste trouver un moyen pour ramener Hélène parmi nous. Tu avais vraiment espéré qu'Aymeric se montre plus enthousiaste. Et nous sommes toutes tendues. Ornella m'a avoué qu'elle avait presque insulté un médecin, parce qu'il ne pouvait lui donner des réponses aussi précises qu'elle le souhaitait. Ça ne lui ressemble pas, elle est toujours tellement diplomate… Je me sens moi-même plus impatiente. J'ai failli jeter tout ce que j'avais fait ce matin parce que je n'arrivais pas à reproduire le parfum de la *Vuylstekeara Melissa Brianne Dark*.

— Pardon ? Qu'est-ce que ça mange en hiver ?

— C'est une orchidée qui exhale le matin un parfum entre le lilas et le jasmin. Tout me semble plus compliqué, alors que je devrais redoubler d'acuité pour réussir à créer un parfum. Je manque de concentration. Je m'en veux d'être si distraite, mais l'image d'Hélène m'habite…

— Moi, je me sens tellement impuissante ! Je me rends chaque fois à l'hôpital en espérant qu'il y aura un changement. Pourtant, je sais très bien que le Dr Blais appellerait Ornella, ou moi, ou Gabrielle s'il se passait quoi que ce soit avec Hélène. Ou bien Suzanne Chalifour me préviendrait. Mais je quitte la maison et, durant tout le trajet, je pense qu'Hélène réagira quand je lui ferai sentir mon gâteau aux fruits ou ton parfum…

— Mon parfum ?

— Je lui fais respirer *Espace* régulièrement. Elle a toujours aimé ce parfum, même si elle ne peut le porter quand elle travaille. J'essaie tout ce qui compose son univers. Je lui ai même fait sentir le coussin préféré d'Athéna. On ne sait jamais. Ornella a bien sûr testé tous les arômes du vin de son coffret. Et Auguste a apporté du vrai foin d'odeur. Il ignorait qu'Hélène adorait cette senteur, mais il m'a dit qu'il était apaisé chaque fois qu'il la respirait.

— Du foin d'odeur ? s'exclama Justine. Je travaille justement avec la coumarine pour réaliser un parfum qui pourrait agir sur Hélène. Je me suis rappelé qu'elle avait reçu, enfant, une boîte tressée avec du foin d'odeur.

— Elle l'a toujours. C'est une de ses tantes qui l'avait achetée au village huron de Wendake. Blanc et bleu avec des motifs en losange, une pièce d'artisanat très délicate. C'est un des rares souvenirs de son enfance qu'elle a conservés. Sa boîte à secrets…

Il y eut un silence chargé d'incertitude : quels souvenirs subsisteraient lorsque Hélène s'éveillerait ? Les bons, les mauvais, les plus anciens, les plus récents, les plus significatifs ou les détails sans grand intérêt ?

— Penses-tu qu'elle nous reconnaîtra ? osa Justine.

— J'ai lu qu'une femme avait tout oublié de sa vie, sauf le moment où elle avait rencontré son époux.

— Tout ?

— Ça paraît décourageant, mais ce que je voulais dire, c'est que les sentiments sont peut-être plus puissants que la raison. Nous sommes amies depuis si longtemps, il me semble qu'elle ne peut pas nous effacer de son esprit. Je suis peut-être prétentieuse ?

— Non, tu dois avoir raison. Il faut que tu aies raison. Hélène ne peut pas rester encore des mois allongée sur un lit d'hôpital !

— En attendant, envoie-moi donc la recette des crêpes russes. On va continuer l'aromathérapie, même si ça se complique avec le temps. Ça me rappelle un peu quand les enfants étaient à la maison, les repas à préparer. J'avais peur de manquer d'idées, mais je finissais toujours par trouver.

— Je regrette tellement de ne pas pouvoir participer, se lamenta Justine.

— Tu t'es occupée d'Aymeric Brüner, rappela Marie.

— Sans résultat concret.

— Tais-toi, je vais être encore obligée de m'excuser. Envoie-moi plutôt la recette de blinis. Et moi, je vais retrouver celle du gravlax d'Hélène.

: :

Gravlax de saumon

- 65 g (4 c. à soupe) de sel
- 30 g (2 c. à soupe) de sucre d'érable
- 30 ml (2 c. à soupe) de baies de genièvre écrasées
- 30 ml (2 c. à soupe) de sirop d'érable
- 45 ml (3 c. à soupe) de gin
- 500 g de saumon (idéalement réparti en 2 filets de taille égale), les arêtes et la peau enlevées

Dans un bol, mélanger les ingrédients secs.

Dans un plat, déposer la moitié du saumon. Répartir sur le poisson le mélange d'ingrédients secs. Y verser ensuite le sirop d'érable et le gin. Déposer la seconde partie du saumon sur la première et couvrir le plat de façon hermétique. Laisser au réfrigérateur 36 heures en retournant les pièces de saumon 3 ou 4 fois, afin que chaque partie soit bien imprégnée des saveurs.

À la fin du processus, rincer le saumon pour en retirer toute trace du mélange, puis le couper en tranches fines. Servir seul ou avec de la crème fraîche épaisse ou fouettée.

::

5 novembre

— J'ai peur d'avoir mis un peu trop de sel, dit Gabrielle en découvrant le gâteau nappé de caramel. Comme j'avais du beurre doux, j'ai ajouté du sel, mais je ne sais plus trop si c'est bon ou pas. Je n'aurais peut-être pas dû mettre des pacanes, si quelqu'un est allergique aux noix… mais c'est la noix préférée d'Hélène.

La comédienne guettait les réactions de Suzanne et de Vanessa qui l'avaient rejointe à la chambre 1002. Elles avaient pris des cuillères dans le tiroir de la table de chevet qui contenait des couverts, des assiettes et des serviettes en papier, des verres en plastique. Les Muses avaient refusé qu'on utilise des verres en carton. Hélène avait toujours dit que le carton abîmait le goût du café, même si c'était un grand cru. Et le carton, avait ajouté Ornella, empêchait de voir la robe d'un vin. Celle-ci apportait d'ailleurs des verres en cristal lorsqu'elle venait le dimanche midi faire sentir les arômes fruités d'un Nuits-Saint-Georges, les notes d'écurie d'un Bowmore ou les parfums d'acacia d'un Deutz à Hélène. Francesca l'accompagnait et tentait de rapporter le plus fidèlement possible les détails de la semaine qui venait de s'écouler chez Strega. Elle lui disait que Jean-Yves se débrouillait très bien, que toute la brigade s'en sortait, même si Hélène leur manquait. Mais les clients restaient fidèles et s'informaient d'Hélène régulièrement. Francesca soulevait ensuite le couvercle d'un plat qu'elle gardait au chaud jusqu'à son arrivée à la chambre 1002, lui décrivait comment Jean-Yves l'avait réalisé et commentait les nuances qu'il avait apportées aux plats, les créations nées des produits de saison, tandis qu'Ornella s'assurait que le tube de ventilation permanente restait en place sans refouler totalement les effluves d'un poisson grillé au beurre blanc aromatisé au yuzu, d'un pigeon fumé aux noix et oignon grillé, d'une ballottine de volaille aux lamelles de truffes, d'une crème de cèpes aux copeaux de serrano, d'une pieuvre au pastis et tomates confites. Ornella approchait ensuite un verre de vin des narines d'Hélène et priait pour que la puissance de la syrah ou d'un grenache secoue enfin leur amie.

— Ornella m'a dit hier qu'elle pensait qu'Hélène avait froncé le nez quand elle lui a fait sentir un Amarone, dit Gabrielle aux infirmières. J'espère que c'est vrai.

— Je suis certaine qu'elle perçoit votre présence, l'assura Vanessa tout en coordonnant ses gestes à ceux de Suzanne pour tourner Hélène et retendre le matelas anti-escarres. Bon sang ! Elle devrait se réveiller juste pour goûter à ce gâteau. C'est divin avec tout ce caramel. Il doit y avoir pas mal de beurre dans cette sauce…

— Sais-tu que j'ai pris du poids depuis qu'Hélène est dans la 1002 ? dit Suzanne. C'est tellement bon, tout ce que vous faites.

— Vous autres aussi ! dit Gabrielle. Ton fudge de la semaine dernière était si onctueux ! Je veux la recette !

— C'est celle de ma mère, répondit Suzanne en souriant. C'est la seule chose qu'elle réussissait en cuisine.

— La mienne n'est pas très douée non plus, avoua Gabrielle. Et moi, je fais toujours les mêmes recettes. Je commence d'ailleurs à être à court d'idées pour Hélène. Pensez-vous qu'elle va rester encore longtemps…

Gabrielle ne termina pas sa phrase, sachant bien que ni Suzanne ni Vanessa ne pouvaient lui répondre. Sachant aussi que Marie, Ornella, Viviane, Justine posaient la même question et que jamais les infirmières ne manifestaient d'impatience. Elles aussi espéraient qu'Hélène émerge du coma, même si Suzanne avait confessé qu'elle serait triste quand les Muses cesseraient de venir à l'hôpital. Elles avaient modifié l'ambiance de cette aile, ramenant, avec leurs tentatives d'éveiller Hélène par la gourmandise, une camaraderie que les difficultés du métier d'infirmière ou de préposé parasitaient parfois. Depuis que les Muses avaient instauré ces visites gourmandes, les échanges tournaient moins sur des questions de surcharge de travail et davantage sur les mets goûtés dans la chambre 1002 ou à la salle de repos, où de plus en plus de membres du personnel apportaient des plats à partager. Suzanne avait avoué à Gabrielle qu'elle avait découvert qu'un des préposés qu'elle connaissait très peu, même s'il travaillait depuis des années à l'hôpital, était un réfugié cambodgien qui avait parlé pour la première fois de son pays en apportant son plat national, l'*amok trei*, un curry de poisson à la citronnelle et au lait de coco absolument délicieux. Il avait alors évoqué sa fuite du pays, son arrivée en Amérique. « Je ne me doutais pas du tout qu'il avait vécu cette tragédie, qu'il avait vu tant d'horreurs. Sans son ragoût, je n'aurais rien su de Chheng. C'est grâce à vous, tout ça. » Gabrielle, émue, avait répondu qu'Hélène voudrait sûrement la recette de ce curry. Puis répété aux filles ce que lui avait dit Suzanne. Marie avait souri : même dans le coma, Hélène continuait à rendre les gens heureux par la cuisine.

— Je ne pourrai pas venir les deux prochains jours, annonça Gabrielle en se penchant vers Hélène. Je suis coincée avec la fin du tournage de la série. Mais Marie et Mathilde viendront te voir. Je l'aime bien, la blonde de Viviane, et je peux te garantir que ta petite siamoise est très heureuse chez elles. Et c'est bien que Mathilde aime cuisiner, car j'ai peur de manquer d'inspiration. Tu connais déjà tous mes grands succès…

— Ce n'est pas grave si tu refais ton osso buco, protesta aussitôt Suzanne. De toute manière, à la maison, on répète les mêmes plats. C'est même bien, les rituels… L'important, c'est de continuer à solliciter les sens d'Hélène.

— Et elle est chanceuse que tu lui fasses la lecture, dit Vanessa. *Gourmandises* me semble très bon. J'ai jeté un coup d'œil au résumé.

— Je te le prêterai, si tu veux, quand nous aurons fini de le lire à Hélène.

— Je n'ai pas beaucoup de temps pour lire, avec mes deux enfants. Je ne pourrais pas vous le remettre rapidement…

— Aucun problème, dit Gabrielle, je ne…

Trois petits coups frappés contre la porte entrouverte lui firent tourner la tête. Elle allait demander qui avait envie de goûter au gâteau et à sa sauce au caramel lorsqu'elle reconnut Alex Mitchell qui les salua.

— Entrez, sergent, entrez, fit Gabrielle.

Alex Mitchell faillit corriger la comédienne et lui rappeler qu'il était capitaine, mais il s'avança dans la pièce sans dire un mot. Il s'approcha d'Hélène pour mieux l'observer, tandis que Suzanne et Vanessa échangeaient un regard de complicité : elles avaient toutes deux remarqué le sourire qui avait éclairé le visage du policier en voyant Gabrielle. Depuis que Viviane l'avait invité à dîner chez Strega, Mitchell était revenu à plusieurs reprises à la chambre 1002. Il avait confié à Suzanne qu'il enrageait de ne pas avoir encore pu trouver le responsable de l'accident, qu'il lui semblait inconcevable qu'une femme qui avait imaginé les sublimes plats qu'il avait savourés chez Strega soit clouée sur un lit d'hôpital.

En se penchant vers Hélène, Mitchell pesta intérieurement. Il aurait tellement voulu avoir le budget nécessaire pour faire suivre Julius Rancourt nuit et jour ! Mais ce n'était même pas la peine d'en parler à son supérieur : il n'avait aucune preuve de son implication dans ce crime, que des suppositions, malgré de nouveaux éléments qui étoffaient le dossier et réconfortaient les enquêteurs. Bordeleau et Gallant avaient retrouvé un chauffeur de taxi qui se souvenait d'avoir embarqué un client à la gare d'autobus de Granby et de l'avoir laissé à deux rues du concessionnaire de voitures d'occasion. Le jour où celui-ci avait vendu le VUS. Un type jeune, portant un bonnet gris et des lunettes. Il ne l'avait pas identifié formellement sur photo, mais avait dit que son client lui ressemblait. Il se rappelait la date, parce qu'il devait acheter un gâteau d'anniversaire pour sa fille.

Et Raoul Dufour avait reparlé au marchand de voitures. Celui-ci s'était souvenu d'un détail : le type à qui il avait vendu le Mazda Tribute 2005 était arrivé à pied. « Ça m'a étonné. D'habitude, les clients arrivent avec la voiture qu'ils veulent vendre ou échanger, repartent avec celle qu'ils viennent d'acheter. Ou viennent avec quelqu'un pour partir ensuite avec le nouveau véhicule. Un peu comme Opération Nez rouge, avec un accompagnateur qui emmène quelqu'un, mais qui rentre seul. Peut-être que votre bonhomme a fait du pouce… »

— Il y a un autobus qui passe sur le boulevard le plus proche du concessionnaire, avait poursuivi Raoul Dufour, mais pas le dimanche. Ça se peut donc que Rancourt soit allé là en taxi, que le chauffeur qu'on a interrogé soit le bon. Le concessionnaire est certain qu'il est venu le premier dimanche de septembre parce qu'il s'est étonné d'avoir tant vendu ce jour-là. Il pensait que tout le monde serait au chalet. Il regrettait de n'avoir qu'un employé avec lui.

— Rancourt se serait fait débarquer du taxi loin du stationnement où se trouvent les véhicules à vendre? Pour que le chauffeur ne puisse pas dire où il allait? Il a été remarquablement prudent…

Dans la salle de réunion, les enquêteurs avaient échangé des sourires de connivence: la prudence de Rancourt confirmait leurs hypothèses concernant sa culpabilité, la préméditation du crime. Et pour l'avoir suivi à tour de rôle, même de façon sporadique, ils savaient tous que leur suspect menait la grande vie: restos chers, établissements à la mode, vêtements coûteux, visites au casino, sans oublier sa BMW si spacieuse.

— Et je vous rappelle que Rancourt ne bosse que trois soirs par semaine dans un bar, avait résumé Anne-Lise Gallant. Même dans un endroit archi-populaire, il ne gagne tout de même pas des milliers de dollars en pourboire! Il a dépensé en une semaine mon salaire pour un mois.

Mitchell leur avait répété qu'il savait qu'il exigeait beaucoup d'eux en leur demandant de continuer à filer Rancourt, mais son équipe avait protesté: ils voulaient autant que lui coincer ce criminel.

— On devrait visionner les bandes des caméras de surveillance du terminus de Montréal, avait proposé Bordeleau. Voir si Rancourt y apparaît le premier dimanche de septembre.

Alex Mitchell avait acquiescé, fier de son équipe.

— Vous avez fait tout ce chemin depuis Magog? l'interrogea Gabrielle.

— Je devais me rendre au laboratoire de la rue Parthenais ce matin, expliqua Mitchell en jetant un coup d'œil furtif vers Gabrielle. Je me suis dit que je viendrais prendre des nouvelles de Mme Holcomb.

— C'est très gentil, fit Gabrielle.

— Elle est bien entourée, constata-t-il.

— De plus en plus, affirma Vanessa.

— De plus en plus?

— Au début, nous étions les seules à expérimenter l'aromathérapie, dit Gabrielle qui sourit en voyant Mitchell froncer les sourcils.

— L'aro quoi?

— La thérapie par les odeurs. On espère que, à force de faire respirer des parfums appétissants à Hélène, on réussira à la réveiller. On lui lit aussi des romans où il est question de gourmandise. J'ai d'ailleurs remarqué que, dans les romans policiers de Jean-Jacques Pelletier, d'André Jacques et de Donna Leon, les enquêteurs sont de bonnes fourchettes.

— Et amateurs de scotch, compléta Vanessa en vérifiant qu'aucun tube n'avait été déplacé lorsqu'elles avaient retourné Hélène.

— C'est assez proche de ma réalité, avoua Mitchell avec un sourire. Je ne crache pas sur un Bowmore.

— C'est Hélène qui m'a initiée au scotch et au whisky, dit Gabrielle. Il y a chez elle des bouteilles remarquables que…

Elle s'interrompit, se souvenant que Viviane et Ornella étaient allées chercher ces élixirs pour les protéger des abus auxquels aurait pu se livrer Julius. Elle se rappelait aussi que Viviane avait rencontré Mitchell avant de prendre l'avion pour Londres et lui avait parlé du neveu d'Hélène. Viviane était certaine qu'il partageait ses soupçons, même s'il lui avait répété qu'il ne pouvait pas dévoiler quoi que ce soit sur l'enquête. Mais peut-être que Viviane avait été, comme trop souvent, très directe. Peut-être pourrait-elle en savoir davantage. Sur sa présence à l'hôpital, par exemple... Gabrielle avait peine à croire que les enquêteurs se rendaient régulièrement au chevet des victimes. Surtout celles qui étaient dans le coma et ne pouvaient rien leur apprendre. Et puis, pourquoi ne pas s'avouer qu'elle avait envie de mieux connaître cet homme qui semblait déterminé à trouver l'agresseur d'Hélène?

Se trompait-elle ou l'avait-il regardée à la dérobée? Quand Ornella les avait présentés l'un à l'autre, le lendemain de l'accident, il lui avait tendu une main ferme et lui avait fait répéter son nom avant de le noter dans son carnet. De toute évidence, il n'était pas abonné aux séries dans lesquelles elle avait joué. Et ne l'avait probablement pas vue ni au cinéma ni au théâtre. Elle n'était pour lui que l'amie d'Hélène, pas une comédienne qu'il se vanterait d'avoir rencontrée. Elle avait aimé la manière dont il l'avait écoutée pour recueillir le maximum d'informations sur Hélène. Il lui avait donné l'impression qu'il ne négligerait rien pour trouver l'auteur de l'accident. Viviane le lui avait confirmé après avoir dîné avec lui chez Strega. Hélène avait de la chance dans son malheur: l'enquêteur qui s'occupait de son affaire était du type acharné.

— Vous faites vraiment sentir des plats à Mme Holcomb?

— S'il vous plaît, appelez-la Hélène, sinon j'ai l'impression que vous parlez de sa mère. Oui, on prépare des mets, on les lui fait sentir et ensuite on les partage. Au début, il n'y avait que nous. Puis Suzanne a apporté ses biscuits à la cannelle et son fudge, Annie, son gâteau aux fruits...

— Et toi, ton osso buco gratiné, ajouta Suzanne.

— Et on a Francesca de chez Strega qui nous a offert un sublime napoléon aux fruits d'hiver. On quête aussi des recettes à certains chefs qu'Hélène estime.

— Il n'y a que son neveu qui n'apporte rien, fit remarquer Vanessa. Il entre dans sa chambre avec son café, reste dix minutes et repart. C'est à se demander pourquoi il vient la voir. Pour donner une bonne image de lui-même, j'imagine. Je ne devrais pas dire ça, mais il est tellement fier de lui… Il contemple son reflet dans les vitres des corridors.

— Tu exagères, protesta Gabrielle comme si elle craignait qu'Hélène entende leurs propos et soit blessée de l'impression que donnait Julius.

Elle était ambivalente par rapport à ce dernier, admettant que les hypothèses de Viviane étaient logiques, mais refusant tout comme Marie de condamner Julius sans avoir de preuve formelle, réussissant à lui donner le change lorsqu'elle lui parlait au téléphone, à être chaleureuse avec lui. Après tout, elle était comédienne.

— Je crois que Vanessa n'a pas tort, fit Suzanne en esquissant une moue.

Elle aimait de moins en moins l'attitude de Julius Rancourt avec Simone, tout en compliments, en roucoulements. Que voulait-il obtenir d'elle ? Elle avait été tentée de mettre en garde la jeune infirmière, mais une conversation entre celle-ci et une autre collègue, entendue à leur insu, l'avait découragée de s'avancer sur ce terrain-là. Simone avait raconté à Marie-Soleil que Julius Rancourt voulait la voir en dehors de l'hôpital, mais qu'il hésitait, car il supposait que les infirmières n'avaient pas le droit de fréquenter les proches de leurs patients. « Je lui ai dit que personne n'était obligé de le savoir, mais Julius s'inquiète pour moi. Il est certain que Suzanne va me blâmer si elle l'apprend. Qu'elle est jalouse parce qu'elle est vieille et qu'aucun homme ne s'intéresse à elle. » Marie-Soleil avait protesté, tentée de prendre sa défense, mais Simone lui avait alors demandé pourquoi Suzanne refusait de donner des informations sur sa tante à Julius. Il était certain qu'elle en savait plus qu'elle ne le prétendait. « Plus ? Comme quoi ? » s'était étonnée Marie-Soleil. Comment l'infirmière en chef aurait-elle pu cacher des éléments au proche parent d'une patiente ? Il n'avait qu'à parler avec un médecin, s'il s'imaginait pareille chose. Il constaterait que personne ne lui mentait. Que croyait-il au juste ? « Qu'on maintient sa tante par tous les moyens, mais qu'elle ne reprendra jamais connaissance. Que les médecins s'acharnent. Et que ce n'est pas ce qu'aurait voulu sa marraine. » Marie-Soleil avait dit à Simone qu'elle savait aussi bien qu'elle que c'était faux, qu'Hélène Holcomb n'était pas maintenue en vie artificiellement. Pourquoi son neveu imaginait-il tout ça ? Et pourquoi, avait-elle répété, n'en parlait-il pas directement aux médecins ? « Parce qu'il espère tout de même se tromper, avait dit Simone. Il a hâte qu'elle sorte de l'hôpital, qu'elle rentre chez elle et qu'il puisse en prendre soin. Il l'aime tellement ! » Marie-Soleil avait rétorqué que Julius ne mesurait pas l'énormité de la tâche, qu'il serait bien embêté s'il devait se charger de sa marraine. D'ailleurs, comment y parviendrait-il ? « Il me pose des tas de questions sur notre travail, avait répondu Simone. Il veut tout savoir sur les soins qu'on lui donne, les médicaments, les intubations, comment on change les perfusions, s'il y a des risques d'attraper des microbes, tout, tout, tout, dans les moindres détails. Il est très consciencieux. » Il lâcherait son boulot ? Simone avait hésité et fini par dire qu'il l'engagerait probablement pour l'aider dans cette tâche. « Tu quitterais l'hôpital ? » s'était écriée Marie-Soleil. « Je ne sais pas, promets-moi de n'en parler à personne. Mais je suis trop heureuse d'avoir rencontré Julius, je ne pouvais pas te cacher ça. Il est tellement fin avec moi, il m'apporte une petite surprise chaque fois qu'il vient voir sa tante. Il dit qu'il m'invitera dans son restaurant si on peut sortir ensemble ! Il y a toujours des célébrités qui vont souper chez Strega. » Marie-Soleil avait juré qu'elle n'éventerait pas son secret et elles s'étaient éloignées. Suzanne était sortie à son tour de la pièce, furieuse tout autant que découragée par la naïveté de Simone. Mais surtout intriguée: pourquoi Julius Rancourt était-il convaincu qu'on lui cachait des informations? Marie-Soleil avait eu raison de dire à Simone qu'il n'avait qu'à parler aux médecins d'Hélène. C'est ce que faisaient les Muses. Est-ce que Julius Rancourt avait vraiment l'intention de débaucher Simone, de l'engager pour s'occuper de sa tante? Dans ce cas, il croyait vraiment qu'Hélène se réveillerait. Alors pourquoi parlait-il d'acharnement? Ça ne tenait pas debout. Et même si cette pensée était cruelle, Suzanne n'imaginait pas une seule seconde que Julius Rancourt soit tombé sous le charme de Simone que la nature avait si peu gâtée. Elle aurait aimé se tromper, mais elle ne croyait pas à la sincérité de Julius. Et elle avait l'impression que Viviane, même si elle ne lui avait rien dit à son propos, s'en méfiait aussi. Par éthique, elle bridait sa curiosité et s'empêchait d'en discuter avec elle, mais son attitude, les rares fois où Julius s'était présenté à la chambre 1002 en même temps qu'elle, montrait son peu d'estime pour lui.

— Est-ce que M. Rancourt vient souvent ici? s'enquit Alex Mitchell.

— Deux ou trois fois par semaine, dit Vanessa.

— Les mêmes jours?

— Je ne sais pas, avoua Vanessa. C'est important?

Mitchell secoua la tête.

— Vous avez dit qu'il ne restait pas longtemps auprès de sa tante.

— Le temps de boire son café. Je pense qu'il passe plus de temps avec Simone.

— Simone?

— Une infirmière. Elle le voit dans sa soupe, marmonna Vanessa. Quand il est là, le monde arrête de tourner! C'est agaçant et je…

— On a du travail, la coupa Suzanne, et je doute que nos commérages intéressent M. Mitchell.

— Ça ne m'ennuie pas, répondit l'enquêteur. Julius Rancourt est un bel homme. Je comprends que Simone puisse être attirée…

— Elle rêve en couleurs, dit Vanessa. Ce n'est pas possible qu'il s'intéresse à elle.

— Voyons, ce n'est pas charitable, protesta mollement Suzanne.

— La charité n'a justement rien à voir là-dedans. Franchement, les imagines-tu ensemble? Simone est tellement…

— Tellement?

— Fade, grise, ordinaire.

Est-ce que cette infirmière dénigrait Simone par dépit? se demanda Mitchell. Aurait-elle préféré que Julius s'intéresse à elle ou avait-elle raison de s'étonner de son attirance pour une camarade sans charme? Dans ce cas, qu'est-ce qui animait Julius Rancourt dans ce flirt? Quel était son but? Et est-ce que cette Simone était aussi peu attirante que le disait Vanessa? Les femmes jugent parfois leurs sœurs avec plus de sévérité que les hommes. Alex Mitchell se souvenait de sa première blonde qui n'avait rien d'une beauté, mais qui irradiait d'une telle énergie qu'elle captait tous les regards. Il avait toujours été très fier de se montrer à ses côtés. Et Gabrielle, qui se tenait à un mètre de lui, n'avait rien d'un mannequin avec son cou trop long, ses cheveux décoiffés, sans maquillage, mais il se dégageait d'elle une grâce émouvante. Il espérait qu'Hélène Holcomb perçoive les caresses de Gabrielle sur son front, d'une infinie douceur, emplies de respect et d'amour. Il jeta un coup d'œil par la fenêtre, puis à l'horloge murale. La nuit tombait de plus en plus tôt.

— Vous voulez goûter à mon osso buco ou au dessert de Marie?

— Non, c'est gentil, mais je n'ai pas vraiment faim et…

— Je comprends, dit Gabrielle en faisant mine d'être froissée.

— Je ne veux pas vous vexer. Je suis certain que tout est bon…

Gabrielle éclata de rire.

— Je vous fais marcher, voyons.

— C'est seulement que j'ai dîné tard. Mais on pourrait peut-être prendre un verre ?

Avait-il vraiment prononcé ces mots ? Invité la comédienne à trinquer avec lui ? Il devinait les regards de Suzanne et de Vanessa dans son dos, rougit.

— C'est vrai, vous avez confessé aimer le scotch, lui rappela Gabrielle, mais je dois récupérer ma fille à l'école. C'est dommage, car ils ont un bon choix d'alcools au Rouge-Gorge.

— Votre fille ? fit Mitchell.

Il se fustigea de répéter tout ce que disait la comédienne. Il devait avoir l'air idiot. Et Gabrielle avait une fille. Qui avait un père. Qui devait vivre avec Gabrielle. Pourquoi s'était-il imaginé qu'elle était libre ?

— Une autre fois peut-être ? dit pourtant Gabrielle.

L'enquêteur allait répondre quand le bipeur de Suzanne Chalifour tinta. Elle fit signe à Gabrielle et à Mitchell de la suivre.

— Le Dr Mathieu est sur l'étage, lança-t-elle tandis que Vanessa cachait le dessert sous le lit.

L'air ahuri de Mitchell fit sourire Gabrielle.

— Venez, je vais vous expliquer. De toute façon, je dois aller chercher ma fille.

Suzanne les regarda s'éloigner avec un petit pincement au cœur. Elle avait deviné l'attirance de Mitchell pour Gabrielle, enviait celle-ci de plaire, d'être désirée. Elle, devrait-elle y renoncer ? Auguste lui répétait qu'elle était belle, mais c'est seulement parce qu'ils étaient amis.

::

Osso buco de Gabrielle

- 4 tranches de jarrets de veau
- 25 g (2 c. à soupe) de farine
- 30 g (2 c. à soupe) de beurre
- 1 oignon émincé
- 375 ml (1½ tasse) de vin blanc sec
- 1 litre (4 tasses) de bouillon de viande
- 15 ml (1 c. à soupe) de pâte de tomate
- 2 gousses d'ail
- Bouquet garni (1 branche de céleri, 2 branches de thym frais, 2 branches de persil frais, 1 feuille de laurier)
- 4 tomates fraîches, coupées grossièrement
- Macaronis longs
- Fromage râpé de type gruyère

Fariner les tranches de veau. Dans une cocotte (ou une grande casserole), faire fondre le beurre et y faire dorer la viande. Ajouter l'oignon et faire dorer. Ajouter le reste de la farine, puis retourner les tranches. Ajouter le vin blanc, le bouillon, la pâte de tomate, l'ail, le bouquet garni et faire cuire 1 heure. Ajouter les tomates fraîches et cuire encore 20 minutes.

Dans une autre casserole, faire cuire les pâtes. Les disposer ensuite dans un grand plat et y verser un peu de sauce de l'osso buco pour éviter que les pâtes collent ensemble. Déposer les tranches de veau sur les pâtes, puis le fromage et faire gratiner au four.

Pendant ce temps, faire réduire la sauce et servir dans une saucière pour accompagner le plat de pâtes.

9

7 novembre

Était-il possible d'être aussi idiote ? se demandait Julius Rancourt en vidant d'un trait un verre de Macallan, acheté à prix d'or à la SAQ. Cette Simone était une vraie plaie et l'avait étourdi avec son incessant babillage. Avait-il des potins à lui raconter sur Gabrielle ? Comment pouvait-elle croire que discuter des vedettes de la télé présentait un quelconque intérêt ? Que ses vacances à Punta Cana pouvaient lui donner le goût d'y aller avec elle ? Il fixa la bouteille durant quelques secondes, se versa une autre rasade et ragea en se rappelant qu'il ne pourrait mettre la main sur sa jumelle ni sur aucun des élixirs qui dormaient autrefois dans le cellier de sa marraine. Quand Ornella lui avait expliqué qu'elle avait entreposé les bouteilles chez elle par précaution, au cas où on vandaliserait le chalet d'Hélène en son absence, il avait failli lui dire de se mêler de ses affaires, mais il avait réussi à bredouiller qu'elle s'était donné beaucoup de mal, qu'il y avait tout de même un système d'alarme au chalet. Elle avait répondu que deux précautions valaient mieux qu'une, qu'Hélène serait trop affligée si elle revenait au chalet et trouvait le cellier vide. Mais au moins, se rappela Julius, elle avait dit *si* Hélène revenait. Elle n'était plus aussi certaine qu'avant de sa résurrection. Ni elle ni les autres tarées qui se relayaient à la chambre 1002. Après des semaines de coma, le moral des troupes avait enfin baissé ! Simone le lui avait confirmé. Ornella, Marie, Gabrielle, Viviane, Mathilde continuaient à visiter Hélène, mais elles semblaient plus soucieuses depuis quelque temps.

— Elles espèrent encore qu'elle va se réveiller, mais moins qu'avant, avait dit Simone au cours de l'interminable soirée qu'il avait passée avec elle. Elles lui apportent quand même de la nourriture.

— De la nourriture ? s'était étonné Julius.

— Oui, elles pensent que ça peut l'aider. C'est idiot. Mais tout le monde en profite.

— Tout le monde ?

— Le monde de notre aile, le personnel… On mange ce que les amies d'Hélène lui préparent. Les clowns aussi.

— Et les médecins ?

— Ils ne le savent pas. Les Muses s'arrangent pour éviter d'être là quand les médecins font le tour des chambres. Suzanne les informe de tout. Il y a même des assiettes en carton, des ustensiles, des verres en plastique dans la table de chevet. Il y a des infirmières et des préposés qui se sont aussi mis à faire de la bouffe. Franchement, on a déjà assez de travail comme ça ! Je pense qu'ils veulent impressionner Gabrielle Dubois, juste parce qu'ils l'ont vue à la télé. Moi, elle ne m'impressionne pas du tout. Elle s'habille tellement ordinaire.

— Tu as dit que les médecins ne savaient rien de toutes ces visites à Hélène.

— Il y en a peut-être un ou deux qui s'en doutent… mais je suis certaine que les autres l'interdiraient ! Penses-y un peu : n'importe qui peut apporter n'importe quoi. Si quelqu'un s'intoxiquait ? Je peux te dire que je n'ai pas goûté à la soupe que Désiré a faite. Il doit avoir mis toutes sortes d'affaires bizarres dedans, ça sentait drôle… On ne sait pas ce qu'ils mangent en Haïti ! Puis Claudio avec ses chaussons farcis à je ne sais pas quoi.

Paraît que tout le monde mange ça au Chili. Je ne comprends pas que Suzanne les laisse faire. Mais c'est l'infirmière en chef, je ne suis pas assez niaiseuse pour la contrarier. La seule affaire que je regrette de ne pas avoir goûtée, c'est le dessert de dimanche. Marie-Soleil m'a dit qu'elle n'avait jamais rien mangé d'aussi bon. Paraît qu'il venait d'un chef de Québec.

Julius avait raccompagné Simone jusqu'à son immeuble, avait refusé de monter chez elle pour un dernier café. Il avait dit qu'il n'aimait pas précipiter les choses, qu'ils avaient tout le temps devant eux et s'était empressé de remonter dans sa BMW pour rentrer chez lui, effacer de sa mémoire cette longue soirée. Enfin, pas toute la soirée. Il avait écouté avec attention ce que Simone avait raconté sur le va-et-vient des plats dans la chambre d'Hélène. Les dangers de contamination ou d'allergie. Il devait creuser ce filon au plus vite. Et toute cette activité à la 1002 pouvait aussi le servir. Simone l'avait bien dit, « n'importe qui pouvait apporter n'importe quoi ». Il croyait se rappeler qu'Hélène souffrait d'une allergie. Il l'avait entendue en parler avec sa sœur des années auparavant. Mais quelle allergie ? Ce n'était pas à un aliment, il était quasiment persuadé qu'elle pouvait manger de tout. Qu'est-ce qu'il racontait ? Elle ne mangeait pas. Rien. Elle était nourrie par intraveineuse. Mais Ornella et compagnie lui faisaient sentir un tas de mets. Pouvait-elle inhaler un produit toxique par le tube de ventilation ? Et si ça se produisait, dans l'état où elle était, qui penserait à un empoisonnement ? Qu'est-ce qu'il pourrait lui faire inhaler pour l'achever ? Les filles devaient connaître l'allergie d'Hélène. Comment amener l'une d'entre elles à lui en parler ? Ça devait être un médicament. Ce n'était pas la pénicilline, il l'aurait su, c'est banal comme allergie. Alors quoi ? Une piqûre d'insecte ? Non, elle ne prenait aucune précaution quand elle jardinait autour de son maudit chalet.

Ça devait être inscrit dans son dossier ! Simone pourrait sûrement y avoir accès s'il insistait un peu. Et il se ferait expliquer comment injecter un produit dans un des tubes qui nourrissaient Hélène. Il devait bien y avoir moyen de trafiquer le cathéter. Le scotch lui parut plus velouté tout à coup. Il n'était pas question de se priver de Macallan, de se contenter d'alcools de moins bonne qualité, de déménager de son appartement hors de prix ou de vendre sa BMW, alors que sa marraine dormait sur un gros paquet d'argent.

Personne ne serait surpris que des complications surviennent après toutes ces semaines d'angoisse et d'incertitude quant à son avenir. Simone lui avait raconté qu'un homme qui était resté inconscient durant un mois avait fini par s'éteindre sans raison apparente. Tout était donc possible ! Et plus il y pensait, plus les propos de Simone au sujet de la recrudescence de visiteurs à la chambre 1002 lui plaisaient.

: :

Auguste Trahan fouillait dans les poches de son veston d'un air si dubitatif que sa partenaire l'interpella. À quoi pensait-il ? N'était-il pas content de leur rencontre avec M. Boulerice qui s'était enfin animé ? Qui leur avait même parlé de son enfance au bord de l'eau ?

— Il a encore une très belle voix, fit remarquer Diane. Ce serait bien s'il pouvait faire partie d'une chorale à la résidence où il doit déménager.

— Oui, peut-être, répondit distraitement Auguste.

— Qu'est-ce qui te tracasse ? insista Diane. Je t'ai perdu depuis qu'on est sortis de la chambre de M. Boulerice. Pourtant, tout s'est bien passé.

— Oui, oui, je me demande juste où j'ai égaré mon carnet de notes, mentit Auguste en continuant à palper son veston.

— Toujours aussi distrait, sourit Diane. Il doit être dans la poche de ton sarrau. Tu as fait des dessins avec le petit Gervais et tu as dû le laisser là quand tu t'es changé.

— Tu dois avoir raison, dit Auguste.

Il était gêné de dissimuler la vraie raison de son embarras, mais néanmoins soulagé que Diane n'ait pas remarqué que ce malaise découlait de leur rencontre avec Fabien Mathieu, alors qu'ils rejoignaient Suzanne pour savoir s'ils pouvaient commencer leurs visites en allant voir Abigail. Le Dr Mathieu s'était immobilisé au beau milieu du corridor en reconnaissant Auguste qui s'était lui-même arrêté. Puis le médecin avait fait demi-tour et s'était dirigé vers l'ascenseur, au grand soulagement de Suzanne qui craignait qu'il perçoive l'odeur de sucre qui flottait près de la chambre 1002.

— Je ne sais pas pourquoi il a viré de bord, mais tant mieux, se réjouit l'infirmière, j'avais peur qu'il sente l'odeur du pouding chômeur.

— Ça ne sent pas tant que ça, l'avait rassurée Diane. Il en reste ?

— Oui, on le partage tantôt au changement d'équipe afin que tout le monde puisse y goûter.

— Vous nous en gardez un petit morceau ? l'avait priée Diane.

Auguste songeait à l'expression de Fabien Mathieu lorsqu'il l'avait vu, un mélange d'indécision, de contrariété et de crainte. Mais que redoutait-il ? Mathieu s'imaginait-il qu'il allait raconter à tout le monde qu'ils s'étaient croisés dans un party d'Halloween et qu'il était gay ? C'était extrêmement déplaisant de penser que Mathieu avait si peu d'estime pour lui qu'il le croyait incapable de discrétion. De compréhension. S'il n'avait pas envie qu'on connaisse sa vie intime, c'était son choix. Bien des gens avaient l'impression qu'il était facile aujourd'hui de révéler son homosexualité, mais Auguste savait que personne ne vivait cette situation de la même manière. Il s'étonnait encore, lui qui hésitait si longtemps avant de prendre la moindre décision, d'avoir osé s'affirmer alors qu'il n'était qu'un adolescent. Peut-être que la certitude d'être aimé par ses parents le lui avait permis. Ou son incapacité à vivre dans le mensonge. Ou la mort de son ami David qui lui avait fait comprendre qu'on n'avait qu'une vie à vivre ? Auguste était conscient qu'assumer sa sexualité n'était pas aussi simple pour tous. Il avait en tête ce gamin qui était arrivé en septembre aux urgences après avoir été battu par une bande de jeunes de son école. Comment était-ce encore possible ? Pourquoi les mentalités évoluaient-elles si lentement ?

Devait-il tenter de rassurer Fabien Mathieu ? Mais pourquoi se préoccupait-il de sa sérénité, alors que ce dernier n'avait jamais manifesté la moindre sympathie envers lui, envers Diane ? Parce qu'il avait appris que le médecin avait soigné tous ces rescapés qui avaient fui sur des radeaux de fortune ? Et qu'il avait réussi une opération très complexe qui avait permis au petit Djamel d'éviter une amputation ? Ou parce que Suzanne était persuadée que le Dr Mathieu s'adoucirait avec le temps ?

— Les jeunes médecins sont parfois cassants parce qu'ils ont peur de manquer d'autorité, lui répétait-elle, ou encore parce qu'ils tentent de dissimuler leurs craintes, mais les années d'expérience les bonifient. Le Dr Mathieu ressemble à un oursin qui pique pour se protéger, mais le cœur est tendre. Et pense au Dr Blais, au Dr Voyer. Elles nous appuient toujours. Et vous aussi. Elles respectent votre travail de clown. Et elles ne nous ont rien reproché en ce qui concerne la 1002. Et le Dr Gagnon a même fait un cake aux olives. J'avoue qu'il m'a étonnée !

— C'est vrai, et il était délicieux, avait admis Auguste en se rappelant le parfum de basilic du cake provençal.

Steve Gagnon leur avait confié qu'il avait rapporté d'Aubagne cette recette, dégustée dans un petit resto, après avoir gravi la montagne Sainte-Victoire.

— C'était meilleur là-bas, sous le soleil du sud, avec un petit verre de rosé, avait dit le médecin. Mais je refais ce cake de temps à autre pour me rappeler les bons souvenirs. Et comme j'ai goûté jeudi au crumble de Mme Longchamps, je me sentais redevable.

— Vous voulez surtout continuer à venir goûter à tout, lui avait répondu Suzanne. Je vous connais comme si je vous avais tricoté…

Le Dr Gagnon avait haussé les épaules en souriant : comment nier la perspicacité de Suzanne ? Et refuser de voir à quel point l'ambiance autour de la 1002 était bénéfique pour tout l'étage ? En ces temps si lourds de compressions budgétaires, d'exigences démesurées, de mésententes dans le milieu de la santé, la révolution tranquille mais joyeuse générée par l'aromathérapie des amies d'Hélène était bienvenue. Steve Gagnon avait voulu leur donner sa bénédiction en apportant un cake et Suzanne avait mesuré le cadeau qu'il leur faisait.

— N'oublie pas que le Dr Gagnon est un client du Strega, avait repris Auguste. Et les Dres Blais et Voyer sont des gourmandes.

Suzanne avait souri, se rappelant le succès remporté par le gâteau aux pistaches et à la crème fraîche de Marie. Il avait été dévoré en quelques minutes.

— Ce n'est pas Fabien Mathieu qui y aurait goûté, s'était entêté Auguste.

— Il changera, avait répété Suzanne. Tu verras que j'ai toujours raison !

: :

Cake aux olives

- 200 g (1¾ tasse) de farine
- 5 ml (1 c. à thé) de poudre à pâte
- 4 œufs
- 170 g (¾ tasse) de beurre, à la température ambiante
- 70 ml (¼ tasse) de vin blanc
- 30 ml (2 c. à soupe) de vermouth
- 250 ml (1 tasse) d'olives vertes et noires dénoyautées et coupées en rondelles
- 250 ml (1 tasse) de gruyère râpé
- 250 ml (1 tasse) d'amandes fumées en morceaux
- 1 pincée de piment d'Espelette

Préchauffer le four à 190 °C (375 °F).

Dans un grand bol, mélanger tous les ingrédients. Verser dans un moule à cake et cuire environ 45 minutes.

: :

8 novembre

Le son strident de la sirène que venait d'actionner un des ambulanciers qui s'étaient occupés de Kim fit sursauter Arnaud Fontaine, resté sur le trottoir alors que les portes du véhicule se refermaient sur les secouristes. Secoué par la peur, le froid, il se mit à grelotter, songea à récupérer son manteau. Et celui de Kim afin qu'il soit au chaud quand il pourrait revenir chez lui. On allait sûrement le garder à l'hôpital pour la nuit. Ou plus. Les ambulanciers n'avaient rien pu lui dire de l'état de Kim, seulement leur destination. Mais pourquoi s'était-il avancé au bord du toit ? Comment avait-il basculé à l'étage inférieur ? Que faisait-il dehors si tôt ? Le jour se levait à peine… La voisine avait bêtement dit que c'était une chance qu'il ne soit pas tombé sur leur petit garçon en voulant lui rendre son cerf-volant qui devait s'être accroché à une des ruches. Si elle disait vrai, elle aurait pu témoigner d'un peu plus d'empathie pour Kim qui s'était démené pour redonner son jouet à l'enfant roi.

Un taxi. Il mettrait son manteau, puis filerait en taxi à l'hôpital. Quand il pourrait voir Kim, il lui demanderait s'il pouvait prévenir quelqu'un pour lui. Un ami ? La jeune femme qui travaillait avec lui à la chocolaterie ? Bon sang ! Il devait lui dire que Kim ne serait pas à la boutique aujourd'hui. Il s'arrêterait à la chocolaterie en allant à l'hôpital, Kim serait rassuré qu'il ait pensé à prévenir Geneviève. Il pourrait aussi aller nourrir ses poissons ; il avait maintenant la clé de son voisin depuis qu'il lui avait proposé de s'occuper des ruches si jamais un orage menaçait de les dévaster en son absence.

Était-ce une bonne chose que Kim ait perdu conscience ? Arnaud avait cru dans un premier temps qu'il échappait ainsi à la douleur causée par ses blessures, mais les ambulanciers avaient tenté de l'éveiller. Ils avaient sûrement une bonne raison pour le faire. Était-il tombé sur la tête ? Était-il dans le coma ? Est-ce qu'on lui permettrait de le voir, même s'il n'était pas un membre de la famille ?

: :

Justine observait Thierry qui discutait avec le marchand de fromages qu'il connaissait depuis son enfance ; elle était certaine qu'il achèterait le Mont d'Or que Marcel venait de déposer sur son étal. Rien ne pouvait plaire davantage à son époux, lorsqu'il revenait à la maison, que d'arpenter les allées du marché Richard-Lenoir, hésiter entre une canette de Barbarie et une pintade, se laisser tenter par les brochettes de cuisses de grenouille, les buissons d'écrevisses ou les huîtres, le poulet fermier ou les steaks bien épais de Jean-Paul. Thierry dut sentir qu'elle le regardait, car il se tourna vers elle, lui sourit : que préférerait son parrain pour souper ? Viande ou poisson ?

— Oncle Henri a un faible pour ton magret aux framboises et tes cailles aux cerises. Il m'en a encore parlé.

— Mais je sais faire autre chose ! protesta Thierry.

— Il sera si content. Avec des pommes dauphine et des haricots aux amandes.

— Je constate que vous avez tout décidé en mon absence. Je m'incline…

Tandis que le boucher emballait les cailles, Justine se pressa contre Thierry.

— T'ai-je dit que Viviane dînera avec nous ?

— Je croyais qu'elle était repartie à Montréal.

— Elle prend l'avion demain. J'aurais voulu qu'elle rencontre Aymeric Brüner, mais bon…

— Personne ne pouvait prévoir que le père d'Aymeric se casserait la hanche. On dirait que c'est une épidémie. J'ai deux collègues dont les mères sont à l'hôpital à la suite d'une mauvaise chute. Les os sont si fragiles chez les personnes âgées…

— Je sais que je suis égoïste, mais c'est rageant. Aymeric serait allé au Québec pour voir Hélène si M. Brüner ne s'était pas blessé en tombant d'un escabeau.

— Tu n'y peux rien, ma belle, dit Thierry. Il s'y rendra un peu plus tard.

— Et si Hélène… disparaissait sans qu'il l'ait vue?

Thierry fronça les sourcils: Justine n'avait jamais évoqué si précisément son angoisse face au sort de son amie. Est-ce qu'il s'était passé quelque chose lorsqu'il volait au-dessus de l'Asie?

— Non, non, l'assura Justine. Je me sens seulement impuissante. Les jours s'étirent. Hélène est toujours inconsciente. Je suis loin d'elle, des filles et…

— Tu n'arrives pas à ce que tu voudrais avec le nouveau parfum?

Ce fut au tour de Justine de s'étonner: comment l'avait-il deviné?

— Parce que je te connais par cœur. Tu es dans la lune depuis que je suis rentré. Tu as parlé dans ton sommeil. Je n'ai rien compris, mais tu semblais chercher intensément quelque chose.

— Je voudrais reproduire les parfums qu'aime tant Hélène. Son potager, la nouvelle serre, le bord du lac Lovering, la fourrure d'Athéna. J'ai fait des essais, mais je n'arrive pas à l'équilibre que je souhaite. La fraîcheur m'échappe. Je ne parviens pas à recréer l'odeur de l'aube.

— De l'aube?

— C'est le moment préféré d'Hélène. Il me semble que si je pouvais lui rendre cette odeur, cela l'aiderait à revenir parmi nous. J'ai fait des essais avec la calone, évidemment, le galbanum, la coumarine…

— Ça viendra, ma chérie, fit Thierry. Ça finit toujours par venir, non?

Justine esquissa une moue dubitative tout en continuant à penser à la coumarine, à cette odeur de foin coupé qu'avait évoquée Marie, qui rappelait la fourrure de la siamoise d'Hélène.

Une impression de chaleur, à la fois animale et végétale, une sorte de fermentation, l'idée de meules dorées au soleil, puis ensilées dans un hangar, cet arôme de moiteur. Elle le retrouverait dans la fève tonka, devrait prendre garde aux proportions, éviter la lourdeur. Il fallait que le parfum ressemble aussi au mimosa, une sorte de flocon aérien, lumineux, joyeux. Elle devait réussir ce parfum !

— Je vais acheter des fleurs, déclara-t-elle à son mari. Tu me rejoins au bout de l'allée ?

Elle salua le fleuriste, caressa la tête de sa vieille chienne Prune, hésita entre les roses blanches et les roses saumon, enfouit son visage dans les gerbes pour s'imprégner de leur odeur, crut déceler l'ionone et son accent de framboise. Oui, elle avait besoin de cette note dans cet hommage à l'amitié, de cette touche acidulée et gourmande. Elle opterait pour la rose Damascena de la région d'El Kalaa : Hélène n'avait-elle pas dit qu'elle aimerait l'accompagner dans ces vallées de fleurs qui s'étendent sur des kilomètres ? « Me perdre dans leur parfum », avait-elle dit.

Ou se retrouver ? Justine aurait voulu avoir capturé dans un *headspace* la soirée d'anniversaire de Gabrielle à la fin de mai, alors qu'elles s'étaient toutes réunies à la terrasse du Strega, nouvellement construite. L'air était frais, mais les braseros leur avaient permis de rester dehors pour déguster le homard qu'Hélène avait décliné en trois versions. Est-ce que la fumée du barbecue avait bien dessiné des volutes au-dessus du consommé de homard aux fruits rouges ou magnifiait-elle ce souvenir ? Elle devait se remémorer cette sensation que lui procurait cette odeur de début d'été célébré entre amies et la traduire le plus fidèlement possible. Remonter le temps. Retrouver ces jours d'avant l'accident. Et songer à prendre des notes quand Thierry préparerait ses cailles pour envoyer la recette à Montréal.

::

Cailles aux cerises de Thierry

- 30 ml (2 c. à soupe) de chapelure
- 45 ml (3 c. à soupe) de chair à saucisse non épicée (crue)
- 60 ml (¼ tasse) de cerises dénoyautées (de préférence en bocal)
- 1 jaune d'œuf
- 6 cailles royales
- 5 ml (1 c. à thé) d'huile de truffe
- Sel et poivre

Préchauffer le four à 190 °C (375 °F).

Mélanger la chapelure, la chair à saucisse, les cerises et le jaune d'œuf. Farcir les cailles avec ce mélange, puis les badigeonner d'huile de truffe. Saler et poivrer. Cuire au four environ 25 minutes ou jusqu'à ce que du jus s'écoule lorsqu'on pique les cailles avec un couteau.

Suggestion : servir avec un risotto aux champignons.

::

10 novembre

— J'ai bien fait de sortir hier soir, dit la détective Anne-Lise Gallant en fouillant dans un sac en papier pour en extirper un pain au chocolat.

— Qu'est-ce qui s'est passé ? fit Adrien Bordeleau.

— Julius Rancourt a quitté le chalet d'Hélène Holcomb au milieu de la soirée pour se rendre aux Enfants terribles. Où Valérie Ouimet l'a rejoint trente minutes plus tard.

— L'agente d'immeubles ?

— Oui. D'après ce que j'ai vu, ils sont intimes.

— Il n'est pas resté tellement longtemps au chalet, nota Bordeleau. On sait qu'il est arrivé la veille. Pourquoi aurait-il quitté Montréal pour ne passer qu'une journée au bord du lac ? Il n'y a rien à faire à cette période de l'année, aucune activité. À quoi s'est occupé Rancourt au chalet de sa tante ?

— Valérie Ouimet est peut-être allée le rejoindre, dit Dufour. On n'a pas surveillé Rancourt vingt-quatre heures sur vingt-quatre.

— Le plus intéressant, poursuivit Anne-Lise Gallant, c'est sa rencontre en arrivant au resto. Il a croisé Normandeau. Jean-Noël Normandeau.

— Nono ?

— En personne !

— Je pensais qu'il était en dedans, s'étonna Bordeleau.

— On dirait bien qu'il a été libéré.

— Comment se fait-il qu'ils se connaissent ? dit Raoul Dufour. Julius Rancourt n'a jamais été impliqué dans le moindre trafic. On a vérifié deux fois plutôt qu'une.

— Ça ne veut pas dire qu'il ne touche pas à la dope, dit Gallant.

— Normandeau a un front de bœuf, fit Mitchell. Il a brisé ses conditions en se rendant au restaurant. Je suis à peu près certain qu'il n'a pas le droit de se trouver dans un lieu où il pourrait consommer de l'alcool.

— Il n'était pas dans le resto, mais garé juste en face.

— Qu'est-ce qu'il faisait là en même temps que Rancourt ? dit Dufour avant de croquer un bonbon à la menthe. Je me répète : d'où se connaissent-ils ? Il y en a un qui est du coin, l'autre de Montréal. Ils ne sont pas du tout du même milieu.

— Mais Rancourt va au chalet de sa tante depuis quelques années. Et même avant, puisqu'il appartenait à son grand-père. Il a pu rencontrer Nono quand ils étaient ados, quand Nono commençait à traficoter.

— Et il continuerait à le voir ? Il le retrouverait juste au moment où Nono sort de prison ? fit Mitchell. Je me demande ce que cet accueil signifie…

— Rien de bon selon moi, marmonna Bordeleau.

— Valérie Ouimet ne sait pas où elle met les pieds, déplora Anne-Lise Gallant. Elle est aveuglée par Rancourt. Elle était tellement collée sur lui qu'il devait avoir de la misère à respirer. Elle l'a lâché seulement quand elle a dû monter dans sa voiture, en sortant du resto à la fin de la soirée.

— Il était tard ?

— Vingt-deux heures. Il l'a suivie jusque chez elle.

— Pourquoi Rancourt voulait-il voir Normandeau ? reprit Dufour. Si c'est pour de la dope, il pouvait en trouver à Montréal, pas besoin de venir jusqu'ici.

— Si c'était le contraire ? avança Mitchell. Si c'était Rancourt qui devait remettre quelque chose à Nono ?

— Comme quoi ?

— Un truc qu'il aurait trouvé au chalet. De l'argent pour une transaction.

— Nono vend de la dope, répéta Gallant, ce n'est pas un receleur. Je suis d'accord avec Dufour : pourquoi se rendre si loin de chez lui pour acheter de la coke ?

— Rancourt veut peut-être un truc plus particulier, qu'il ne sait pas où trouver.

— Si ce n'est pas de la coke, c'est quoi ?

— Des amphétamines, répondit Dufour. Mais là encore, il peut acheter ça en ville. Il travaille dans un bar, il doit savoir qui peut lui procurer ce qu'il cherche.

— Je n'ai pourtant pas eu l'impression que Rancourt prenait de la dope quand on l'a interrogé, dit Mitchell. Ornella, une des amies d'Hélène, m'a dit qu'il ne crachait pas sur l'alcool, mais qu'il n'avait jamais été question de drogue.

— Il s'arrange peut-être toujours pour être *clean* quand il va voir sa tante…

— Viviane Arseneault est aussi persuadée que Rancourt ne carbure pas à la coke. « Il est trop snob pour ça. »

— Snob ?

— Tout le monde en prend, ce serait trop banal pour lui.

Bordeleau échangea un clin d'œil avec Dufour.

— Dis donc, Mitchell… Ça ne te dérange pas trop d'aller si souvent à Montréal ? À l'hôpital… Il n'y aurait pas une jolie infirmière là-dessous ?

Alex Mitchell dévisagea ses collègues, étonné puis ravi de cette méprise qu'il ne corrigerait certainement pas. Si Dufour et Bordeleau croyaient qu'il était sous le charme d'une infirmière, c'était parfait. Ils continueraient à ignorer que c'était Gabrielle Dubois qui lui plaisait. Avec qui il avait rendez-vous le soir même. Il était encore surpris par son appel et espérait ne pas avoir eu l'air trop idiot au téléphone. Il avait répété l'adresse du rendez-vous, promis d'y être à 18 h. Il se réjouissait qu'Anne-Lise Gallant ait apporté un nouvel élément à l'enquête : sans dévoiler quoi que ce soit, il pourrait néanmoins dire à Gabrielle Dubois que ses collègues et lui exploitaient une nouvelle piste.

— Mitchell ?

— Quoi ?

— T'es dans la lune, dit Dufour. Tu penses à ton infirmière ?

— Arrête avec ça, protesta Mitchell, sachant que simuler de l'embarras conforterait Dufour dans ses hypothèses. Tu te trompes…

— On dirait bien que tu rougis, mon beau Alex, renchérit Gallant.

— Vous êtes dans le champ. Bon, est-ce qu'on peut être un peu sérieux ?

— Mais c'est sérieux, l'amour, plaisanta Raoul Dufour. Tu peux en parler avec nous. On a de l'expérience.

— Je vais aller me chercher un café, dit Mitchell en se retenant de sourire en quittant la pièce.

: :

La chambre où était allongé Kim Truong était faiblement éclairée et les indications lumineuses des appareils semblaient plus brillantes tout en demeurant résolument illisibles pour Arnaud Fontaine. Que signifiaient ces courbes, ces chiffres ? Et tous ces tubes auxquels le corps de Kim était relié ? Son visage disparaissait quasiment sous l'épais bandage de son crâne et sous ce respirateur qui avait la forme d'un bec de canard. Arnaud se souvint du dernier souper avec Kim. Il avait cuisiné un canard laqué et avait été récompensé du temps qu'il avait mis à préparer le volatile en voyant le visage de son jeune ami s'illuminer. Ce canard était aussi bon que celui que faisait son premier amoureux. Peut-être même meilleur.

— Ça doit être parce que je me suis servi de ton miel, avait répondu Arnaud tout en déposant un bol de sauce sur la table à côté de la montagne de crêpes de riz.

— Pourquoi fais-tu tout ça pour moi ? avait demandé Kim.

— Je suis à ma retraite. J'aime cuisiner, mais pour moi tout seul ça m'ennuie. Tu avais un amoureux chinois ?

— Oui. Mais ça n'a pas duré. Ça ne dure jamais, mes histoires. Je ne sais pas pourquoi.

— Ce n'est pas moi qui vais te donner des conseils, avait déploré Arnaud. J'ai eu une seule femme et je n'ai pas réussi à la garder. Pas plus que mes enfants. Je pensais seulement au travail. C'est en cuisine que j'étais bon. Alors je m'y consacrais totalement. Je voulais épater les clients.

— Cesse de parler au passé, tu es toujours doué ! On se connaît depuis deux mois et je n'ai jamais aussi bien mangé de ma vie. Ça me gêne, je ne peux pas te rendre la pareille avec la boutique qui me tient occupé en permanence.

— C'est normal, tu viens d'ouvrir ton commerce !

— Mais c'est toi qui fais toujours tout et…

— Tu veux la vérité ? Je me sens utile. Et ça faisait longtemps que ça ne m'était pas arrivé. J'ai seulement peur de prendre trop de place. Je ne voudrais pas m'imposer.

— Donne-moi une aile de canard au lieu de dire des bêtises, avait répondu Kim. Je te sers un peu de vin ? Est-ce que tu l'aimes ? Avec les gewurztraminers, j'ai toujours peur que les parfums floraux soient trop intenses. J'aime la rose, mais bon… qu'est-ce que tu en penses ?

— Je… je n'en pense pas grand-chose…

C'est ce soir-là qu'Arnaud avait avoué à Kim qu'il avait souffert du syndrome de Bell, perdu l'odorat, puis renoncé à son travail. Depuis quelques semaines, il recommençait à percevoir des arômes, mais il n'était jamais certain d'épicer parfaitement les plats.

— C'est pour ça que tu as toujours l'air inquiet quand tu me fais goûter quelque chose ?

— Je me fie à mon expérience, ma mémoire, mais…

— Tu peux continuer, ta mémoire est parfaite. Tout est toujours délicieux. Tu n'aurais pas dû lâcher le restaurant.

— Oh, je suis vieux… On m'aurait probablement poussé vers la porte.

Arnaud avait eu un moment d'hésitation avant d'avouer que, au fond, son problème médical lui avait permis de tirer sa révérence avant qu'on lui fasse comprendre qu'il était trop âgé pour continuer à se démener en cuisine.

— C'est exigeant, tu le sais, mais je ne voulais pas lâcher. Je n'ai jamais été malade, je n'ai jamais manqué un jour au resto. Même quand ma femme a accouché, j'y retournais entre deux visites à la pouponnière.

Et voilà qu'il se retrouvait à nouveau à l'hôpital, qu'il se demandait dans quel état était Kim, s'il allait obtenir bientôt des réponses plus précises que celles qu'il avait eues jusqu'à maintenant. Commotion cérébrale sévère, fractures multiples. Il le voyait bien ! Avec ces bandages, ce plâtre à la jambe et son épaule droite bandée. Quand allait-on lui en dire davantage ? Il sortit de la chambre en espérant trouver une infirmière qui pourrait le renseigner, mais elles étaient toutes occupées auprès d'un patient. Peut-être qu'en traversant le corridor…

— Vous êtes perdu ? demanda Suzanne Chalifour.

— Je veux savoir ce qui va arriver à Kim Truong. Il a eu un accident. Il est dans la chambre…

— Celui qui est tombé d'un toit ?

— Vous l'avez vu ?

— Oui, oui, il n'arrivera rien cette nuit. Vous devriez aller vous reposer.

— Je me reposerai dans ma tombe, dit Arnaud Fontaine. Pourquoi est-ce qu'il ne se réveille pas ?

— Il est sous sédatif. Il était très agité.

— Il était évanoui quand les ambulanciers l'ont emmené. Il s'est réveillé ? Est-ce qu'il a dit quelque chose ?

— Je n'étais pas aux urgences, précisa Suzanne. Mais on m'a dit qu'il a de bonnes fractures.

— Bonnes ?

— Ça paraît bizarre de parler de bonnes fractures, mais il a eu de la chance. Elles sont nettes. Pas d'effritement, de complications à redouter. Il est jeune, il va vite récupérer.

— Vous en êtes certaine ? dit Arnaud avec un tel espoir dans la voix que Suzanne lui sourit.

— Vous l'aimez beaucoup, constata-t-elle.

— C'est mon voisin. Il élève des abeilles.

Arnaud soupira : est-ce tout ce qu'il trouvait à dire sur Kim ?

— Il vient juste d'ouvrir une chocolaterie. C'est un gars qui a du cœur au ventre. Il faut qu'il puisse s'occuper de son commerce, il a trop investi là-dedans. Est-ce qu'il va rester longtemps ici ?

— C'est prématuré de discuter de tout ça, fit Suzanne Chalifour. Vous en saurez plus demain, après la visite du médecin. Où est la chocolaterie de votre ami ?

— Sur le Plateau. Kim est si créatif. Je vous apporterai des chocolats demain.

— Oh non ! Je vais grossir… déjà qu'avec…

— C'est beau, des femmes qui ont des formes, la coupa Arnaud qui rougit aussitôt, tenta de s'excuser. Je suis… trop nerveux avec ce qui arrive à Kim. Je dis n'importe quoi.

— Ne vous excusez jamais de faire un compliment, dit Suzanne. Allez, rentrez chez vous. Vous reviendrez demain. Avec des chocolats.

Elle le poussa doucement vers la porte sans qu'il oppose la moindre résistance.

::

Julius Rancourt ouvrit la porte de son appartement en poussant un soupir de soulagement. Il avait enfin la paix ! Il ne serait pas obligé ce soir d'entendre des conneries pendant des heures. Ni celles de Simone ni celles de Valérie. Ni d'aucune autre. Pas question qu'une maudite bonne femme gâche sa soirée à la Cage aux sports. Il s'installerait au comptoir, regarderait le match et oublierait tout ce temps passé à sourire, à faire semblant de boire les paroles de deux emmerdeuses. Il les oublierait pour les prochaines heures. Les prochains jours. Primo, pour sa santé mentale, deuxio, parce qu'il fallait qu'elles s'inquiètent de ne pas avoir de ses nouvelles. Il devait les faire languir. Elles seraient d'autant plus reconnaissantes et soulagées lorsqu'il se manifesterait. Elles étaient toutes pareilles ! Elles jouaient les indépendantes, mais guettaient le moindre signe de leur flamme, comme un toutou qui attend la caresse de son maître. Des connes. Ou des mal-baisées comme les copines de sa marraine. Si elles avaient de vrais hommes dans leur vie, elles auraient autre chose à faire que de passer leur temps à l'hôpital avec leurs plats ridicules. Pensaient-elles vraiment qu'Hélène sortirait du coma parce qu'un gâteau sentait bon ? Qu'elle ouvrirait les yeux pour demander d'y goûter ? Elles étaient sottes de ne pas se rendre compte que, si personne ne leur disait qu'elles perdaient leur temps, c'était pour profiter des pâtisseries qu'elles apportaient. Simone avait dit que les pailles au fromage de Marie avaient plu à tout le monde. Comme les truffes d'Ornella aromatisées au rhum. Elle avait même avoué qu'elle en avait mangé deux.

C'est vrai qu'elles étaient bonnes, ces truffes, évidemment ! Il les avait déjà goûtées, puisque c'était la recette de sa marraine. Du chocolat noir, du beurre, de la crème. Et encore du chocolat. Et un petit alcool. Il aimait bien quand Hélène les parfumait au kirsch.

Il eut faim subitement. Il avait pourtant bien mangé avant de quitter le chalet du lac Lovering. Valérie avait apporté tout ce qu'il fallait pour improviser un luxueux pique-nique, mais il avait avalé machinalement le foie gras, la quiche au crabe, les fromages, le champagne, s'efforçant de suivre les propos de l'agente d'immeubles alors qu'il pensait au fentanyl que lui avait procuré Normandeau. Il tâta sa poche droite, le sachet était bien là. Normandeau lui avait dit de ne pas en abuser, d'être prudent. Bien sûr qu'il serait prudent ! Il n'avait pas envie qu'on le voie trafiquer le soluté auquel était branchée Hélène. Il prendrait toutes les précautions nécessaires grâce aux informations que lui livrerait Simone. Il avait déjà une bonne idée des possibilités qui s'offraient à lui, mais il y avait encore des détails à régler. Il tira le fentanyl de sa poche, hésita : où devait-il le ranger ? Il regarda à droite, à gauche, cherchant la cachette idéale. Il soupira, exaspéré. Pourquoi s'en faisait-il avec le fentanyl ? Personne ne viendrait fouiller chez lui ! C'était d'avoir aperçu Mitchell qui sortait de l'hôpital au moment où il garait sa voiture qui avait réveillé sa paranoïa. Mais le policier s'était contenté de lui demander des nouvelles de sa marraine. Et, par Marie, Julius savait que l'enquête sur l'accident d'Hélène était au point mort. Personne n'était revenu l'interroger. Pourquoi Mitchell était-il retourné à l'hôpital ? Il n'y avait pourtant aucun changement à la condition d'Hélène, Simone l'aurait immédiatement prévenu. C'est elle qui lui avait donné l'idée, en lui racontant la multiplication des cas de surdose, d'utiliser du fentanyl. D'autant qu'il avait su, toujours grâce à Simone, qu'Hélène ne souffrait que d'une intolérance aux sulfamides. Pas la peine de chercher un poison rare, le fentanyl ferait le travail. Mais quand ? Quand pourrait-il expédier sa marraine pour de bon dans l'au-delà ? Est-ce que Mitchell était allé à l'hôpital pour elle ou pour quelqu'un d'autre ? Il faudrait qu'il en parle avec Simone. Une autre soirée pénible en perspective.

Il soupira, il était tellement las de toute cette histoire ! Il avait bien besoin d'un verre. Il sortit la bouteille de vodka du congélateur, constata qu'elle était presque vide, but à même le goulot, se sentit requinqué. Il troqua sa chemise pour un pull, attrapa les clés de sa BMW et sortit dans la nuit, après avoir rangé le fentanyl dans le premier tiroir de sa commode. Il tâcherait d'oublier Hélène pour quelques heures en regardant le match. Ce n'était pas sain d'être ainsi obsédé par sa marraine, mais comment s'en empêcher ? Tout aurait été tellement plus simple si elle était morte dans ce maudit accident !

10

11 novembre

— Est-ce que tu crois qu'il me rappellera ? demanda Gabrielle à Ornella qui l'avait rejointe au Rouge-Gorge. Il a dit qu'il me téléphonerait, mais peut-être que ce serait à moi de l'appeler parce que…

Gabrielle se tut, soupira en secouant la tête.

— M'entends-tu parler ? On dirait une adolescente. Je me décourage moi-même.

— Il te plaît tant que ça ?

— La soirée était magique. Alors que je ne savais pas trop à quoi m'attendre. Je lui avais proposé d'aller prendre un verre parce que je ne voulais pas avoir l'air snob. À l'hôpital, il m'avait invitée, mais je devais aller chercher Félicie à l'école. Comme Alex prend vraiment à cœur l'enquête sur l'accident d'Hélène, je tenais à ce qu'il sache que…

— Que tu le trouves de ton goût, fit Ornella en riant. Tu n'as pas besoin de chercher des excuses pour sortir avec un homme.

— Je ne sors pas avec Alex Mitchell, protesta la comédienne, c'était juste une soirée.

— Mais tu voudrais bien le revoir.

— Ça fait tellement longtemps qu'il ne m'est rien…

— Raconte-moi tout depuis le début, la coupa Ornella. Vous vous êtes retrouvés ici, c'est ça ?

— À la même table, tu es assise à sa place. Je lui avais dit qu'il y avait un bon choix de scotches. Nous sommes arrivés tous les deux en avance. Il avait l'air gêné. C'est curieux, il m'a paru plus mince qu'à l'hôpital.

— Plus mince ? s'étonna Ornella.

— Je pense que c'est parce que la chambre est petite, il prend toute la place quand il entre dans une pièce. Mais au bar à vin, c'était différent. Et il portait un chandail. On l'a toujours vu en veston. Il avait l'air plus jeune. Peut-être que je parais plus vieille à côté de lui ?

— Il te plaît vraiment pour que tu profères autant de bêtises, commenta Ornella.

— Non, c'est seulement que…

— Que quoi ? Il te plaît, c'est clair. Ça fait trop longtemps que tu es seule ! Même pas de petites aventures.

— C'est compliqué, fit Gabrielle.

— Je sais, tu es connue, tu dois être prudente.

— Je n'ai pas envie de coucher avec un type qui veut juste mettre ma photo sur Facebook. Parfois, je me dis que j'ai bien fait d'en profiter quand j'étais jeune, d'avoir multiplié les rencontres, j'ai au moins des souvenirs.

— Tu parles comme si tu avais soixante-dix ans !

— Marie les a et elle séduit plus que moi… Elle ne nous raconte pas tout, mais on sait qu'elle ne s'ennuie pas. Il y a toujours un homme pour lui tourner autour.

— Parce qu'elle est ouverte ! Baisse un peu ta garde ! Alex Mitchell ne savait même pas qui tu étais avant de nous connaître. Il n'est pas là pour de mauvaises raisons. Tu lui plais. Penses-tu que c'est le genre d'homme qui a du temps à perdre ? Qui se taperait Magog-Montréal pour prendre un verre avec une femme qu'il trouve sans intérêt ? Et ne me dis pas que c'était pour te parler d'Hélène, car Mitchell peut nous entretenir d'elle à l'hôpital ou par téléphone. Il a mon numéro et celui de Marie. Et le tien, maintenant.

— Nous en avons pourtant parlé, précisa Gabrielle. Alex m'a assuré qu'il ne laissera jamais tomber l'enquête. C'est presque personnel, comme s'il était insulté que cette tentative de meurtre ait eu lieu sur son territoire. « Il n'est pas question qu'il s'en sorte », m'a-t-il dit.

— « Il » ? Qui « il » ? Il t'a parlé de Julius ?

— Non, admit Gabrielle. Il a toujours parlé du coupable. Mais je suis certaine qu'Alex a pris les hypothèses de Viviane au sérieux.

— De toute manière, qui veux-tu que ce soit d'autre que Julius ?

— Il n'y a aucune preuve de son implication.

— Mais aucune preuve du contraire non plus, rétorqua Ornella. Mitchell ne t'a donc rien révélé de plus que ce qu'on sait déjà ?

Gabrielle haussa les épaules ; elle n'avait pas répondu à l'invitation de cet homme dans l'idée de lui soutirer des informations confidentielles.

— Je ne suis pas Mata Hari, fit-elle. Et Alex a des procédures à suivre. Il est honnête et…

— J'avais raison, la coupa Ornella. Il n'était pas là pour t'entretenir d'Hélène. Cela dit, Mathilde le connaît un peu. Elle l'estime beaucoup.

— Mathilde ? s'étonna Gabrielle. Viviane ne m'avait pas raconté ça.

— Ils ont témoigné à deux reprises aux mêmes procès.

— Alex ne m'en a pas parlé…

— Alors de quoi avez-vous jasé ?

Le sourire de Gabrielle rappela à Ornella à quel point les débuts d'une aventure ou même seulement l'idée d'une passion illuminaient les victimes d'Éros. La peau de Gabrielle semblait plus lisse, plus lumineuse et ses yeux étaient passés du sombre vert forêt à celui plus clair d'un béryl. Et elle prétendait qu'elle ignorait si Alex Mitchell l'intéressait ?

— On a parlé de nos métiers. C'est banal, non ?

— Vous n'avez ni l'un ni l'autre des métiers ordinaires, plaida Ornella. C'est un sujet de conversation assez classique, mais...

— Il a voulu être policier parce que son père s'est fait assassiner, l'interrompit Gabrielle qui fit aussitôt promettre à son amie de ne pas en parler aux autres Muses.

— Je ne sais pas pourquoi je t'ai raconté ça. Je ne veux pas que le regard de Marie ou de Viviane sur Alex change...

Ornella acquiesça avant de lever la tête vers Alain, l'un des propriétaires de l'endroit, qui lui présentait une bouteille de crémant du Jura en évoquant la personnalité du vigneron qui le produisait, son enthousiasme, son audace. Tandis qu'Ornella humait des arômes de poire et de brioche, elle nota que Gabrielle n'avait même pas attendu qu'elles trinquent pour goûter au vin.

— Ça te plaît ?

— Bien sûr, c'est frais, c'est... bon. Je n'ai pas tes compétences pour en parler, mais...

— Ce n'est pas le sujet aujourd'hui, fit Ornella qui s'amusait de l'impatience qu'elle devinait chez son amie. Tu préfères qu'on discute d'Alex Mitchell. Donc, il est devenu policier après la mort de son père. Son père était cuisinier, si j'ai bonne mémoire.

— Oui. Je crois que, sans l'avoir rencontrée, Alex a de l'admiration pour Hélène. Il connaît les difficultés du métier de chef.

— Il y en a quand même beaucoup dans son propre métier. Qu'est-ce qui lui plaît ?

— Le travail d'équipe. Une équipe où chacun a sa place, sa couleur. La notion de confiance.

Gabrielle fit une pause avant de dire que c'était un peu la même chose sur scène.

— On doit pouvoir compter sur notre partenaire et il doit pouvoir s'appuyer sur nous. Il y a aussi des tournages qui sont merveilleux quand on devine l'autre sans qu'il ait besoin de s'exprimer. Lorsque les échanges prennent la forme d'un ballet. Ce sont peut-être mes années de danse classique qui m'inspirent cette comparaison, mais tu vois ce que je veux dire ? Quand un simple regard permet de se deviner. J'avais cette impression hier avec Alex. On était un peu gênés, oui, mais en même temps, c'était fluide, facile. J'ai hâte de raconter cela à…

— À Hélène ?

Une ombre plana sur le regard qu'échangèrent les deux femmes, puis Ornella leva son verre pour effleurer celui de Gabrielle.

— À la santé d'Hélène ! Après tout, c'est grâce à elle si tu as rencontré Alex Mitchell.

— À Hélène.

Elles savourèrent le crémant, convinrent qu'Hélène l'aurait aussi apprécié. Puis Ornella voulut connaître la suite de la soirée.

— Comme Alex m'a dit qu'il aimait la pêche et comme j'adore le thon qui est à la carte des Héritiers, nous y sommes allés. On a juste eu le temps d'acheter une bouteille à la SAQ avant la fermeture. J'ai fait connaître le Côtes du Rhône de Dupéré Barrera à Alex. Il a beaucoup aimé. Et j'ai demandé la recette du poisson pour Hélène. Je sais bien que ce ne sera pas aussi réussi qu'au resto, mais bon…

— Et ensuite ? s'enquit Ornella.

— Ensuite ?

— Vous êtes rentrés…

— Chacun chez soi.

— C'est tout ?

— Il m'a embrassée, murmura Gabrielle avant de vider son verre d'un trait et de le reposer maladroitement.

Ornella observa son amie durant quelques secondes, puis sourit.

— Ça vaudrait la peine qu'Hélène se réveille pour te voir dans cet état-là…

Gabrielle sourit à son tour, concéda qu'Alex Mitchell lui faisait de l'effet.

— J'en ai même oublié mon trac habituel pour les auditions.

— Tu avais une audition ?

— Cet après-midi. Premier rôle pour une série policière. Ça s'est très bien passé. Peut-être parce que j'avais discuté avec Alex de sa réalité au quotidien…

— C'est certain, dit Ornella avant de pouffer de rire.

::

Tartare de thon des Héritiers

- 100 g de thon coupé en petits dés
- 10 ml (2 c. à thé) de coriandre fraîche finement ciselée
- 15 ml (3 c. à thé) de concombre coupé en petits dés
- 5 ml (1 c. à thé) de graines de sésame noires
- 5 ml (1 c. à thé) de gingembre haché
- 10 ml (2 c. à thé) de ciboulette hachée
- 10 ml (2 c. à thé) d'huile de sésame
- Jus de 1 lime
- 5 ml (1 c. à thé) de yogourt nature
- 2,5 ml (½ c. à thé) de sauce sriracha

Mélanger tous les ingrédients et servir.

::

13 novembre

Mais qu'est-ce qu'il avait fait pour être aussi *badlucké*? fulminait Julius Rancourt. Comment Simone avait-elle pu se casser une cheville en déboulant trois petites marches? Elle lui avait téléphoné alors qu'il se rendait à l'hôpital en se disant qu'il cesserait bientôt de perdre autant de temps au chevet de sa marraine. Elle avait relaté sa mésaventure avec tant de détails qu'il l'avait interrompue en lui disant qu'il ne pouvait lui parler très longtemps puisqu'il était au volant. Il avait promis de la rappeler et avait coupé la communication en pestant. Cette imbécile ne lui serait plus d'aucune utilité pour les jours à venir. Il devait encore repousser le moment où il se débarrasserait définitivement d'Hélène! Il faillit faire demi-tour et rentrer chez lui, mais il devait continuer à donner l'image d'un neveu dévoué à sa marraine. Sourire aux autres infirmières en s'enquérant de l'état d'Hélène, les remercier des bons soins qu'elles lui prodiguaient. Avec la malchance qui lui collait à la peau, il trouverait probablement une de ses amies auprès d'elle, serait obligé d'écouter ses bavardages, de s'extasier devant le plat qu'elle aurait apporté, de prétendre qu'il l'aurait bien imitée s'il savait cuisiner. Il resta quelques minutes dans sa voiture avant d'en sortir, ruminant le mauvais sort qui s'abattait sur lui, se demandant s'il devait miser sur une autre infirmière. S'il n'agissait pas rapidement, Hélène finirait par sortir du coma et tout son fric serait engouffré dans les soins que sa rééducation exigerait. Il fallait mettre fin à ce cauchemar!

: :

Viviane se tenait en face de la boutique Mariage Frères et admirait le travail de l'étalagiste qui préparait la vitrine consacrée aux thés de Noël. Justine avait-elle déjà acheté le cake aux fruits qu'elle aimait tant ou devait-elle la rejoindre dans cette vénérable maison que Justine qualifiait avec raison de paradis sur terre ? Si Viviane préférait le café, elle comprenait que son amie soit sensible à la magie de ces lieux consacrés au thé depuis plus de cent ans.

— Tu as trouvé ton bonheur ? demanda-t-elle à Justine quand elle la rejoignit.

— J'ai mon gâteau, dit Justine en tapotant son grand sac aubergine. Mais toi, tu en veux aussi ?

— Non, non, traversons chez Dilettantes. J'ai besoin d'un verre de champagne !

— J'espère qu'ils ont le Blanc de Blancs de Deutz en réserve. J'ai partagé un 2008 fabuleux avec Hélène l'an dernier, des goûts de biscuits roses, de coing, de miel et même de yuzu. Une merveille ! Un de mes champagnes préférés !

Elles poussèrent la porte vitrée de cette boutique où des centaines de bouteilles de champagne, de la plus simple appellation à la plus sophistiquée, réjouissaient l'œil de l'amateur, l'affolaient : comment choisir parmi toutes ces cuvées ? Elles descendirent au sous-sol pour boire le champagne de la journée, mais Viviane n'attendit pas qu'elles soient servies pour interroger Justine : que lui avait dit Aymeric Brüner ?

— Que son père se porte mieux. Qu'il ira au Québec voir Hélène s'il n'y a pas de changement.

— Quand ?

— Bientôt, j'imagine. Sinon il ne m'aurait pas rappelée.

— C'est juste, convint Viviane. Il n'a pas proposé de te revoir ?

— Non. Il est en Alsace présentement.

— Il n'a rien mentionné de plus à propos de son voyage chez nous ? reprit Viviane.

— Je n'ai pas insisté, fit Justine. Je ne pouvais tout de même pas lui demander de quitter le chevet de son père pour se rendre à celui d'Hélène. Mais il s'est informé d'elle, voulait savoir s'il y avait du nouveau. Je le sens partagé entre le désir de la voir, la peur qu'il y ait des complications, qu'elle… qu'elle parte avant qu'il ait pu la connaître et l'idée de se déplacer inutilement puisque rien n'indique qu'Hélène se réveillera bientôt.

— Rien n'indique le contraire, protesta Viviane.

— Bien sûr que non.

— Aymeric Brüner aurait dû lui répondre avant. Il aurait même pu l'accompagner à New York s'il lui avait fait signe plus tôt. Il aurait vu à quel point Hélène est…

— Tu es de mauvaise foi, dit Justine. Il était en convalescence.

— Tu as dit qu'il avait été blessé en début d'année. D'après Marie, Hélène lui a écrit au printemps. Il a eu le temps de se remettre de ses blessures.

— Il était sous le choc et devait reconsidérer sa situation. N'oublie pas qu'il a aussi perdu sa mère, il n'y a pas si longtemps. Il avait peut-être le sentiment de la trahir en répondant à Hélène.

— Tu le défends férocement ! s'étonna Viviane. Il est si charmant ? Il t'a tapé dans l'œil ?

— Idiote ! Mais oui, il me plaît bien. Et il vous plaira aussi. Il ressemble à Hélène. Je te jure que cela me faisait un drôle d'effet de l'avoir devant moi. Il bouge comme elle. Il a son côté méthodique quand il pose des questions. Quand il m'interrogeait sur l'accident, il avait la même attention qu'Hélène lorsqu'elle nous écoute. Concentré, précis.

— Raison de plus pour qu'il vienne à Montréal, s'impatienta Viviane. Il est policier, il pourrait revoir l'enquête avec Alex Mitchell. Ils pourraient piéger Julius.

— Piéger Julius ?

— Avant qu'il s'en prenne de nouveau à Hélène. Il continue de se rendre à l'hôpital deux fois par semaine. Ce n'est pas normal.

— Que veux-tu qu'il fasse ? Il ne va tout de même pas l'étouffer avec son oreiller.

— Alex Mitchell m'a prise au sérieux quand je lui ai parlé de Julius. Il ne pense pas que je suis paranoïaque.

— Je n'ai jamais dit ça ! protesta Justine. Mais Hélène est en sécurité à l'hôpital. C'est quand elle en sortira qu'elle sera moins protégée. Nous n'en sommes pas là.

— Je maintiens que Julius ne la visite pas sans raison, s'entêta Viviane avant de finir son verre.

— Je me demande quelle sera sa réaction quand il apprendra l'existence d'Aymeric Brüner.

— Il aura peur de devoir partager l'héritage d'Hélène.

— Elle n'est pas encore morte ! s'écria Justine.

— Il aura peut-être envie de s'en prendre à Aymeric Brüner. Tu devrais le prévenir d'être sur ses gardes s'il se décide à voir Hélène.

— Ce n'est pas ça qui l'encouragera à partir, marmonna Justine.

— Au contraire. C'est un flic. Nos soupçons ont dû piquer sa curiosité.

Comme Justine fixait son verre sans répondre, Viviane l'interrogea du regard. À quoi pensait-elle ?

— J'aimerais être comme toi, avoir des certitudes.

— Ce n'est pas toujours une bonne chose. Je manque parfois de jugement. Je m'emballe trop vite. Mais je ne me trompe pas en ce qui concerne Julius. Et je veux que Mitchell et Brüner le coincent.

— Comment ?

— Je n'en sais rien. C'est leur métier. L'important, c'est que Julius ignore pour le moment l'existence d'Aymeric Brüner. Et ce qu'il représente pour Hélène. Bon, on va dîner ? J'ai promis à Marie de quêter une recette et de la lui envoyer. J'espère que ce ne sera pas trop compliqué.

::

14 novembre

Auguste Trahan venait de terminer le rapport sur les visites qu'il avait effectuées avec Diane dans la journée, précisant ce qu'il avait pu observer chez les enfants, chaque détail qui pourrait aider ultérieurement les infirmières ou les médecins. Il avait hésité avant de rapporter que M. Valois avait multiplié les grossièretés en s'adressant à Diane, alias Lady Butterfly. Il avait l'impression de le condamner, mais il savait qu'il devait noter ces paroles scabreuses qui émaillaient maintenant le discours de Robert Valois, un éminent professeur de droit trahi par son cerveau. Ces commentaires avaient horrifié sa femme qui avait secoué la tête en disant que son mari ne se serait jamais exprimé ainsi avant la maladie. Auguste, Diane, Suzanne et Vanessa avaient tenté de la réconforter : ils étaient persuadés que le professeur Valois était un homme poli.

— C'est comme si un mauvais esprit squattait ses pensées, avait dit Mme Valois. Robert est de moins en moins lui-même…

— Nous avons pu bavarder gentiment hier, lui avait rappelé Auguste. Il m'a même expliqué les subtilités qui entouraient le choix des jurés dans une cause criminelle. C'était limpide et tellement vivant : ses étudiants devaient adorer ses cours.

Renée Valois avait souri, il est vrai que son époux avait encore de longs moments de lucidité.

— J'aimerais que nos enfants le voient seulement dans ces instants-là, avait-elle avoué. Robert ne voudrait pas qu'ils l'entendent dire… des bêtises.

— Il est plus calme le matin, avait noté Vanessa. Peut-être que ce serait préférable que vous veniez avec vos jumeaux en matinée ?

Renée Valois avait acquiescé, les avait remerciés de leur patience. Ils avaient protesté : ils aimaient le professeur Valois, ils étaient toujours heureux de le visiter.

Auguste pensait à Renée Valois en finissant de rédiger son rapport, s'interrogeait sur son avenir qui ne ressemblerait pas à ce qu'elle avait imaginé, la maladie de son mari s'étant déclarée quelques semaines après qu'il eut pris sa retraite. Était-il égoïste de se trouver chanceux d'avoir pu échanger avec son père jusqu'à son dernier souffle. Qu'est-ce qui est préférable pour le patient ? Être ou ne pas être conscient de la maladie ? Il refermait son ordinateur lorsqu'il entendit la porte s'ouvrir derrière lui.

— Tu n'as pas vu M. Larochelle ? demanda Vanessa.

— M. Larochelle ? Que les policiers ont emmené ce matin ?

— On vient de déclencher le code jaune, il n'est nulle part ! Je ne comprends pas comment il a pu échapper à... Il s'était pourtant calmé quand je suis passée tantôt. Son voisin de chambre pense qu'il est sorti depuis une bonne heure. Pourquoi ne nous a-t-il pas avertis ? Il doit avoir vu que M. Larochelle partait sans manteau... mais je suppose que...

— Je vais vous aider à le chercher, l'interrompit Auguste. Il ne peut pas s'être rendu si loin.

— J'espère que tu as raison, soupira Vanessa. Tu serais surpris de ce qu'un patient peut réussir à faire.

::

— Eh ? Mitchell ? T'es avec nous ? demanda Adrien Bordeleau.

— Quoi ?

— As-tu entendu ce que Dufour vient de nous dire ?

Alex Mitchell hocha la tête, s'efforçant de montrer son intérêt pour les informations échangées dans la salle de réunion, se sentant coupable d'avoir été distrait, sachant qu'il devait redoubler d'attention, maîtriser son esprit qui vagabondait depuis qu'il avait soupé avec Gabrielle. Il devait la chasser de ses pensées, écouter ses collègues, réagir à leurs suggestions, prendre des décisions. Comme si rien n'avait changé. Car rien n'avait pu changer à ce point en une soirée ! Ils s'étaient embrassés, oui. Et après ? Ce n'était pas la première femme avec qui il échangeait des baisers. Pourquoi l'obsédait-elle ? Pourquoi avait-il rêvé à elle ? Pourquoi son image lui apparaissait-elle aussi lorsqu'il était éveillé ? Il lui suffisait de fermer les yeux trois secondes pour que Gabrielle se matérialise, qu'il ait envie d'embrasser la fossette qui creusait si légèrement sa joue droite, ou le haut de son front où ses cheveux dessinaient une pointe. Il repoussa sa chaise d'un geste brusque.

— Je vais me chercher un café. Je n'ai pas eu ma dose aujourd'hui.

— As-tu passé la nuit sur la corde à linge ? le taquina Bordeleau. Ça devait être frette…

— Mais non, il était au chaud avec une jolie infirmière, le coupa Dufour. C'est ça qu'il nous cache !

— Vous vous trompez, répondit Mitchell avec le manque de conviction qui devrait persuader ses collègues du contraire.

Il sourit en remplissant sa tasse, fier de cette petite ruse, puis s'inquiéta : avait-il de bonnes raisons de sourire, alors qu'il ignorait si Gabrielle avait envie de le revoir ? Devait-il lui faire signe ou le trouverait-elle trop empressé ? Accaparant ? Si elle vivait seule depuis quatre ans, c'est peut-être qu'elle n'aimait pas qu'on envahisse son espace. Il aurait dû lui poser plus de questions durant cette soirée, mais il avait craint de paraître trop curieux, d'adopter sans le vouloir son ton d'enquêteur. Maintenant, il le regrettait. Il ajouta du sucre dans son café, but une gorgée en se disant qu'il irait faire un tour à l'hôpital. Puis songea que c'était inutile : Gabrielle ne lui avait-elle pas dit qu'elle avait une audition ? Ce n'était pas la peine de la déranger en lui envoyant un message, elle serait trop occupée pour lui répondre. D'un autre côté, ce serait gentil de s'informer de cette audition ; elle l'avait questionné sur son métier pour alimenter le personnage qu'elle devait présenter… Non, il attendrait la fin de la semaine. Il revint s'asseoir près de Dufour qui déplorait l'arrestation d'un itinérant.

— On n'aurait pas dû être obligés de s'en occuper, fit-il. S'il avait pris ses médicaments…

— Tu veux dire : si quelqu'un avait vu à ce qu'il les prenne, le corrigea Mitchell. Mais les malades sont laissés à eux-mêmes.

— Il me semble que c'est de pire en pire. Et qu'il y a plus de jeunes. Maudite dope qui leur brûle le cerveau.

— Et ça ne s'arrangera pas, soupira Anne-Lise Gallant. Ce qu'on nous apprend à propos du fentanyl n'est pas rassurant. Les overdoses se multiplient à Montréal. Comme s'il n'y avait pas déjà assez de cochonneries sur le marché.

— Je ne comprendrai jamais les junkies, fit Dufour. Moi, les piqûres, faut que j'y sois obligé. Qu'est-ce qui leur passe par la tête pour s'injecter du fentanyl ? Il y a eu des avertissements à la télé, ils doivent savoir que c'est de la scrap !

— Penses-tu vraiment qu'ils regardent ces messages ? lança Mitchell avant de terminer son café en grimaçant.

Il le compara à celui au goût de carton et de brûlé qu'il buvait parfois à l'hôpital. Repensa à Gabrielle qui apportait un thermos quand elle allait voir Hélène, lui faisait sentir les arômes grillés de son moka avant de le boire. Durant une fraction de seconde, il envia Hélène d'avoir droit à toutes ces attentions de la part de Gabrielle. Puis il se fustigea : il déraillait pour penser une pareille chose ! Se concentrer, il devait se concentrer sur les affaires en cours. Alors qu'il aurait tant voulu qu'on lui apporte de nouveaux indices concernant le dossier d'Hélène Holcomb. Mais les filatures sur Normandeau et Rancourt n'avaient rien donné de consistant pour le moment. Il avait juré à Gabrielle qu'il ne lâcherait jamais cette affaire, mais il se sentait piteux de n'avoir rien de neuf à lui offrir. Et gêné d'avoir envie qu'elle l'admire s'il parvenait à coincer Julius Rancourt.

::

— Vous l'avez retrouvé ! s'écria Suzanne Chalifour en voyant Arnaud sortir de l'ascenseur en compagnie du patient qui leur avait faussé compagnie.

Elle nota qu'Arnaud avait prêté son manteau à Jasmin Larochelle qui avait les lèvres barbouillées de cacao.

— Où était-il ? demanda Vanessa.

— Je traversais le parc pour me rendre à l'hôpital. Je l'ai trouvé assis à côté d'un banc. Sans manteau.

— Qu'est-ce que vous avez fait ?

— Je suis resté tout près, mais sans l'approcher. Je ne voulais pas l'apeurer. Il discutait… avec quelqu'un dans sa tête. Quand il s'est tu, je lui ai offert des chocolats. Tout le monde aime le chocolat. Je ne me suis pas trompé, il en a mangé deux. Je lui en ai promis deux autres s'il me suivait à l'intérieur de l'hôpital. Je lui ai dit que j'en apportais à une amie. Qu'on irait la voir ensemble.

— C'était une bonne idée, dit Suzanne Chalifour en souriant à Arnaud Fontaine.

— Malheureusement, il n'en reste plus beaucoup dans la boîte. J'en rapporterai demain.

— Voyons donc ! Vous nous avez déjà tellement rendu service ! répondit l'infirmière.

— Je suis un homme de parole. Et je veux que vous goûtiez aux créations de Kim. Est-ce un bon moment pour le voir ?

— Il va mieux. Il sera content d'avoir de la visite, il s'ennuie. Il s'inquiète pour sa boutique.

— Mais je lui ai pourtant promis de m'en occuper avec son employée, dit Arnaud.

— Allez le rassurer. Répétez-lui qu'il doit se reposer. Il a subi un choc important, même si tout semble rentrer dans l'ordre. Vous avez su vous y prendre avec M. Larochelle. Merci encore, monsieur…

— Arnaud Fontaine. Je n'ai pas de mérite. N'importe qui aurait fait la même chose.

— Justement pas, le contredit Suzanne. La maladie mentale effraie les gens. Elle en fait des pestiférés. On ne s'en approche pas.

— C'est plutôt ce pauvre homme qui avait peur. Il était tout recroquevillé.

— Vous avez compris tout de suite son désarroi…

— J'ai un ami qui vit maintenant dans un CHSLD, l'interrompit Arnaud. Il ne me reconnaît pas tout le temps. C'était le même regard de confusion, de crainte. Ça doit être horrible de sentir que notre bon sens nous échappe et qu'on n'y peut rien. Je me suis plaint quand…

Arnaud se tut. Il n'allait tout de même pas raconter sa vie à cette infirmière qui avait autre chose à faire que de l'écouter. Mais Suzanne Chalifour lui souriait sans montrer de signe d'impatience.

— J'ai eu un syndrome de Bell, lâcha-t-il.

— Ça ne paraît pas beaucoup.

— Non, mais j'ai dû quitter mon emploi. J'étais chef. J'ai perdu l'odorat. Je commence à le retrouver un peu.

— Chef ? fit Suzanne Chalifour avec enthousiasme. Dans un restaurant ?

— Mais oui… Chez Christophe. Vous connaissez ?

— Non, admit Suzanne. Mais je pourrais tout de même vous emprunter deux ou trois recettes ?

— Bien sûr, dit Arnaud. Ce n'est pas le choix qui manque. Ça dépend de ce que vous avez envie de manger. Et du temps que vous avez pour réaliser un plat et…

— Je dois y aller, l'interrompit Suzanne, mais je pourrais vous retrouver dans la chambre de Kim dans une heure.

— J'y serai. Ensuite, je retourne à la chocolaterie. Mais je reviendrai demain à la même heure, si jamais on se manquait tantôt.

Suzanne Chalifour lui sourit, promit de le rejoindre plus tard, puis s'éloigna vers l'îlot central. Arnaud Fontaine la regarda tandis qu'elle s'arrêtait pour donner ses directives à deux jeunes infirmières et se dit que c'était vraiment une belle femme. Sans pouvoir l'expliquer, il la comparait à une miche de pain, chaude, dorée, réconfortante. Puis il s'interrogea: quel genre de recettes envisageait-elle? Avait-elle quelques notions de cuisine? Il s'arrêta devant la chambre de Kim pour se désinfecter les mains et fut ravi de constater qu'il percevait l'odeur du produit aseptisant. Il entra dans la chambre en riant, étonnant Kim.

— Qu'est-ce qui t'amuse autant?

— Je viens de sentir le désinfectant. Je n'aurais jamais pensé que cela me ferait plaisir un jour. Mais j'aime mieux les arômes du cacao et je te dis tout de suite qu'on arrive à maintenir ta production.

— C'est vrai?

— Ta petite Geneviève est efficace. Comme elle me l'a fait remarquer, on a de la chance que tu ne te sois pas blessé la veille de la Saint-Valentin ou de la fête de Pâques. Où as-tu déniché cette gamine?

— Geneviève est une décrocheuse, expliqua Kim. Un matin, je l'ai vue qui regardait la vitrine de la boutique sans oser entrer. Après dix minutes, je suis sorti pour lui demander si elle attendait quelqu'un, si tout était OK pour elle. Elle m'a répondu qu'elle n'attendait personne et que personne ne l'attendait. Je ne sais pas pourquoi, mais je l'ai retenue. Elle était pas mal maigre. On a jasé. Puis je lui ai proposé de faire le ménage de la boutique. Et maintenant...

— Elle chante tes louanges. Et je comprends pourquoi.

Il y eut un silence qui gêna les deux hommes, puis Arnaud lui raconta qu'il avait pu ramener un patient à l'hôpital grâce à ses chocolats.

— Quel parfum?

— Érable, fruit de la passion, framboise, miel, beurre salé.

— Pistache?

— Non, je sais que c'est un de tes préférés, mais je devais offrir ces chocolats ici. J'ai supposé que les noix poseraient un problème.

— À qui?

— Je ne sais pas. À tout le monde. C'est interdit partout. C'est chiant!

— Je voulais savoir à qui tu avais l'intention de les donner.

— À l'infirmière en chef, pour la remercier, fit Arnaud. Quand je suis venu te voir le premier soir, elle était là. Je paniquais en voyant tous ces tubes. Elle m'a rassuré.

— Apportes-en plus demain, demanda Kim. Pour tous ceux et celles qui travaillent sur cet étage. Ils me font penser à mes abeilles qui n'arrêtent jamais. Remplis deux grosses boîtes.

— Avec ou sans pistaches?

— Avec, dit Kim en souriant pour la première fois depuis son arrivée à l'hôpital.

— Je pourrais aussi apporter mon gâteau moelleux au chocolat…

::

17 novembre

Aymeric Brüner regarda un moment les avions atterrir et décoller autour de l'aéroport de Roissy, se rappelant qu'il voulait, quand il était enfant, devenir pilote de ligne. Pourquoi avait-il changé d'idée et avait-il choisi d'entrer à la gendarmerie? S'il avait opté pour le ciel, il n'aurait jamais été blessé. Jusqu'à tout récemment, il croyait devoir renoncer à sa carrière, n'admettait pas d'être diminué auprès de ses collègues, mais il retrouvait une certaine mobilité et un peu d'espoir. Et il y avait Justine qui était persuadée qu'il devait discuter de l'enquête avec le capitaine Alex Mitchell. Il avait répondu qu'il n'avait pas encore décidé s'il viendrait au Québec et que, même s'il se rendait à Montréal, il se garderait bien de marcher sur les plates-bandes d'un enquêteur. Mais elle lui avait répété qu'il devait s'en mêler: on avait tenté de tuer sa mère et il fallait arrêter le criminel. Et voilà qu'il venait de prendre un petit déjeuner chez Maxim's après avoir enregistré sa valise. Il aurait pu se contenter d'un sandwich, mais il avait eu envie d'être assis confortablement, de respirer l'odeur des croissants, de voir des miettes de pâte feuilletée tomber sur ses œufs au plat tout en sirotant un café. Il avait deux heures à tuer, après tout. Il avait acheté un roman à la gare de l'Est, mais ne l'avait pas encore commencé. Réussirait-il à s'y plonger ? Il manquait de concentration, toutes ses pensées étant dirigées vers Hélène. Qu'éprouverait-il en voyant sa mère biologique couchée sur un lit d'hôpital ? Pourquoi allait-il voir cette femme qui ne pourrait répondre à aucune de ses questions ? « Parce que tu le regretteras si tu n'y vas pas, avait dit son père. Et tu apprendras certaines choses par ses amies. Et de toute manière, tu veux comprendre ce qui s'est passé lors de l'accident. » Aymeric avait été tenté de nier, mais s'était contenté de hausser les épaules ; n'avait-il pas rappelé Justine pour lui reparler de l'accident avant de lui annoncer qu'il avait réservé un vol qui arriverait samedi à Montréal ? Elle avait bredouillé des remerciements, s'était excusée, avait promis qu'une des filles irait le chercher à l'aéroport.

— Marie, Gabrielle, Ornella ou peut-être Mathilde. Il y aura quelqu'un pour vous conduire à votre hôtel. Où souhaitez-vous qu'on réserve une chambre ?

— Je m'en chargerai, avait dit Aymeric, et je peux très bien prendre un taxi.

— Non, Hélène ne serait pas d'accord. Vous me donnez le numéro de votre vol et on s'occupe de tout. Dites-moi si vous préférez le Plateau ou le Vieux-Montréal, le centre-ville...

— Le plus proche de l'hôpital, l'avait interrompue Aymeric.

— Bien. Votre père se porte donc mieux ?

— En effet.

Un silence se prolongea un peu trop. Justine toussa avant de dire à Aymeric Brüner qu'elle lui enverrait par courriel tous les détails concernant son séjour.

— Parfait. Merci.

— Non, c'est moi qui vous remercie. On vous remercie toutes. Et… je ne sais pas si…

— Si quoi ?

— Viviane m'a dit de vous prévenir que le neveu d'Hélène ne sera pas ravi d'apprendre qu'elle a un fils. On préfère vous mettre en garde. On informera Alex Mitchell, mais ce serait mieux…

— Que vos amies prétendent que je suis un élève d'Hélène. N'a-t-elle pas donné une série de cours de cuisine à Paris l'an dernier ? Elle avait été invitée par une autre femme chef, qui est allée chez vous auparavant, dans le cadre de Montréal en lumière. Anne-Sophie Pic, si j'ai bonne mémoire.

— Vous êtes bien renseigné, fit Justine.

Elle se réjouissait de cet intérêt d'Aymeric pour Hélène. Il était peut-être un peu froid au téléphone, mais il avait pensé à sa mère, avait fait des recherches sur elle, réfléchi à sa position face à Julius. Il préparait son séjour avec minutie.

— C'est facile pour moi de recueillir des informations, avait-il répondu. Taisez mon identité au neveu. J'aviserai sur place de ce que je lui dis ou non. Ce qui est envisageable dans les circonstances. Et quand j'aurai parlé avec l'enquêteur Mitchell.

Prenait-il déjà une certaine place, *sa* place dans cette histoire ? s'était demandé Justine.

— Nous suivrons toutes vos directives. Je préviens les filles. Elles seront ravies de vous accueillir.

11

18 novembre

Arnaud Fontaine se tenait près de l'ascenseur, surveillant les allées et venues de Suzanne Chalifour, guettant le moment où elle s'arrêterait plus de dix secondes au poste central pour lui donner le gâteau qu'il avait fait pour elle. Et pour les autres infirmières, bien sûr. Il avait pensé à ce qu'il lui dirait: il avait préféré faire le dessert afin qu'elle puisse y goûter et, si elle l'aimait, il lui donnerait la recette. Il avait opté pour un clafoutis, un peu gêné de préparer un dessert aussi simple, mais ne voulant pas avoir l'air prétentieux en arrivant avec un opéra ou une Sachertorte qui exigent plus de compétences. Suzanne lui avait demandé des recettes faciles à réaliser et à apporter à l'hôpital, en lui expliquant qu'elles étaient destinées à une femme inconsciente depuis des semaines que ses amies tentaient de réveiller par les odeurs. Elles préparaient des plats qu'elles partageaient ensuite avec le personnel de l'étage.

— Mais elles commencent à manquer de recettes. Ça dure depuis plusieurs semaines. On en fait aussi. On n'a pas envie de baisser les bras. On aimerait vraiment qu'Hélène se réveille par le pouvoir d'une odeur. Une bonne odeur, loin de celles de l'hôpital. Pas des relents de maladie, de désinfectant, mais une odeur ronde, douce.

« Comme vous », avait pensé Arnaud sans la quitter des yeux, se demandant si elle remarquait son trouble qui l'étonnait lui-même : il n'avait pas ressenti ce genre d'élan depuis des années.

— Vous savez mieux que quiconque à quel point elles sont primordiales, avait poursuivi Suzanne. Vous les connaissez si bien…

— Et je connais aussi le poids de leur perte, avait soupiré Arnaud. Même si j'en retrouve lentement certaines, je n'oublierai jamais ce que j'ai ressenti, comme si je vivais tout à coup dans un monde en noir et blanc. Je vous donnerai des recettes riches en arômes, promis !

Maintenant qu'il se tenait au bout du couloir avec son clafoutis et les pots de pannacotta aux fruits de la passion, il hésitait. Le clafoutis dégageait-il suffisamment son parfum de poire ? Et les fruits de la passion au goût acidulé et pourtant sucré libéraient-ils leur exotisme ? Avec qui Suzanne partagerait-elle les desserts après les avoir fait sentir à la Belle au bois dormant ? Il ne savait absolument rien à son sujet. Il avait tout de même remarqué qu'elle ne portait pas d'alliance, mais peut-être qu'elle l'enlevait au travail pour ne pas l'abîmer avec les gels nettoyants. Combien de fois par jour les infirmières se lavaient-elles les mains, enfilaient-elles des gants pour les retirer cinq minutes plus tard, en remettre d'autres ? Lui-même ne portait pas d'alliance quand il travaillait chez Christophe. Et comment pouvait-il s'intéresser à quelqu'un qu'il connaissait à peine ? Il était un vieux fou de se poser toutes ces questions à propos d'une inconnue qui s'efforçait simplement d'être gentille avec lui parce qu'il avait ramené un patient égaré à l'hôpital, leur évitant sûrement des blâmes. Il prit une longue inspiration avant de se diriger vers Suzanne en tâchant de rester le plus naturel possible.

— Voilà, je tiens mes promesses, dit-il en lui tendant l'assiette de clafoutis. J'ai pensé que c'était mieux de vous montrer le résultat final. De cette façon, vous saurez si ça vaut la peine ou non de faire la recette. J'ai ajouté des pots de pannacotta. C'est rapide à préparer et...

— Vous n'auriez pas dû ! Je suis confuse...

— Ce n'est rien.

— Un clafoutis ! Ça goûte l'été ! Vous tombez à pic. Marie est avec Hélène. Suivez-moi.

— Je ne veux pas déranger. Je n'ai pas...

Mais Suzanne marchait déjà devant lui et il la suivit dans le corridor, bifurqua dans un couloir jusqu'à ce que l'infirmière s'arrête près d'une porte entrouverte. Elle frappa deux petits coups, attendit quelques secondes, se nomma puis poussa la porte. Marie s'éloigna du chevet d'Hélène pour l'accueillir.

— Qu'est-ce que vous nous apportez là ?

— Je n'y suis pour rien. C'est M. Fontaine qui a préparé un clafoutis aux poires et...

— Un clafoutis ? s'exclama Marie. C'est le premier dessert qu'Hélène m'a offert ! Elle était adolescente. Aux pommes, avec de la cannelle. Elle m'en prépare un chaque été avec les framboises qu'elle cueille sur son terrain. Et avec des cerises, des bleuets.

Marie se tourna vers Hélène, émue, puis vers Suzanne et Arnaud, expliqua qu'elle avait connu son amie lors de sa première année d'enseignement. Qu'Hélène se passionnait déjà pour la cuisine.

— C'est tellement gentil ! fit-elle en tendant la main. Je m'appelle Marie. Et voici Hélène.

Comme Arnaud Fontaine hésitait, Marie le prit par le bras pour l'inciter à s'approcher du lit. Arnaud s'avança, fixa Hélène, poussa une exclamation qui fit sursauter les deux femmes.

— C'est Hélène Holcomb ! s'écria-t-il. Vous ne me l'aviez pas dit !

— Non ?

— Mme Holcomb ! C'est une des plus grandes de la profession ! Et je lui ai fait un clafoutis ! Avoir su, j'aurais...

— C'est très bien ainsi, fit Marie. Alors vous connaissez Hélène ?
— J'étais chef jusqu'à l'an dernier.
— Où ?
— Chez Christophe ?
— Ah ! Les fameuses ravioles aux chanterelles ! sourit Marie.
— Vous en avez mangé ?
— J'ai eu cette chance. Grâce à Hélène qui les adore.

Le regard d'Arnaud allait de Marie à Hélène, incrédule. Hélène Holcomb !

— Je savais qu'elle avait eu un accident, finit-il par articuler, mais j'ignorais qu'elle était toujours ici. J'ai quitté le monde de la restauration, je ne suis pas trop au courant des nouvelles. Mon Dieu ! Si j'avais su… Mais je pourrais faire les ravioles, si vous voulez.

— C'est trop de boulot ! D'autant plus que nous n'avons pas beaucoup de résultats pour l'instant.

Suzanne fronça les sourcils ; ce n'était pas dans les habitudes de Marie de manifester ce défaitisme. La lassitude s'installait donc ? L'infirmière avait vu plus d'une fois ce sentiment gruger les proches des patients qui demeuraient longtemps dans le coma, mais elle avait espéré que les Muses sauraient mieux y résister.

— Ça peut prendre du temps à revenir, dit Arnaud. Mais les nerfs olfactifs sont costauds. J'ai perdu l'odorat l'an dernier, mais je le regagne doucement. Il faut continuer à titiller ce sens, varier les propositions.

— Les propositions ?
— Du sucré, du salé, de l'herbacé, de l'amer, de l'épicé…
— On fait tout ça, commença Marie. Des recettes acidulées, caramélisées, piquantes, chaudes, froides, riches, légères. Des simples, des compliquées. On fait tout ce qu'on peut pour réveiller ses souvenirs.

— Je n'en doute pas, dit Arnaud. Mme Holcomb a de la chance de vous avoir. Je serais honoré de participer à votre groupe de guérison, si vous me le permettez.

— Mais voyons…

— Cela me manque de cuisiner. J'ai l'âge de la retraite, je le sais, mais ça m'ennuie. Je reviendrai demain avec une salade de bœuf à la lime, à la coriandre et au basilic. Ou une salade de crevettes, si vous préférez.

— Ça sonne asiatique à mes oreilles, fit remarquer Marie. Je croyais que Christophe était un restaurant français.

— Oui, mais j'avais quand même introduit quelques recettes qui s'éloignaient de la tradition. Je sais que Mme Holcomb a vécu en Asie. Je pourrais faire un opéra au matcha.

— La chambre va se remplir de visiteurs si on apprend qu'on a un vrai chef dans l'équipe ! s'exclama Suzanne.

Elle vit Marie froncer les sourcils. Trouvait-elle qu'Arnaud Fontaine s'imposait ? Son admiration pour Hélène était sincère, mais…

— Serait-il possible de faire ça un autre jour ? demanda Marie. Vous êtes très gentil d'offrir ainsi votre concours. Et venant d'un chef, c'est très précieux. Mais Hélène attend une visite spéciale demain. Nous aurons besoin de calme.

Suzanne aurait bien aimé savoir qui venait voir Hélène Holcomb, mais elle se contenta de hocher la tête.

— On s'arrangera pour que ce visiteur puisse la retrouver en paix, promit-elle.

— Je vous en reparle tout à l'heure, en partageant ce clafoutis, dit Marie. Mais avant, il faut le prendre en photo.

— En photo ?

— Avec vous. On fait des photos de tout ce qui est préparé pour Hélène et on lui donnera un album gourmand quand elle reviendra parmi nous.

— Mais je ne suis pas…

— Vous êtes très bien, dit Suzanne Chalifour. Très bien.

Arnaud Fontaine tenta de lisser ses cheveux, reprit son clafoutis aux poires le temps d'un clic, puis sourit bêtement aux deux femmes avant de dire qu'il serait là lundi. Qu'il allait maintenant aider Kim à rentrer chez lui. Puis il passerait à la chocolaterie.

— J'en rapporterai demain. Vous n'avez pas goûté les pralinés à la noisette. Et je ferai les salades lundi.

— Flûte ! Je suis en congé lundi, se rappela Suzanne.

— Je vous en referai mardi, ce n'est pas plus compliqué. Ou alors le tartare de bœuf au radis noir, si vous avez toujours envie de ces parfums…

— Ce serait abuser, protesta l'infirmière.

— Abusez, abusez, ça me fait plaisir.

Il sortit avant que Suzanne puisse répliquer. Elle suivit Arnaud du regard, puis se tourna vers Marie.

— Il est vraiment serviable, dit-elle.

— Serviable ? s'esclaffa Marie. C'est tout ce que tu trouves à dire à propos d'un homme qui te promet des chocolats et des salades exotiques tous les jours ?

— M. Fontaine est très gentil.

— Et il te regarde comme si tu étais la plus savoureuse des pâtisseries. Il te dévore des yeux.

— Voyons donc ! M'avez-vous vue ?

— Je t'ai déjà dit de nous tutoyer, la reprit Marie.

— J'ai presque son âge, dix kilos de trop, un uniforme qui est tout sauf sexy.

— De beaux yeux et le plus doux des sourires. C'est ce qui m'a frappée quand j'étais au chevet d'Hélène le premier jour. Ton sourire arrivait à nous rassurer un peu. Arnaud Fontaine doit trouver que…

Marie se tut, puis tapa ses mains l'une contre l'autre.

— Qu'est-ce qu'il y a ?

— C'est un chef ! Il devrait pouvoir comprendre les notes qu'Hélène a colligées dans ses carnets. Recréer une recette qu'elle aura découverte avant l'accident. On refait des plats qu'elle a toujours aimés, mais ni moi ni les filles ne connaissons ses derniers coups de cœur. Nous savons seulement qu'elle s'est attablée à New York chez Eleven Madison, Cosme, Flora, NoMad. Ça ne coûte rien d'en parler avec M. Fontaine quand il reviendra lundi.

— Mais vous souhaitez qu'Hélène ait moins de visiteurs demain, si j'ai bien compris…

— Oui. Et on doit éviter de croiser Julius.

— Pas de danger, la rassura Suzanne, il est venu ce matin. Il ne vient jamais deux jours de suite.

— Tu en es certaine ?

— Absolument.

— C'est… c'est quelqu'un de son passé qui vient voir Hélène. Quelqu'un d'important pour elle.

— Personne ne vous dérangera, fit Suzanne.

::

Clafoutis aux poires

- 6 poires pelées, épépinées et coupées en tranches
- 30 g (2 c. à soupe) de beurre
- 1,25 ml (¼ c. à thé) de cardamome (facultatif)
- 30 ml (2 c. à soupe) d'alcool de poire ou de rhum
- 2 œufs
- 60 g (4 c. à soupe) de sucre
- 85 g (7 c. à soupe) de farine
- 30 ml (2 c. à soupe) d'amandes en poudre
- 190 ml (¾ tasse) de lait
- 1 gousse de vanille (prélever les graines seulement)

Préchauffer le four à 180 °C (350 °F).

Dans une poêle, faire fondre le beurre et y faire revenir les poires 5 minutes. Saupoudrer de cardamome. Réserver.

Dans un bol, mélanger le reste des ingrédients.

Beurrer un moule à clafoutis ou une assiette à tarte assez creuse. Répartir les poires dans le fond du moule, puis recouvrir de l'appareil préparé. Cuire au four de 40 à 50 minutes ou jusqu'à ce que la pâte soit dorée.

: :

— Docteur Grand V ! gémit Matis en reconnaissant Auguste Trahan alors qu'un préposé poussait la civière hors de la salle des urgences.

— Qu'est-ce qui t'est arrivé, mon bonhomme ? fit le clown en s'étonnant que Matis ait pu le remarquer.

On avait immobilisé le garçon sur la civière et, même si on avait essuyé son visage, des traces de sang se voyaient toujours près des cheveux, dans son cou. Il grimaçait de douleur, mais c'était surtout son regard épouvanté qui inquiéta Auguste, le cri plaintif qu'il avait poussé en le voyant. Et l'air tendu de Pauline, l'infirmière qui était auprès de Matis et tentait de le rassurer sans y parvenir.

— Tu le connais ? dit Pauline.

— Oui, il s'est fait opérer un pied, il y a quelques semaines.

— Comment s'appelle-t-il ? Il n'a rien sur lui, pas de papiers. Il s'est fait heurter par une voiture. Les ambulanciers ont dit que, d'après les témoins, il courait tout seul au beau milieu du boulevard Pie-IX.

— Il s'appelle Matis. C'est le Dr Mathieu qui a pratiqué l'intervention. Qu'est-ce qu'il fabriquait dans ce quartier, il…

— Dieu merci, ça veut dire qu'on a un dossier sur lui ! soupira l'infirmière. On va pouvoir prévenir ses parents.

— Il n'a pas l'âge de se balader tout seul, dit Auguste qui souriait à Matis tout en se remémorant ses parents.

Il revoyait la mère qui leur avait ordonné, à Diane et à lui, de les laisser tranquilles, malgré l'accueil souriant que leur faisait l'enfant qui tendait les bras vers eux. Une mère qui avait sans doute ses raisons pour leur refuser l'accès à la chambre, mais qui avait déplu à Auguste par sa manière de garder une main sur l'épaule de son fils, comme si elle craignait qu'il lui échappe. Un geste plus possessif que réconfortant, avait-il jugé. Et un père effacé qui s'était contenté de hausser les épaules tandis que Diane et lui battaient en retraite, se résignant à discuter plus tard du cas de Matis avec les infirmières. Les clowns devinaient que cet enfant avait besoin d'eux, mais, pour l'aider, ils devaient comme toujours intégrer les parents à leur échange avec Matis.

— On va prendre bien soin de toi, mon beau Matis, jura Auguste en lui effleurant le front.

— Viens avec moi, fit le petit garçon en pleurant. J'ai… j'ai…

— Je sais que tu as peur, mais je ne peux pas rester avec toi, répondit Auguste à regret, troublé par l'abattement doublé d'effroi qu'il lisait dans le regard de l'enfant. Je te promets de te retrouver dans ta chambre tantôt. Et Pauline est très gentille. Elle sera à tes côtés.

Auguste s'effaça pour permettre le passage de la civière, puis s'empressa d'aller informer Suzanne Chalifour du retour de Matis à l'hôpital. C'était grâce à elle qu'il avait pu précédemment entrer en relation avec l'enfant, parce qu'elle l'avait prévenu des moments où il pourrait le rencontrer « par hasard » au détour d'un couloir, à la sortie d'une salle d'examen ou après le départ de sa mère.

Que faisait Matis Létourneau si loin de chez lui ? Et que signifiait cette peur qu'il avait perçue ? Cet enfant l'avait impressionné par le calme qu'il manifestait lors des prises de sang, des piqûres ou de tout autre acte médical. Il n'avait pas peur des médecins, encore moins des infirmières, posait des tas de questions, avait déclaré qu'il serait docteur ou clown quand il serait grand. Que s'était-il passé ? Il fallait qu'on dépêche au plus vite des policiers à son domicile. Qu'on joigne les parents. Qu'on sache ce qui lui était arrivé !

: :

Marie-Soleil Lizotte observait Julius Rancourt, alors qu'il accrochait leurs manteaux à une des patères du café où il lui avait donné rendez-vous. C'était un homme séduisant, grand, mince sans être fluet, à la démarche souple, aux yeux d'un vert étrangement brillant, deux lacs profonds qui devaient donner envie à bien des femmes d'y plonger. Puis de caresser sa chevelure épaisse, lustrée d'un noir intense. Marie-Soleil se rappela les paroles de Vanessa quand elle avait mis en doute son intérêt pour Simone: «Il est trop beau pour être vrai.» Oui. Et certainement trop beau pour être l'amoureux de Simone, comme celle-ci le prétendait. Que lui avait-il raconté pour qu'elle y croie? Marie-Soleil se demandait depuis la veille pourquoi il l'avait abordée alors qu'elle se dirigeait vers l'abribus en face de l'hôpital. Pourquoi il lui avait offert de la reconduire chez elle. Pourquoi il lui avait proposé de prendre un verre avec lui.

Mais elle savait pourquoi elle avait accepté.

Par curiosité. Pour savoir quel motif l'avait poussé à l'inviter ce soir. Pour voir s'il lui parlerait de Simone, son grand amour...

Marie-Soleil se remémora les confidences de celle-ci: Julius Rancourt s'inquiétait pour sa marraine, craignait l'acharnement thérapeutique tout en envisageant de s'occuper d'elle quand elle quitterait l'hôpital. Simone avait même insinué que Julius voulait l'engager comme infirmière à domicile pour sa tante. Songeait-il à lui offrir le poste puisque Simone s'était blessée? Non, c'était très prématuré. Hélène Holcomb était toujours dans le coma, Simone avait le temps de se débarrasser de son plâtre et de faire de la physio avant que cette patiente reprenne connaissance. Si elle reprenait connaissance. Pour l'instant, son état était stable, ni mieux ni pire. Évidemment, plus le coma s'étirait, plus difficile serait la rééducation et personne ne pouvait prédire quelles seraient les séquelles d'une si longue plongée dans le néant. Est-ce que Julius Rancourt était vraiment lucide en envisageant de se charger de sa tante? Pour des semaines, des mois, des années? Était-il si riche pour pouvoir payer les services d'une aide à domicile durant tout ce temps? Car il était évident pour Marie-Soleil que ce ne serait pas Julius lui-même qui se chargerait des soins. Lors de ses visites à sa tante, il restait debout à côté de son lit à la regarder. Il lui baisait le front en arrivant et en partant, mais Marie-Soleil ne l'avait jamais vu la toucher, lui passer un gant de toilette sur le visage, lui masser les mains, les pieds comme le faisaient ses amies. Il la fixait comme s'il attendait une réponse. À quelle question ? Quels étaient les liens qui les unissaient ? Simone prétendait que Julius était très proche de sa tante, très soucieux de son bien-être, mais il ne demeurait jamais plus de quinze minutes dans sa chambre. Réglé comme une horloge. Mécanique. Voilà ! Elle avait sa définition de Julius Rancourt : un androïde. Qu'éprouvaient les androïdes ? Pas grand-chose… Sa meilleure amie l'aurait taquinée en lui disant qu'elle voulait toujours mettre des étiquettes, classer les gens par catégories : qu'avait-elle retenu des cours de psycho qu'elles avaient suivis ensemble ? Ne savait-elle pas qu'elle devait se garder de jugements prématurés ? Marie-Soleil lui aurait répondu qu'elle aimait cerner les personnes qui l'intriguaient. De quoi l'entretiendrait Julius ?

Tandis qu'il s'assoyait en face d'elle, elle sourit. La soirée serait sûrement intéressante. Elle prit une poignée de popcorn aromatisé aux épices cajuns, décida qu'un verre de bourgogne aligoté pourrait fort bien convenir. Se trompait-elle ou Julius Rancourt avait-il retenu un soupir de soulagement ? Avait-il craint qu'elle choisisse la flûte de Roederer ? S'il envisageait de payer sa consommation, c'est qu'il était soit *old-fashioned,* don Juan ou demandeur. Que voulait-il obtenir d'elle ?

Intéressant, oui, vraiment.

: :

19 novembre

— Auguste ? dit Fabien Mathieu à voix basse. Réveillez-vous !

N'obtenant aucun résultat, le médecin secoua légèrement l'épaule du clown, l'interpella de nouveau.

— Docteur Grand V ? Réveillez-vous.

— Quoi ? marmonna Auguste. Qu'est-ce que…

— Vous vous êtes endormi.

Auguste Trahan se frotta les yeux, dévisagea le médecin, puis se tourna vers le lit où dormait Matis, interrogea Fabien Mathieu du regard, se redressa brusquement. Y avait-il des complications ?

— Non, non, les constantes sont stables. L'opération s'est bien déroulée.

— Qu'est-ce que vous faites ici alors ?

— Je voulais seulement m'assurer que tout allait bien. L'intervention s'est passée mieux que je ne pouvais l'espérer, compte tenu des fractures, mais on ne sait jamais. Matis va bien. Enfin… dans les circonstances. Tu… Vous êtes resté ici toute la nuit, m'a dit l'infirmière de garde.

— J'avais promis à ce petit bonhomme d'être là quand il reviendrait dans sa chambre. Je ne voulais pas que Matis se réveille sans un visage connu auprès de lui. On avait eu un bon contact lors de son premier séjour, quand vous l'avez opéré au pied.

— Je m'en souviens. Vous m'avez foncé dessus avec le fauteuil roulant.

Auguste protesta : c'est le Dr Mathieu qui les avait heurtés parce qu'il ne regardait pas où il allait.

— On demandera à Matis de trancher lorsqu'il se réveillera, proposa Fabien Mathieu en souriant.

— Vous devriez sourire plus souvent, dit Auguste. Ça vous va bien.

— Pardon ?

Auguste secoua la tête. Il disait n'importe quoi. Il avait besoin d'un café pour s'éclaircir les idées.

— Matis va dormir encore un bon bout de temps, dit Fabien Mathieu. Vous pouvez aller vous chercher un café. Je vais rester ici pour le moment. Matis me posait beaucoup de questions sur mon travail. Il est fasciné par les appareils qui… Il m'aime bien, je crois, malgré tout.

— Ça semble vous étonner, constata Auguste.

— Je n'ai pas le tour avec les enfants. Je ne sais pas quoi leur dire.

— Souvent, il faut juste les écouter.

— Matis est un gamin très intelligent. Il établit des liens très logiques. Il est mature pour son âge. Il m'a impressionné.

— Je me demande si c'est une bonne chose qu'il comprenne tout…

Les deux hommes fixèrent Matis durant quelques secondes, redoutant son réveil, l'instant où il réaliserait qu'il n'avait pas fait un cauchemar. Qu'il avait bien quitté la demeure familiale parce qu'il avait vu sa mère tuer son père.

— Est-ce qu'on en sait plus ce matin ? murmura Auguste. Je voulais parler à Vanessa, mais je me suis endormi.

— Sortons, fit Fabien Mathieu. Il dort, mais…

— On ne sait jamais ce qu'ils entendent.

Fabien soupira. Il n'aimait pas s'éloigner du cadre strict de la science. Il savait bien que Matis dormait profondément. Il connaissait parfaitement les effets de l'anesthésie, mais il redoutait pourtant, contre toute logique médicale, que l'enfant perçoive leur conversation.

— C'est irrationnel, avoua-t-il à Auguste en sortant de la chambre.

— Peut-être pas. J'ai beaucoup lu sur le sommeil, le coma. Il y a quand même des témoignages de patients qui ont entendu des choses. C'est pour ça que…

— Vous parlez tous à Hélène Holcomb, je le sais. Et vous lui préparez des plats.

— Vous le savez depuis longtemps ?

— Peu importe.

— Si elle pouvait échanger sa place contre celle de Matis, murmura Auguste. S'il pouvait dormir durant des jours. Hélène est dans le coma depuis trop longtemps, mais lui aurait bien besoin de tout oublier. Qu'est-ce que vous avez appris ?

— Pas grand-chose, reconnut Mathieu. Les enquêteurs veulent interroger Matis. Une voisine l'a vu quitter la maison en courant au milieu de l'après-midi. Il y a des traces de sang, ou plutôt de petits pas ensanglantés près du corps de son père. Les ambulanciers avaient remarqué que les chaussures de Matis étaient tachées, mais aux urgences, ils ont cru que c'était à cause de ses blessures. Ils ne pouvaient pas imaginer qu'il avait fui une scène de crime.

— Mais comment s'est-il retrouvé aussi loin de chez lui ?

— C'est un mystère, dit Fabien Mathieu. Un autre élément qu'il pourra peut-être expliquer aux policiers. Il a seulement huit ans. Moi, à huit ans, j'aimais l'école, le hockey et j'apprenais à jouer aux échecs.

— Moi, je… je perdais ma mère. Et j'avais peur de l'oublier. Je regardais sa photo constamment.

Fabien Mathieu observa quelques secondes de silence avant de raconter qu'il avait soigné une fillette rescapée, près du détroit de Gibraltar, qui avait avalé la photo de sa mère pour que personne ne la lui vole et qu'elle demeure en elle.

— Ça m'a pris du temps à comprendre ce qui lui était arrivé, avoua-t-il. Je m'en veux encore. Mais on travaille tellement dans l'urgence sur le bateau ! On voit des choses inimaginables.

— Vous devez être en état de stress permanent. Comment arrivez-vous à fonctionner ?

— L'adrénaline, je suppose. On réfléchit à cent milles à l'heure, on doit prendre vingt décisions en même temps. La volonté d'en sauver le plus possible me guidait, me permettait de me rappeler tout ce que j'avais appris, de ne pas céder à la panique. Et la colère. Tous ces enfants, tous ces gens qui se sont noyés, qui se noient encore. La colère m'habite toujours.

— Ça paraît un peu, dit Auguste Trahan. Mais je comprends mieux maintenant.

— Je sais que je suis bête, dit Fabien Mathieu. J'ai toujours peur qu'on perde du temps. Que, par distraction ou incompétence, quelqu'un en paie le prix. Je ne veux pas que ce soit de ma faute. Mais parfois il faut justement prendre du temps. La petite, sur le bateau, j'aurais dû me poser plus de questions. Elle avait mal au ventre. On pense à la faim. À une infection. Une agression sexuelle. Il y a des viols en mer, des pirates. Je ne pouvais pas savoir qu'elle avait mangé une photo. Et une bague qui avait appartenu à son père. J'aurais dû être plus curieux. J'ai failli la perdre. C'est un confrère qui l'a sauvée.

— On ne peut pas tout comprendre, fit Auguste.

— Qu'est-ce que Matis va devenir? dit Fabien Mathieu. Plus de père, plus de mère. C'est pour ça que tu es resté près de lui?

— Moi, j'avais toujours mon père, répondit Auguste.

Il se demanda s'il devait se réjouir de ce tutoiement. Condescendance ou complicité?

— Sais-tu s'il a de la famille? s'enquit le médecin.

— Pas à Montréal, en tout cas. Je sentais qu'il était isolé. Il n'a reçu que la visite de son professeur. Pas d'oncles, pas de grands-parents, pas de cousins. Paradoxalement, j'avais l'impression que la mère souhaitait cette situation. Je ne sais pas trop pourquoi… c'était bizarre. J'aurais dû moi aussi me poser plus de questions.

— Comment aurais-tu pu deviner?

— Je m'en veux quand même, murmura Auguste.

— Le Dr Grand V a fait de son mieux, dit Fabien Mathieu. Je sais que tu es doué avec les enfants. Je les entends rire quand tu es avec eux.

Tandis qu'Auguste le dévisageait, éberlué de l'entendre vanter son travail, se demandant s'il était bien éveillé ou s'il rêvait, Fabien ajouta qu'il était jaloux de lui.

— Jaloux?

— Je ne sais pas décoder les enfants. Je n'aurais pas été bon en pédiatrie. Sur le bateau, avec les petits…

Fabien Mathieu soupira, haussa les épaules, lui dit d'aller chercher ces cafés dont ils avaient bien besoin.

— Mais je peux y aller si tu préfères. Ils ne seront pas aussi bons que ceux de Pierre-Hugues, mais ce sera mieux que rien.

— Pierre-Hugues a acheté une machine qui vaut trois mille dollars, rappela Auguste. À ce prix-là, l'expresso est mieux d'être bon. Je vais à la cafétéria. Ça va me permettre de me dégourdir un peu.

Il sortit son nez rouge d'une poche de son sarrau, le tendit à Fabien Mathieu.

— Tu diras à Matis que je reviens rapidement. Pour qu'il sache que je tiens mes promesses. Tu peux l'essayer si tu veux…

— Le brun ne me va pas très bien, paraît-il.

— Il est rouge.

— Je suis daltonien.

— Moi aussi !

— Pour un clown, ce n'est pas trop grave, mais Pierre-Hugues et François m'asticotent tout le temps sur mon habillement. Bon, je surveille Matis. Je ne bougerai pas, promis.

Il jeta un coup d'œil à sa montre.

— Mme Chalifour devrait arriver bientôt.

— Oui, acquiesça Auguste en notant que Fabien Mathieu appelait Suzanne par son patronyme. Elle est toujours en avance.

— Et elle a un œil de lynx. Elle voit tout ! C'est une perle.

— Les lynx n'ont pas la vision qu'on leur prête, le corrigea Auguste.

— Pardon ?

— Les lynx ont un meilleur odorat. Mais je répéterai tes bonnes paroles à Suzanne.

Fabien Mathieu faillit protester, puis esquissa un sourire.

— Mme Chalifour sait que je l'apprécie. Je retourne auprès de Matis. Je prends un sucre et du lait.

— C'est dommage qu'il ne reste plus de clafoutis dans la 1002, avança Auguste pour tester la réaction du médecin.

— Aux pommes ?
— Non, aux poires.
— Je n'en ai jamais goûté.
— Moi non plus. Je suis arrivé trop tard.

En se dirigeant vers la cafétéria, Auguste Trahan souriait, se rappelant les paroles de Suzanne qui avait comparé Fabien Mathieu à un oursin. Avait-il réussi à percer sa carapace ? L'avait-il vraiment appelé Dr Grand V ? Lui avait-il vraiment proposé d'aller chercher les cafés ? L'avait-il vu tâter son nez de caoutchouc en souriant ?

: :

Marie avait dû regarder l'horloge murale au moins vingt fois depuis qu'elle était au chevet d'Hélène, anxieuse à l'idée de rencontrer enfin Aymeric Brüner. Ornella, qui était allée le chercher à l'aéroport, lui avait confirmé que, en effet, il ressemblait à leur amie comme Justine le leur avait dit, mais Marie n'arrivait pas à l'imaginer. Ornella l'avait prévenue qu'il avait l'intention de l'interroger à propos de sa naissance, de son père et de son adoption.

— Mais ce n'est pas à moi de lui raconter tout ça ! avait protesté Marie.

— Tu le lui diras toi-même. Bonne chance ! Il parle de tout et de rien et, tout à coup, il vous surprend avec une question qu'on n'attendait pas. Il mène la conversation.

— Il mène la conversation ? avait répété Marie.

— J'ai l'impression qu'il sait exactement ce qu'il veut et comment l'obtenir.

— Un autre point de ressemblance avec Hélène…

— Ce qui est le plus frappant, c'est son regard, avait ajouté Ornella. Absolument le même. Je l'ai reconnu tout de suite à l'aéroport.

— Il devait être fatigué, surtout avec le retard de l'avion…

— Il a seulement dit qu'il était préférable qu'il voie Hélène demain. C'est vrai qu'il vaut mieux qu'il soit reposé. C'est un moment très particulier pour lui.

— Qu'est-ce qu'il t'a demandé ?

— De me raconter comment j'ai connu Hélène. Ce qui nous lie. Des souvenirs.

— Il essaie de la connaître à travers nous, avait dit Marie. C'est bon signe.

— Je suppose. Il est tellement réservé… Tu verras, demain.

En entendant frapper deux petits coups à la porte de la chambre, Marie inspira longuement, regarda Hélène, replaça ses cheveux, se pencha vers elle pour lui murmurer que son fils était là. Son cœur battait si fort qu'elle dut s'appuyer sur un montant du lit. Tout en se répétant qu'il n'y aurait probablement pas de miracle, qu'Hélène ne s'éveillerait pas en entendant la voix de ce fils qu'elle ne connaissait pas, Marie ne pouvait s'empêcher d'espérer que cette rencontre changerait les choses.

— C'est nous, fit Ornella en poussant la porte de la chambre.

— Bonjour, dit Marie en fixant Aymeric.

Elle retrouva immédiatement le regard si clair de leur amie, ce regard qui l'avait frappée alors qu'Hélène était adolescente. Elle se disait en même temps qu'elle devait s'éloigner du lit d'Hélène, sortir de la chambre pour permettre à Aymeric de vivre cet instant en toute intimité, mais elle avait l'impression que ses jambes se déroberaient sous elle. Elle devait se ressaisir, lâcher le montant du lit. Elle ferma les yeux, s'efforça de se concentrer, de ne plus penser à la grossesse d'Hélène, à son accouchement, mais les images refaisaient surface, se succédaient à un rythme fou dans son esprit où elle croyait pourtant qu'elles étaient profondément enfouies.

— Marie ? Ça va ? s'enquit Ornella.

— Oui, c'est juste que…

— C'est étrange, murmura Aymeric en s'avançant vers le lit.

Tous ses gestes semblaient ralentis, éternisaient l'instant unique de cette rencontre avec sa mère.

— On vous laisse, dit Ornella en prenant Marie par le bras. Nous serons à côté.

Aymeric ne l'entendit pas, s'immobilisant à quelques centimètres du lit, captant une image complète d'Hélène pour considérer ensuite les détails les uns après les autres. Il songea qu'il n'agissait pas différemment sur une scène de crime. Il régnait aussi ce silence unique qui flotte autour d'un corps. Non, il avait tout faux : il entendait la respiration d'Hélène. Voyait sa poitrine se soulever avec une régularité qui l'incita à calquer sa respiration sur celle de sa mère. Sa mère. Il se répétait ce mot pour se persuader de sa réalité, mais la situation était trop étrange pour qu'il y parvienne si vite. Il devait s'imprégner de ces instants, continuer à observer Hélène. Peut-être qu'à force de l'observer, il intégrerait son image, réussirait à la superposer à la sienne, à établir leurs correspondances. Il regardait son front, ses joues, son nez sans savoir s'il en avait hérité et comprenait alors qu'il ne s'était jamais attardé à sa propre image, qu'il se connaissait peu, se rasait chaque matin sans se voir, machinalement. Il savait aussi que le regard créait l'identité d'un être et il était privé de celui d'Hélène.

Se réveillerait-elle un jour ? Pourquoi était-il venu ? Parce qu'il voulait la voir avant qu'elle meure, refusant d'avoir raté l'ultime rendez-vous ? Ou croyait-il qu'elle sentirait sa présence, qu'il suffirait à la tirer du néant ?

Comment pouvait-il se bercer ainsi de pensées magiques ? Lui dont le scepticisme était un credo, qui répétait à ses hommes de ne jamais prendre pour argent comptant les témoignages qu'ils recueillaient. « Doutez, doutez de tout et surtout de vos certitudes. » Il se pencha néanmoins vers Hélène, lui murmura qu'il était là. Lui parla de ses parents, des jumeaux, de sa vie en France, lui raconta qu'il avait aussi vécu des jours de coma. Qu'elle devait se réveiller comme il l'avait fait, sortir des ténèbres. Il lui parlait sans la quitter des yeux, lui avouait qu'il avait lu plusieurs articles la concernant, qu'il était à Paris en avril de l'année précédente, alors qu'elle était allée rencontrer Anne-Sophie Pic et Hélène Darroze, qu'ils auraient pu se croiser à l'épicerie de la rue François-Miron où Justine lui avait dit qu'Hélène se rendait à chacune de ses visites dans la Ville lumière. Ou chez Berthillon pour la glace aux fraises des bois. Il l'adorait aussi.

Puis il se tut. Posa sa main sur son poignet en signe d'au revoir, s'étonnant d'y sentir tant de chaleur. Au moment où il quittait la chambre, il entendit un tintement qui ne provenait pas des appareils auxquels était reliée Hélène, un bruit de verre qui s'était tu alors qu'il s'immobilisait pour mieux le percevoir. En bougeant, il entendit de nouveau ce bruit, comprit d'où il venait, il avait heurté la table de chevet qui contenait des verres et des ustensiles. Il revit Justine qui lui expliquait leurs tentatives d'éveiller Hélène par les arômes, Gabrielle, qui la veille lui avait récité la liste de tous les plats qui avaient embaumé cette pièce. Les amies d'Hélène commençaient à bien lui plaire.

Puis il quitta la chambre, rejoignit Ornella et Marie qui le dévisageaient sans prononcer un mot. Il devina qu'elles avaient aussi espéré un miracle. Il leur sourit pour atténuer leur déception et dit tout haut ce qu'elles pensaient.

— Ce n'est pas comme dans les films.

Ils se turent quelques secondes, puis Marie déclara qu'il était venu, qu'il avait vu Hélène, que c'était le principal. Elle pourrait lui parler de cette visite quand elle se réveillerait. Savoir que son fils s'était présenté à son chevet l'aiderait à affronter le retour à la vie qui serait sûrement difficile.

— Elle est dans le coma depuis plusieurs semaines, dit Aymeric. Moi, je ne l'ai été que durant quelques jours, mais j'ai vite repris mes marques. Plus rapidement que ne l'espéraient les médecins. Hélène est une sportive, ça jouera en sa faveur.

— C'est gentil de nous dire ça, fit Ornella d'une voix enrouée.

Aymeric Brüner haussa les épaules, secoua l'émotion qui le gagnait à son tour, déclara qu'il voulait rencontrer Alex Mitchell.

— C'est toujours au programme, l'assura Ornella. Tu le verras chez Gabrielle en fin d'après-midi et... je m'excuse, je vous ai tutoyé, mais...

— Ça me convient, l'interrompit Aymeric. À condition que tu en fasses autant.

— Et tu me tutoies également, s'empressa de dire Marie, même si je suis plus vieille que ta mère.

Aymeric secoua la tête en échangeant un regard de complicité avec Ornella : Marie disait des sottises.

— As-tu prévu quelque chose pour dîner ?

— Pour dîner ?

— On aurait voulu t'emmener chez Strega, mais nous craignons que tu y croises Julius Rancourt. On mangera plutôt chez moi. J'ai préparé les pastillas de Ricardo. Elles sont vraiment délicieuses.

— Ça me rappellera mon voyage au Maroc, dit Aymeric. Rancourt va souvent chez Strega ?

— Quand Hélène est là, oui, répondit Ornella. Il s'offre un repas somptueux sans rien débourser. Depuis l'accident, il s'y rend moins, mais il tient à montrer à la brigade qu'il s'inquiète pour sa marraine, qu'il pense à l'équipe qui bosse sans son chef.

— Tu l'aimes beaucoup, ironisa Aymeric.

— Vous n'avez pas de preuves contre lui, fit Marie. C'est tellement grave de penser qu'il aurait pu... C'est tout de même sa tante ! La sœur de sa mère !

— Je suis certaine que son alibi ne vaut pas grand-chose, s'entêta Ornella.

— On verra tout ça avec Mitchell. J'ai été surpris par la sobriété de la chambre, c'est spartiate. Quand les gens restent à l'hôpital, il y a des tas de trucs, des photos, des peluches, tout le bazar. Je sais bien que... qu'elle est inconsciente, mais...

— On avait mis des photos de nous avec elle. Mais Julius a voulu en mettre une de lui avec Hélène. Viviane a décidé de tout enlever.

— Rancourt n'a pas protesté ? s'étonna Aymeric.

— Viviane lui a dit que les infirmières perdaient du temps à contempler sa photo, expliqua Marie.

— Il l'a crue, évidemment, se moqua Ornella. Il est tellement narcissique ! De toute façon, Hélène aime les décors épurés.

— C'est vrai ?

— Oui, c'est plutôt zen chez elle. Minimaliste. Influence de son séjour au Japon.

Aymeric songea à son propre appartement où tout était dans les tons de gris, noir et blanc, sans bibelots, sans plantes vertes. Simplissime. Il pensa à sa pratique du kyudo et se demanda s'il partageait beaucoup d'autres choses avec Hélène.

: :

Pastillas de dinde de Ricardo*

Mélange d'épices
- 10ml (2 c. à thé) de cannelle moulue
- 5 ml (1 c. à thé) de zeste d'orange râpé finement
- 0,5 ml (⅛ c. à thé) de curcuma moulu
- 0,5 ml (⅛ c. à thé) de piment de la Jamaïque moulu
- 0,5 ml (⅛ c. à thé) de cardamome moulue
- 0,5 ml (⅛ c. à thé) de flocons de piment broyé

Pastillas
- 1 oignon haché
- 1 gousse d'ail hachée
- 85 g (6 c. à soupe de beurre)
- 15 ml (1 c. à soupe) de farine tout usage non blanchie
- 250 ml (1 tasse) de bouillon de poulet
- 340 g (¾ lb) de dinde cuite effilochée
- 55 g (½ tasse) d'amandes tranchées grillées
- 50 g (¼ tasse) d'abricots séchés coupés en dés
- 30ml (2 c. à soupe) de miel
- 16 feuilles à rouleaux de printemps carrées de 15 cm (6 po) ou 8 grandes feuilles de brick coupées en deux
- Sucre à glacer pour saupoudrer

---

* Source : Ricardo Cuisine, www.ricardocuisine.com/recettes/7934-pastillas-de-dinde. La recette a été reproduite avec l'aimable autorisation de Ricardo Larrivée.

Mélange d'épices

Dans un bol, mélanger tous les ingrédients.

Pastillas

Dans une grande poêle à feu moyen-élevé, attendrir l'oignon et l'ail dans 2 c. à soupe de beurre. Ajouter le mélange d'épices et poursuivre la cuisson 1 minute. Saupoudrer de la farine et cuire 1 minute en remuant. Ajouter le bouillon. Porter à ébullition en remuant. Ajouter la dinde, les amandes, les abricots et le miel. Saler et poivrer. Laisser tiédir.

Faire fondre le reste du beurre dans une petite casserole ou au micro-ondes.

Sur un plan de travail, badigeonner 2 feuilles de pâte à la fois de beurre fondu. Les superposer en forme d'étoile. Déposer le huitième de la garniture au centre. Rabattre la pâte sur la garniture de façon à donner une forme ronde à la pastilla. Réserver sur une grande assiette, le côté plié en dessous. Répéter avec le reste des ingrédients.

Dans une grande poêle antiadhésive à feu moyen, dorer les pastillas dans le reste du beurre fondu 3 minutes de chaque côté. Ajouter du beurre au besoin.

Déposer dans une assiette de service. Saupoudrer de sucre à glacer et d'une pincée de cannelle. Servir immédiatement.

12

19 novembre

Gabrielle fixait la porte du café où elle avait donné rendez-vous à Julius Rancourt en espérant qu'il ne serait pas en retard. Elle avait hâte d'avoir accompli la mission que lui avaient confiée Alex Mitchell et Aymeric Brüner. Elle avait protesté lorsque ce dernier avait suggéré qu'elle se charge d'apprendre à Julius qu'Hélène avait un fils, mais Alex avait approuvé cette idée, apportant des arguments convaincants. Elle serait la plus habile pour jouer la comédie, feindre une colère qu'elle n'éprouvait pas. Elle avait répété avec eux la fable qu'elle servirait à Julius et elle se sentait prête. Dès qu'elle reconnut sa silhouette derrière la grande baie vitrée, elle esquissa un geste de la main auquel il répondit par un signe de la tête. Gabrielle se leva pour l'embrasser, puis poussa un long soupir.

— Qu'est-ce qui se passe ? Il y a du nouveau au sujet de ma marraine ? Les médecins auraient dû m'appeler. Je suis sa seule famille !

— Justement, non.

— Non, quoi ?

— Tu n'es pas son seul parent, dit Gabrielle.

Elle marqua un temps, faisant mine de chercher ses mots, hésitant à le regarder dans les yeux, se reprenant.

— Je… je suis désolée de te l'apprendre si brutalement, mais je suis moi-même tellement bouleversée…

— Qu'est-ce que tu racontes ? s'alarma Julius.

— Je me suis disputée avec Marie et Ornella. Elles ne voulaient pas que je t'en parle. Mais je trouve que tu as le droit de connaître la vérité. Hélène nous a caché l'existence d'un enfant.

— Quoi ? fit Julius en écarquillant les yeux.

— Un fils. D'une trentaine d'années. Qu'elle a retrouvé avant l'accident. Aurais-tu pu imaginer ça ? Elle ne nous en a jamais parlé ! À nous, ses meilleures amies ! Elle ne nous faisait pas confiance ! Je suis tellement choquée !

— Ça… ça n'a pas de bon sens, bégaya Julius. Tu dois te tromper ! Ma mère l'aurait su…

— Elle ne t'a jamais rien raconté à ce sujet ? s'enquit Gabrielle. Elle espérait que Marie avait raison en affirmant que la sœur d'Hélène n'avait jamais rien su de sa grossesse, que leur mère avait été trop humiliée par la trahison de son amant, de leur amant, pour y faire allusion. Et trop inquiète que son mari apprenne la vérité et demande le divorce. Selon Marie, Chantale s'était bien doutée qu'un secret existait entre sa mère et son aînée, mais Hélène était certaine qu'elle était morte sans avoir pu le découvrir. Et le rapporter à son fils.

— Voyons donc ! Sa sœur l'aurait su ! répéta Julius.

— Ils ont fait un test d'ADN, mentit Gabrielle.

— Quoi ?

— Olivier Martin est bien le fils d'Hélène. Il s'est d'abord présenté à l'hôpital en disant qu'il était un des élèves qui avaient suivi son cours de cuisine à Paris, mais il s'est emmêlé dans ses explications et il a fini par tout raconter à Marie.

Julius serra les poings sous la table. Ainsi, Marie-Soleil avait raison, un Français s'était bien présenté au chevet d'Hélène en affirmant avoir appris son accident par des collègues restaurateurs. Julius avait été intrigué par cette visite, mais Marie-Soleil n'avait pas pu lui fournir plus d'information. Des tests d'ADN ? Comment pourrait-il les contester ? Que voulait ce type ? Pourquoi débarquait-il maintenant ?

— Je n'en sais pas davantage, affirma Gabrielle. Mais j'ai mon idée là-dessus. Il est venu pour juger de la situation. Le nom d'Hélène Holcomb est synonyme de notoriété.

— Tu crois qu'il veut se vanter d'être son fils ? Qu'est-ce que ça lui donnerait ? Elle est dans le coma !

— Il pensait peut-être la réveiller, fit Gabrielle, se sentant coupable d'utiliser ce rêve qu'elles avaient toutes fait.

— La réveiller ?

— Il s'est peut-être imaginé qu'il avait des pouvoirs magiques ? persifla Gabrielle. Que le seul son de sa voix tirerait Hélène du néant. Qu'elle ouvrirait les yeux pour le connaître enfin !

— Le connaître ?

— Ils ne se sont jamais parlé. Elle ne l'a retrouvé qu'une semaine avant l'accident. Tu te rends compte ?

— Elle l'a retrouvé en septembre ?

— Oui, Olivier Martin a reçu une lettre d'Hélène datée du 1er septembre. Elle lui disait qu'elle venait d'avoir son adresse, qu'elle souhaitait le rencontrer, lui offrait de payer son billet d'avion ou d'aller le voir en France après son voyage à New York.

— Je ne comprends pas pourquoi il se pointe ici maintenant, marmonna Julius. Comment a-t-il pu savoir où elle était ?

— Les réseaux sociaux. L'accident a été médiatisé. Tout le monde est au courant de tout, aujourd'hui.

— Mais comment l'a-t-elle retrouvé ?

— On l'ignore, fit Gabrielle en haussant les épaules. Et lui aussi. Mais il nous a montré la lettre d'Hélène, c'est bien son écriture. Marie et Ornella sont charmantes avec lui, mais moi, je trouve ça suspect. On ne sait rien sur ce type !

Julius ferma les yeux : un cauchemar, il nageait en plein cauchemar ! Hélène avait un fils ! Qui ne débarquait certainement pas à

Montréal sans raison ! Il la savait mourante et voulait s'approprier son héritage ! Et lui, dans tout ça ? Il serait l'imbécile qui avait causé l'accident, pris tous les risques pour voir un autre type lui souffler l'argent ? Ce serait grâce à lui, qui avait envoyé Hélène dans le coma, qu'un pur inconnu toucherait son fric ? Il avait envie de hurler, de tout casser, mais se força à serrer les dents, à contenir sa rage. Au moins, Gabrielle se méfiait de cet étranger. Et Marie-Soleil avait promis de le prévenir s'il revenait à l'hôpital.

— Vous lui avez parlé de moi ? s'enquit-il.

— Évidemment, mais il a dit qu'il voulait attendre un peu avant de te rencontrer. Ce que j'ai trouvé très bizarre. Si vous êtes de la même famille, il devrait être curieux de voir son cousin, non ? C'est louche, tout ça. Je n'en reviens pas que Marie et Ornella se laissent prendre à son jeu. On dirait qu'il les impressionne…

— Pourquoi donc ? fit Julius d'un ton sec. Qu'est-ce qu'il a de particulier ?

— Aucune idée.

— Qu'est-ce que tu sais de lui ? Qu'est-ce qu'il fait dans la vie ?

— Il prétend être fonctionnaire. J'ai fait des recherches sur Internet, mais j'ai trouvé des dizaines d'Olivier Martin. En France, Martin est un nom aussi répandu que Tremblay au Québec. Ça ne nous avance à rien.

— Il est ici pour longtemps ?

— Il n'a rien dit à ce sujet.

Gabrielle afficha une mine catastrophée, alors qu'elle se réjouissait de constater le désarroi et la colère de Julius. Elle se demandait néanmoins s'il serait suffisamment bouleversé pour réagir aussi vite que l'espéraient Alex et Aymeric.

— En tout cas, poursuivit-elle, s'il croyait qu'Hélène se réveillerait, il doit être bien déçu. Et même s'il restait ici longtemps, je ne suis pas certaine que…

— Qu'elle sortira du coma ? Qu'est-ce qui te fait dire ça tout à coup ? Tu apportes des plats pour…

— Tu ne trouves pas qu'elle a changé ces derniers jours ? fit Gabrielle. Sa peau est plus… terne. Ses cheveux aussi.

Elle se tut, laissa couler ses larmes, les essuya d'un geste exaspéré, s'excusa auprès de Julius Rancourt.

— Je suis émotive, mais j'ai peur qu'on la perde.

— Tu m'as dit tantôt qu'il n'y avait pas de changement.

— D'après les médecins. Mais je me souviens de ma grand-mère quelques jours avant sa mort… Elle avait ce teint terreux. J'espère tellement me tromper !

— Qu'en pensent Marie et Ornella ?

— Elles croient au miracle et répètent à Hélène que son fils est auprès d'elle. Je déteste être fâchée contre elles, mais elles sont vraiment inconscientes. Cet homme est peut-être dangereux. Je ne comprends pas pourquoi il se pointe subitement au chevet de ta marraine.

— Dangereux ? releva Julius.

— Je te le répète, on ne sait rien de lui. Mais qu'est-ce qu'on peut y faire ? Tu devrais insister pour le rencontrer. Ou en parler aux enquêteurs.

Julius battit des paupières et poussa un long soupir avant de secouer la tête.

— Je ne suis pas sûr que ce soit une bonne idée. J'aimerais mieux d'abord essayer d'en savoir davantage sur lui.

— Oui, tu as raison, admit Gabrielle. Je suis trop impulsive. De toute manière, que te diraient les policiers ?

— Fais la paix avec Marie et Ornella. C'est par elles que tu pourras en apprendre plus sur Olivier Martin. Savoir au moins s'il compte s'incruster…

Gabrielle poussa à son tour un soupir résigné, acquiesça.

— Elles sont charmantes avec lui. Elles l'ont sûrement emmené manger chez Strega pour lui montrer le célèbre restaurant de sa mère.

— Fais semblant ! insista Julius. Tu es comédienne, après tout.

— Oui, on n'a pas le choix.

Elle repoussa sa chaise, prit son sac, s'immobilisa.

— Il y a un truc étrange qui me revient à l'esprit. Il a parlé de l'école qu'Hélène veut ouvrir.

— Quelle école ?

— Pour les immigrés. Elle t'en a parlé, non ?

— Je ne sais plus, mentit Julius.

— Il paraît qu'elle a écrit à ce type qu'elle avait des projets en ce sens. Quels projets ? Elle avait vaguement évoqué cette idée d'école avec Marie. Rien de plus. Même Marie a semblé étonnée qu'Olivier Martin nous en parle. Qu'est-ce que ça peut lui faire qu'Hélène veuille investir dans cette école ? De toute manière, ce n'était qu'un projet. Selon Marie, rien n'avait encore été amorcé... C'est pourquoi Hélène et elle ne nous en avaient pas parlé. Mais c'est trop étrange que Martin soit au courant. Je t'avoue que je suis mêlée.

— Il y a de quoi, souffla Julius.

Il était perturbé à l'évocation de ce capital qui pourrait lui échapper si Hélène se réveillait, décidait d'ouvrir cette maudite école. Pourquoi en avait-elle parlé à ce fils fantôme ? Quel rôle Hélène avait-elle envisagé pour lui ?

— Je vais aller voir Hélène à l'hôpital, tantôt. S'il y a du nouveau, je t'appelle. J'espère qu'on me laissera entrer dans sa chambre.

— Pourquoi pas ?

— Il y a eu des cas d'infection. Il était question d'isolement. Et de faire porter à tout le monde une combinaison et un masque. On ne saura plus qui est médecin, qui est visiteur ou infirmier...

— J'irais bien aussi, car ce que tu m'as dit sur son état m'inquiète, prétendit Julius, mais si je tombe sur son... sur ce Français...

— En effet, c'est plus prudent. C'est trop bizarre qu'il ne veuille pas te voir. Je te donnerai des nouvelles. C'est incroyable, cette histoire !

Gabrielle traversa le café à demi satisfaite. Si elle était persuadée d'avoir réussi à bluffer Julius, elle avait du mal à en mesurer les conséquences. Alex et Aymeric avaient-ils eu raison de vouloir pousser Julius à réagir ?

— Viviane m'a parlé de ses soupçons envers Rancourt il y a plusieurs semaines déjà, avait rappelé Alex. Et ce que nous a rapporté Marie-Soleil Lizotte nous prouve que Rancourt veut toujours savoir tout ce qui concerne Hélène. Après Simone, il se tourne maintenant vers Marie-Soleil pour obtenir des informations. Il semble pressé tout à coup.

— Heureusement que Marie-Soleil a compris son manège et qu'elle en a tout de suite parlé à l'infirmière en chef, avait dit Aymeric Brüner.

— Je l'ai suivi, je l'ai fait suivre, leur avait appris Alex. Rancourt a rencontré des gens pas trop catholiques. Je n'en sais pas davantage, mais ça me semble suspect qu'il tienne à être informé des visites que reçoit Hélène, de la routine des soins et des plats qu'on lui prépare. Marie-Soleil est formelle : il voulait savoir qui apportait quoi, si c'était à chaque repas, si vous veniez encore à tour de rôle voir Hélène. Pourquoi s'intéresse-t-il tant aux mets que vous lui préparez ?

— Il veut peut-être les assaisonner, avait avancé Aymeric. Est-ce qu'Hélène a des allergies ?

Gabrielle s'était sentie blêmir en entendant Aymeric évoquer aussi nettement un hypothétique empoisonnement, mais Alex n'avait pas sourcillé. Il lui avait répondu qu'il s'était informé à ce sujet et qu'Hélène n'avait pas d'allergies connues. Il avait donc lui aussi envisagé que Julius s'en prenne ainsi à sa marraine ?

— Mais… mais il ne peut tout de même pas lui faire avaler de force de l'arsenic, avait-elle bredouillé. Ça n'a pas de bon sens ! Elle est intubée…

— Le lui faire respirer ? avait suggéré Aymeric.

— Il s'est informé auprès de Simone des soins qu'exige l'état d'Hélène, des changements de perfusion.

En voyant pâlir Gabrielle, Alex s'était rapproché d'elle, lui avait dit qu'il valait mieux qu'il poursuive la discussion en tête à tête avec Aymeric, entre policiers.

— C'est notre métier.

Que s'étaient-ils dit ? Gabrielle l'ignorait et c'était mieux ainsi. Ils lui avaient seulement demandé de jouer l'indignée face à l'arrivée du fils illégitime. Elle avait rempli sa mission et quittait maintenant le café en marchant d'un pas régulier, alors qu'elle avait envie de courir pour s'éloigner au plus vite de Julius Rancourt. Elle avait mis tant de cœur à jouer son rôle qu'elle en avait oublié le micro qui avait capté leur entretien.

::

— C'est tellement parfumé ! s'extasia Suzanne Chalifour en goûtant à la salade de bœuf cru qu'avait apportée Arnaud Fontaine qui ne la quittait pas des yeux, guettant sa réaction, espérant ne pas la décevoir.

Il s'était présenté à l'îlot central avec trois douzaines de madeleines au thé matcha, deux litres de crème de chou-fleur aux croûtons grillés à l'huile de noisette, un tiramisu, des nems aux crevettes et la salade de bœuf qu'il avait préparée la veille pour souper avec Kim. Et qui lui valait maintenant les exclamations admiratives de Suzanne et de Marie-Soleil. Celles-ci l'avaient entraîné vers la chambre d'Hélène, où Mathilde lui faisait la lecture depuis le départ d'Aymeric, Ornella et Marie.

— Mais il y en a pour une armée ! s'était écriée Mathilde en voyant tout ce qu'avait apporté Arnaud Fontaine.

Suzanne avait fait les présentations, mentionnant qu'Hélène avait la chance d'avoir un vrai chef à son service.

— C'est dommage qu'Ornella et Marie soient parties, avait déploré Mathilde en fixant un grand plat recouvert de pellicule de plastique. Je rêve ou c'est un tiramisu ?

— Le grand classique italien, avait confirmé Arnaud. Je sais bien que Mme Holcomb a réinventé le sien, mais j'ai pensé que ça vous changerait de manger un dessert aromatisé au moka, plutôt que d'avaler ce truc infect que vous appelez pourtant café.

Il s'était efforcé de sourire à tout le monde, mais son regard revenait sans cesse à Suzanne Chalifour, qui lui souriait aussi.

— C'est le dessert favori de ma blonde, avait dit Mathilde.

— Elle est toujours à Paris ? s'était renseignée Suzanne.

— Viviane revient cette semaine. Et cette salade, qu'est-ce que c'est ?

— Au bœuf et aux herbes, avait précisé Arnaud en retirant le film plastique. La viande est à peine cuite par l'acidité de la lime et du citron. C'est vietnamien. J'en ai fait hier pour Kim. Et refait ce matin afin que les herbes soient bien fermes.

— Comment se débrouille-t-il ? avait demandé Suzanne tout en relevant Hélène avec l'aide de Marie-Soleil.

— Il est impatient. Mais je lui ai promis de l'emmener à la chocolaterie demain. Le plâtre de sa jambe le gêne, ses côtes le font souffrir, mais ses mains sont intactes. Il pourra reprendre doucement le travail. C'est mieux pour lui.

— On commence par la salade ? avait proposé Suzanne en approchant le grand bol du visage d'Hélène. Aidez-moi, Arnaud, ce plat est trop lourd. Ça sent tellement bon ! Qu'est-ce que vous avez mis là-dedans ?

— Citronnelle, menthe, coriandre, basilic thaï, ciboulette…

— Tout un jardin !

— Viviane m'a dit qu'Hélène a toujours eu un potager, avait évoqué Mathilde, même quand elle était jeune. C'est plutôt rare, une ado qui se passionne pour les tomates.

— Pas d'accord, avait protesté Arnaud. J'ai toujours aimé ça, moi aussi. J'ai toujours eu un potager. Même maintenant, sur ma terrasse, j'ai des…

Un geste de Suzanne l'avait fait taire, elle s'était immobilisée, scrutant le visage d'Hélène.

— Qu'est-ce qu'il y a ?

— J'ai cru la voir ouvrir les yeux. Je me suis trompée. Mais cette salade est tellement odorante que je pensais qu'elle l'avait réveillée.

Elle avait pourtant continué à la fixer durant quelques secondes, puis avait haussé les épaules, déçue et mesurant à quel point elle s'était attachée à Hélène pour espérer avec la même ferveur que les Muses qu'elle émerge enfin des limbes.

— On y goûte ? avait dit Mathilde.

La déception de Suzanne s'évanouit avec la première bouchée. La variété des textures, viande moelleuse, verdures craquantes, des saveurs où le feu du piment était tempéré par une note sucrée, et des herbes qui gardaient chacune son identité tout en s'épousant subjugua l'infirmière.

— Vous aimez ?

— C'est tellement parfumé !

Elle reprit une bouchée, déclara qu'elle pourrait manger cette salade tous les jours.

— Est-ce compliqué à faire ?

— Je vous montrerai si vous voulez, dit Arnaud en rougissant.

— On lui fait sentir la crème de chou-fleur ? proposa Mathilde, hésitant à rompre le silence qui se prolongeait, s'amusant du trouble qui avait gagné Suzanne et Arnaud.

— Bien sûr, dit Suzanne en chassant son embarras, bien sûr. Je vous laisse vous en charger, je ne peux pas rester ici plus longtemps.

— Je continue à lui faire la lecture, promit Mathilde. Francesca doit aussi passer plus tard.

— Arnaud, vous m'aidez à rapporter la salade à la salle de repos ? Tout le monde sera ravi d'y goûter.

— J'apporte aussi les madeleines ?

— Oui, dit Suzanne, on reviendra chercher le tiramisu quand Mathilde l'aura fait sentir à Hélène.

— Je m'en charge avec plaisir, fit Mathilde. Je ne bouge pas d'ici tant que Francesca ne sera pas arrivée. Merci pour Hélène, monsieur Fontaine.

Arnaud balaya ses remerciements d'un geste de la main : il était honoré d'avoir pu cuisiner pour la grande Hélène Holcomb et ses amies. Il remit le bol dans son grand sac bleu après avoir déposé quatre madeleines sur la table de chevet, puis quitta la chambre 1002.

— J'ai l'impression qu'il faut toujours qu'il y ait quelqu'un près de Mme Holcomb. Je me trompe ? demanda-t-il à Suzanne.

— C'est provisoire. Enfin, on l'espère.

— Ça me semble compliqué.

Suzanne soupira, fut tentée de raconter son entretien avec les policiers, mais se tut, ayant promis la discrétion sur tout ce qui concernait Julius Rancourt.

Elle espéra ne pas avoir tort en ayant affirmé que les mesures décrétées par Alex Mitchell et cet enquêteur français, dont elle ne comprenait pas exactement le rôle, seraient temporaires. L'idée que des policiers se fassent passer pour des préposés ne l'enchantait pas. Surtout en l'absence des Muses. Il fallait vraiment éviter tout dérapage…

— Si je peux me rendre utile, insista Arnaud. Je suis prêt à veiller Mme Holcomb, si nécessaire.

— Vous en avez déjà fait beaucoup. Mais si vous pouviez me donner la recette de la salade…

— Je vous ferai avant les deux autres versions, aux crevettes et aux calmars. Si vous mangez des calmars.

— J'aime tout. C'est mon problème, j'ai toujours faim et…

— La gourmandise est une vertu, l'interrompit Arnaud. Comme disait Brillat-Savarin : « La table est le seul endroit où on ne s'ennuie jamais durant la première heure. » Quand j'étais chef chez Christophe, je m'appliquais à ce que les gens aient envie de prolonger cette heure.

— J'aurais bien aimé connaître ce restaurant, dit-elle.

— Je pourrais vous y emmener, mais j'ai en mémoire toutes les recettes des plats que j'ai préparés durant des années. Si vous me permettez de vous inviter chez moi, je serais enchanté de vous dévoiler mes secrets.

— Vraiment ?

— Au moment qui vous conviendra.

— Je devais avoir congé demain, mais avec… enfin, j'ai changé mon horaire et ce serait plutôt vendredi.

— Va pour vendredi. Je vous donne mon adresse.

— J'ai vos coordonnées. Vous me les aviez laissées pour qu'on vous appelle si Kim avait besoin de vous.

— Et vous les avez conservées après son départ…

— Il semble que oui, fit Suzanne en fixant le bout de ses chaussures plates, si peu élégantes.

Comme sa tenue d'infirmière. Mais cet homme qui se tenait devant elle paraissait la voir différemment. Avec une bienveillance qu'elle n'éprouvait pas pour elle-même.

::

Salade de bœuf pour Kim

- 200 g (½ lb) de bœuf (tende de tranche ou ronde) coupé en lanières
- 45 ml (3 c. à soupe) + 45 ml (3 c. à soupe) de jus de lime
- 30 ml (2 c. à soupe) de feuilles de menthe hachées
- 30 ml (2 c. à soupe) de ciboulette hachée
- 15 ml (1 c. à soupe) de basilic thaï haché
- 30 ml (2 c. à soupe) de coriandre fraîche hachée
- 30 ml (2 c. à soupe) d'oignons verts coupés finement
- 1 bâton de citronnelle haché finement
- 1 gousse d'ail hachée
- 15 ml (1 c. à soupe) de sauce de poisson
- 60 ml (¼ tasse) de tomates coupées en quartiers
- Quelques feuilles de citronnier tranchées (facultatif)
- 30 ml (2 c. à soupe) d'arachides grillées hachées

Faire mariner le bœuf dans la moitié du jus de lime pendant 20 minutes.

Pendant ce temps, mélanger tous les autres ingrédients, sauf les arachides.

Égoutter la viande, puis l'ajouter au mélange.

Servir et parsemer d'arachides grillées.

Donne une entrée pour 4 personnes.

: :

Alex Mitchell venait tout juste de s'asseoir au Terminal où Aymeric Brüner devait le rejoindre lorsqu'il reçut un appel d'Adrien Bordeleau.

— Paraît que Jean-Noël Normandeau vient de se faire pincer à la douane. Avec des pilules de toutes les couleurs, du fentanyl sous toutes ses formes : liquide, buvards, comprimés, poudre.

— Notre Nono national a toujours suivi la mode, persifla Mitchell. On va pouvoir le garder en dedans pour un bon moment. Il n'a pas mis beaucoup de temps à briser ses conditions…

— Ce n'est pas la seule nouvelle intéressante, poursuivit Bordeleau. Tu vas être content.

— De quoi ?

— Dufour est retourné à la gare d'autocars. Il a retrouvé un chauffeur qui se souvient d'avoir eu Julius Rancourt comme passager le dimanche 3 septembre.

— Tu es sûr ? dit Mitchell. Ces gars-là voient des dizaines de personnes par jour. Ça fait déjà quelques semaines…

— Le chauffeur est certain que c'est lui, parce que Rancourt est arrivé à la dernière minute. Il venait de démarrer. Il s'est arrêté pour le faire monter. Rancourt avait échappé ses lunettes, il les a ramassées, puis il est entré dans le bus en reprochant au chauffeur d'avoir failli les écraser. C'est un jeune chauffeur, c'était juste sa deuxième journée en solo. Je suppose qu'il n'est pas encore habitué au manque de courtoisie de certains clients.

— Il l'a donc vu sans lunettes, fit Mitchell. Plus facilement identifiable.

— Exactement, renchérit Bordeleau. Il se rappelle son bonnet gris. Excellent, non ?

— Ça prouve seulement qu'il est allé à Granby…

— Mais quand on va dire au boss qu'on a aussi le témoignage du chauffeur qui l'a emmené chez le concessionnaire… Ou plutôt, près de ce concessionnaire qui a justement vendu un VUS le

3 septembre. Qui trouve que Rancourt ressemble au gars qui a acheté son Mazda Tribute…

— Ça ne tiendrait pas en cour, mais on a de bons arguments, convint Mitchell.

— Tu vas avoir de la surveillance nécessaire sur Rancourt, conclut Bordeleau.

— Je la veux à partir de ce soir. Le boss ne pourra pas nous dire non.

— Je voudrais être là. Ça m'ennuie de rester ici.

— Rancourt t'a vu avec moi, rappela Mitchell. On ne peut pas courir ce risque.

— Je le sais bien, déplora Bordeleau. J'espère que vous le piégerez rapidement. Sa face ne me revient pas !

Alex Mitchell déposa le téléphone sur la table et regarda sans les voir les passants qui longeaient les baies vitrées du restaurant, jusqu'à ce qu'il reconnaisse la silhouette de Brüner. Il agita la main dans sa direction, se leva lorsque l'homme le rejoignit.

— Vous avez l'air satisfait, constata Brüner.

— J'aurai plus d'effectifs que je l'espérais, fit Mitchell. Toute l'équipe sera là à 20 h. J'ai briefé Marie-Soleil Lizotte. À l'heure qu'il est, elle doit être en train de servir notre salade à Rancourt.

— J'espère qu'il mordra à l'hameçon.

— Gabrielle en rajoutera une couche. Elle lui dira qu'elle a revu Olivier Martin à l'hôpital, qu'il veut rencontrer un notaire. Ça devrait assez ébranler Rancourt pour qu'il se décide à bouger. Et elle lui redira qu'Hélène Holcomb a mauvaise mine, comme vous l'avez suggéré. Que les médecins craignent qu'elle ait attrapé une saloperie. Elle lui rappellera que tous ceux qui passent la porte de sa chambre doivent porter masque, gants et combinaison.

— Les conditions idéales d'anonymat seront remplies, approuva Aymeric Brüner. Rancourt se dira qu'il n'aura jamais une aussi belle occasion. Qu'il n'a pas le choix, s'il veut court-circuiter Olivier Martin.

— Avec Marie-Soleil qui prétendra qu'ils sont en sous-effectif à l'étage et qu'il y règne un beau bordel…

— On a deux heures devant nous, acquiesça Brüner en souriant au serveur qui se dirigeait vers leur table. On a le temps de manger une bouchée, qu'en penses-tu ?

— Je pense que tu es vite sur le tutoiement…

— Pardon, dit aussitôt Aymeric, je ne voulais pas…

— Je te fais marcher, Brüner, s'esclaffa Alex Mitchell. Je te conseille la Blanche de Chambly ou la Rousse d'Hemmingford. Tu dois avoir besoin d'un verre après une telle journée. Moi, je vais m'abstenir, mais ne te gêne pas.

— Non, on boira plus tard. Tout est tellement étrange. Le décalage n'est pas horaire ni physique, mais mental. J'ai l'impression d'être dans une autre dimension.

— Mais tu dois être rassuré de voir que ta mère est bien entourée. Elle a des amies en or.

— Dont Gabrielle ? suggéra Brüner.

— Ça paraît tant que ça ?

— Elle est meilleure comédienne que toi. Tu n'arrêtes pas de la couver des yeux. Je te concède qu'elle a beaucoup de charme. Et du cran. Ma mère a de la chance, oui.

Aymeric observa une pause, s'apercevant qu'il avait employé le mot « mère » pour la première fois.

— De la chance d'avoir ces amies-là, reprit-il. Et une équipe dévouée auprès d'elle. Ça m'inquiète tout de même.

— On aura une surveillance constante. Mes hommes ne quitteront pas Rancourt des yeux. Et tu seras là.

— On n'a pas trop le choix. Il nous faut un *flag*.

::

« On dirait que je travaille dans un asile, lui avait dit Marie-Soleil au téléphone. Je ne peux pas te parler longtemps, mais je t'avais promis de t'avertir si le Français revenait. Il vient de repartir. Je suppose que tu sais que ta tante est en isolement ? » Oui, il le savait. Gabrielle l'avait appelé. Les médecins prétendaient qu'ils ne pouvaient rien leur dire de plus pour le moment, mais que l'état d'Hélène était stable, que l'isolement devait surtout la protéger des virus extérieurs. C'était la vérité selon Marie-Soleil Lizotte ; elle n'avait rien à lui apprendre. Elle s'était de nouveau plainte du bordel qui régnait à l'hôpital. Elle devait rester plus tard, l'équipe de nuit était en sous-effectif. Elle avait ensuite déploré que, avec tout ce remue-ménage, elle n'avait pas pu profiter des plats qu'un chef avait apportés pour Hélène.

— Je comptais un peu là-dessus… Hier, il a débarqué avec des madeleines, de la soupe, de la salade. Aujourd'hui, il paraît qu'il est arrivé avec des cailles et un gâteau au chocolat qui a été dévoré en quelques secondes. Ce n'est pas juste ! Je vais être obligée de m'acheter un sandwich et je…

Julius l'avait coupée : il lui apporterait un panini en allant voir sa marraine.

— Tu seras forcé de mettre la combinaison, le prévint-elle.

Il avait répondu qu'il ne resterait pas longtemps. Il avait des places pour le hockey. Mais il voulait voir sa tante avant de se rendre au centre Bell, parler à un médecin.

— C'est le Dr Mathieu qui sera de garde. Il ne t'en dira pas plus que moi.

— C'est juste pour me rassurer, avait-il menti avant de promettre d'être là à 19 h.

Et il y serait. Mais ne repartirait pas aussi vite qu'il l'avait dit. Il irait voir Hélène, revêtirait la combinaison, exigerait de parler au Dr Mathieu pour qu'il puisse témoigner ultérieurement de son inquiétude de bon filleul. Puis il se cacherait dans l'hôpital, protégé par l'anonymat de la combinaison, attendrait le changement de garde. Il y aurait encore moins de monde pour s'intéresser à ses allées et venues. Les astres s'alignaient enfin! Il avait bien fait d'acheter le fentanyl: Hélène ne pourrait survivre à la dose qu'il injecterait dans un des tubes auxquels elle était branchée. Normandeau lui avait dit que ce produit était quarante fois plus puissant que de l'héroïne. *Bye bye*, Hélène. Elle ne connaîtrait pas son fils. Ne se réveillerait jamais pour changer son testament en sa faveur. Ni pour ouvrir sa stupide école.

: :

Moelleux au chocolat

- 5 œufs, blancs et jaunes séparés
- 225 g (1 tasse) de sucre
- 200 g (7 oz) de chocolat 70 %
- 200 g (¾ tasse) de beurre demi-sel
- 35 g (3 c. à soupe) de farine
- 2,5 ml (½ c. à thé) de cardamome

Préchauffer le four à 180 °C (350 °F).

Dans un bol, fouetter ensemble le sucre et les jaunes d'œufs. Réserver.

Faire fondre le chocolat avec le beurre au bain-marie ou à faible intensité au micro-ondes. Ajouter la farine et la cardamome et mélanger.

Incorporer graduellement la préparation au chocolat dans le mélange de sucre et de jaunes d'œufs.

Monter les blancs en neige et les ajouter délicatement au mélange précédent.

Verser la préparation dans un moule tapissé de papier parchemin et cuire au four pendant un maximum de 18 minutes.

Le gâteau ne sera pas entièrement cuit en sortant du four. Il faut le laisser reposer, puis le mettre au frigo avant de le démouler. Autrement, il sera impossible de le démouler pour le servir, car il sera trop mou.

Suggestion : si désiré, on peut ajouter à la préparation de l'alcool de poire ou du kirsch, mais pas d'alcool ambré (cognac, whisky, brandy).

: :

— Pas besoin de revenir dans la 1002 avant une demi-heure, dit Anne-Lise Gallant à voix haute. Il n'y a aucun changement.

— T'es certaine ? fit Dufour.

— Certaine, répondit Gallant en replaçant son bonnet d'infirmière alors qu'elle sortait de la 1002. Je ne comprends pas pourquoi Suzanne fait toute une histoire avec cette patiente. Mais bon, elle n'est pas de garde, ce soir. On a la paix.

— Je vais m'occuper du nouveau de la 1023.

— Un beau gars, l'as-tu vu ?

— Tu penses juste à ça ! ricana Dufour. À l'heure qu'il est, il doit dormir. On crève sous ces masques…

— Je n'aurais pas dû accepter le *shift* de nuit. Je cogne des clous et il n'est pas encore minuit.

— Mais presque, reprit Dufour. Tu es certaine qu'on n'a plus à s'occuper de la 1002 ?

— Qu'est-ce que tu veux qu'elle fasse ? Elle ne bouge pas plus qu'une momie.

— OK, on se revoit tantôt.

La policière s'éloigna vers l'îlot central tandis que son collègue Dufour poussait la porte de la salle de bain où il avait vu Julius Rancourt se glisser. Il avait noté sans surprise que la porte était restée entrouverte et s'était ingénié à parler assez fort pour que celui-ci ne perde rien de son entretien avec Anne-Lise Gallant. Il faillit heurter Rancourt en entrant dans la salle de bain et se dirigea vers une des toilettes en le saluant vaguement. Rancourt, masqué, portant un bonnet et des gants, esquissa un signe de tête avant de ressortir. Dufour alerta aussitôt Pelletier qui passait la vadrouille non loin de la chambre d'Hélène. Tous les policiers en poste aux alentours pouvaient capter son message.

— Leblanc te retrouvera à la 1002 dès que Rancourt passera la porte, prévint Dufour. Cantin a placé une caméra. On pourra intervenir en une fraction de seconde.

— Et si Rancourt l'avait repérée ?

— Il doit avoir tout vérifié quand il est arrivé à 19 h, mais elle n'était pas installée à ce moment-là. Pourquoi s'inquiéterait-il maintenant ? Je t'assure qu'il pense plus à la job qui l'attend. Je trouve qu'il suait pas mal dans les toilettes. Il doit avoir chaud dans ses gants de plastique.

— Il arrive, l'interrompit Pelletier. Je me déplace vers les ascenseurs. Que personne ne bouge de son poste.

Dans la camionnette garée en face de l'hôpital où il s'était installé avec Aymeric Brüner devant un moniteur qui leur permettait de capter les images de la 1002, Alex Mitchell retenait son souffle. Il avait l'impression que Julius Rancourt avançait au ralenti vers la chambre tout en pensant que tout se déroulait très vite, qu'il ne pouvait pas intervenir s'il arrivait quoi que ce soit. Il se répétait que Dufour, Gallant et Pelletier étaient des pros, que tout irait bien, mais les battements de son cœur s'accélérèrent quand Julius Rancourt s'approcha du lit d'Hélène Holcomb, se tournant à gauche, puis à droite, examinant les tubes, tirant la fiole et la seringue qu'il avait dissimulées dans sa manche, plantant l'aiguille dans le couvercle de la fiole, jetant un coup d'œil à la seringue avant de l'approcher du tube. Il suspendit son geste durant cinq secondes. Brüner et Mitchell échangèrent un regard paniqué : Rancourt n'allait tout de même pas changer d'idée ?

— Il ne peut pas nous faire ça ! pesta Brüner. On a besoin d'un flagrant délit !

— Qu'est-ce qu'il attend ? fit Mitchell en serrant les poings.

L'instant suivant, Rancourt saisissait le tube et Mitchell donnait aussitôt l'ordre d'entrer dans la chambre. Pelletier poussait la porte, Gallant pénétrait à sa suite et ordonnait à Rancourt de ne plus bouger. Celui-ci sursauta, sa main gauche se crispa sur le tube. Il les dévisagea tour à tour, avança la seringue vers le tube.

— Lâche ça, ordonna Pelletier. Ça ne ferait qu'empirer ton cas.

— Ce n'est pas ce que vous voulez, renchérit Anne-Lise Gallant. Si vous tuez Hélène Holcomb, son fils héritera simplement plus vite de ses biens. Grâce à vous.

Brüner, sans quitter le moniteur des yeux, eut un sifflement admiratif.

— Excellent argument.

Mitchell hocha la tête, fier de sa collègue qui tendait maintenant la main vers Julius Rancourt, l'incitant à lui remettre la seringue. Ses mouvements étaient très lents, fluides, assurés tandis que Pelletier demeurait immobile, sachant que tout se jouait entre sa collègue et Rancourt, que le moindre geste de sa part pouvait tout gâcher. Après ce qui leur sembla une éternité, Brüner et Mitchell sursautèrent lorsque Rancourt lança la seringue vers Gallant, repoussant Pelletier pour fuir hors de la chambre. Dufour et trois autres policiers l'attendaient dans le couloir.

— On l'a eu, dit Mitchell.

— Oui, fit Brüner après avoir poussé un soupir de soulagement. Mais ça me donne la nausée de penser que c'est mon cousin.

— Tu n'auras pas à le fréquenter, l'assura Mitchell. À moins d'aller le voir au pénitencier. Veux-tu lui parler avant qu'on l'embarque ?

Brüner hésita, puis renonça : qu'aurait-il pu dire à cet individu ? Il jeta un coup d'œil à sa montre. Minuit. Six heures à Paris. Il avait promis à Justine de l'avertir dès que des faits nouveaux surviendraient. Peut-être qu'il la réveillerait, mais il était un homme de parole.

13

Le corps de Thierry contre le sien conservait une chaleur si agréable que Justine hésitait depuis trente minutes à quitter le lit. Mais elle n'arrivait pas à se rendormir, fébrile, songeant à ce qui se passait à Montréal, se désolant pour Hélène que les preuves s'accumulent contre Julius, espérant une erreur sur la personne tout en souhaitant qu'on l'arrête, qu'elle cesse de s'inquiéter de le savoir près de son amie. « Tant qu'il rôde autour, je ne serai pas tranquille », avait dit Viviane. Mais que feraient-elles toutes du chagrin d'Hélène quand elle apprendrait que son neveu avait voulu l'assassiner ? « Il sera compensé par l'arrivée de son fils », avait rétorqué Viviane. Justine avait secoué la tête. Une joie ne remplaçait pas une peine, la complexité était le terroir des émotions, mais elle n'avait pas protesté, sachant que son amie se rassurait en simplifiant les choses, en tentant de les caser, en séparant l'horreur de la joie, refusant que les atrocités vues au cours de ses reportages abîment son talent pour le bonheur.

Justine s'approcha des grandes fenêtres de la salle de séjour, vit de la lumière dans l'immeuble voisin, points d'or dans l'obscurité d'une nuit qui s'éternisait. L'aube était de plus en plus tardive, comme si elle se demandait si cela valait la peine de s'épanouir puisque la pluie qui tombait dru créerait un éclairage terne, gris, un peu triste. Pourquoi suis-je si sensible au climat ? déplora Justine en se retournant, s'éloignant des fenêtres pour gagner son bureau et relire les notes prises avant de se coucher. Le travail était le meilleur remède contre la mélancolie. Et elle n'en manquait pas ! Deux commandes d'un important client l'entraînaient dans des univers diamétralement opposés, mais qui exigeaient toutes deux l'évocation de la pureté. Le mot d'ordre était sain. Frais. Net. Très à la mode dans cette décade où les produits naturels avaient la cote, où régnaient des molécules biodégradables qui devaient paradoxalement bien se fixer. Elle feuilleta ses notes en secouant la tête. Ce qu'elle avait écrit la veille ne valait rien, aurait pu être utile si elle devait créer un produit détersif. Pas un parfum. Elle s'en voulut d'avoir été si peu efficace ces derniers jours. Mais elle pensait constamment à Hélène et s'escrimait à réaliser la fragrance qui lui ressemblerait. Elle ne voulait pas que son amie se réveille sans qu'elle ait pu la mettre au point. Tout en souhaitant le contraire, sachant que la création d'un jus pouvait être très longue, qu'Hélène ne devait pas rester si longtemps à l'hôpital. Comment pouvait-on être aussi ambivalente ? Elle s'exaspérait elle-même ! Thierry lui répétait que ses paradoxes faisaient partie de son charme, mais elle n'aimait pas prendre des décisions. Sauf s'il s'agissait de balayer la rose pour choisir l'ylang-ylang, rejeter le santal au profit du cèdre, la clémentine pour la bergamote, privilégier une note métallique plutôt qu'une idée de rondeur. Pour Justine, l'acier, le fer, le titane, l'airain étaient verticaux, tendaient vers le ciel, tandis que la fève tonka, la vanille, le benjoin diffusaient des arômes plus soyeux, plus féminins. Elle avait néanmoins besoin de ces deux aspects pour évoquer Hélène si droite et si nuancée, à l'énergie solaire mais au cœur lunaire. Dans son esprit défilaient des images de la cueillette des tubéreuses en pleine nuit, d'un sapin de Sibérie sous la neige, des visages fantomatiques des Comoriennes enduits de *m'sindanu*, d'un jasmin qui exhalait des notes de pêche ; elle voulait recréer le geste d'Hélène caressant une pêche blanche, royale et si humble. Elle aurait besoin d'un décalactone pour évoquer le fruit et de géosmine pour une odeur de terre mouillée. Elle esquissait la courbe du fruit dans un coin de son carnet où elle conservait les traces, les calculs de tous les tests, lorsque son téléphone vibra. Elle retint son souffle: il fallait que ce soit Aymeric, qu'il lui dise que tout s'était bien déroulé.

— Je sais qu'il est tôt, s'excusa-t-il sans même la saluer.

— Je n'ai pas beaucoup dormi.

— Tout va bien.

— Vraiment?

— Julius Rancourt devra répondre de ses actes.

— Et Hélène? s'enquit Justine.

— Nous lui dirons la vérité quand elle s'éveillera.

Aymeric avait dit «nous». L'homme était devenu un fils.

— J'ai parlé à mon père, reprit-il, et il se sent beaucoup mieux. Je resterai encore un peu à Montréal. Mitchell veut m'emmener à la chasse à l'orignal à Duchénier. Difficile de résister. J'aime le bois, la neige, les grands espaces. Et Mitchell nous a promis un fameux ragoût.

Justine se retint de dire «telle mère, tel fils», mais souriait en reposant le téléphone sur sa table de travail. Hélène aimait tant les promenades en forêt au début de l'hiver. Il fallait absolument trouver la note qui exprimerait les mystères du sous-bois. Elle utiliserait peut-être de la calone pour recréer la neige.

Elle était si concentrée sur ses recherches qu'elle n'entendit pas Thierry se lever, mais lui sourit avec reconnaissance quand il déposa une tasse de Tanka Cha devant elle. Le thé qui avait engendré son amitié avec Hélène.

: :

22 novembre

Quand Aymeric Brüner poussa la porte de la chambre 1002, les arômes de champignons lui ouvrirent aussitôt l'appétit et il se félicita d'avoir déniché une truffe blanche d'Alba. Il n'avait pas la patience pour rester des heures en cuisine, mais il réussissait très bien l'omelette à la truffe, les pâtes aux morilles et la pizza. Tous ses amis connaissaient ces trois plats, son amour immodéré pour les champignons et sa fermeté quand il s'agissait de refuser qu'on l'accompagne lors de ses cueillettes. Personne ne connaîtrait ces lieux secrets où il découvrait des trésors enfouis. Il s'approcha d'Hélène, lui dit qu'il avait apporté une truffe, qu'il la dégusterait plus tard chez Ornella où il avait été invité à souper, mais qu'il espérait que son parfum soit assez puissant pour la faire réagir.

— Il faut que tu te réveilles avant que je reparte en France, lui dit-il. J'ai réussi à tirer ! Je n'ai pas touché l'orignal, mais j'ai pu appuyer sur la détente. Grâce à Mitchell. C'est lui qui a insisté pour me mettre une carabine dans les mains. Puis il m'a emmené hier à son stand de tir et j'ai atteint la cible. Loin du centre, mais tout de même… Je récupère ma force. Je vais pouvoir retourner sur le terrain. Ton amie Gabrielle est tombée sur un bon mec. Elle est chouette, cette nana. Et tes autres copines aussi. J'ai appelé Justine à Paris. Elle t'invente un parfum qui doit rappeler à la fois un verger et des notes de sous-bois. Je n'ai pas compris tout ce qu'elle m'a raconté, mais ça m'a donné l'idée de t'apporter cette truffe.

Aymeric saisit le bocal de verre et dévissa lentement le couvercle, retenant son souffle : la truffe allait-elle tenir ses promesses et libérer son riche parfum animal ? Il ne s'expliquait pas comment un végétal pouvait évoquer la fourrure d'une bête, mais c'était à du petit gibier qu'il pensait en humant la bille sombre qui livrait maintenant des effluves d'humus qui ravirent Aymeric.

Il approcha le bocal du visage d'Hélène, lui promettant de lui préparer sa fameuse omelette quand elle se réveillerait.

— Je range les œufs avec la truffe quelques jours avant de faire l'omelette. Bien baveuse comme il se doit et je te jure que…

Un gémissement.

Avait-il entendu un gémissement ? Il colla le bocal sous les narines d'Hélène qui fronça le nez, gémit à nouveau, fit un léger mouvement de la tête. Il ne rêvait pas ! Sa mère avait réagi au parfum de la truffe ! Il sortit de la chambre, courut vers l'îlot central, interpella Suzanne et Vanessa.

— Elle a bougé ! Je suis certain qu'elle a bougé.

Suzanne le dévisagea, partagée entre l'envie de croire Aymeric et la crainte qu'il ait pris ses désirs pour la réalité. Il y avait eu plusieurs fausses alertes déjà avec les Muses. C'était si légitime de croire au réveil tant attendu. Les infirmières voyaient toutes des parents, des enfants, des amis s'imaginer qu'ils avaient entendu leur proche émettre une plainte, un mot, un soupir chargé de sens, ou bouger les doigts, ouvrir les yeux l'espace d'un instant. Il y avait une telle ferveur dans toutes ces pensées magiques hélas souvent déçues…

Aymeric Brüner semblait pourtant si sûr de ce qu'il avançait que Suzanne le suivit, le cœur battant. Et si c'était vrai ?

: :

23 novembre

— Elle a refait cette moue, dit Vanessa à la D^re^ Blais. À deux reprises pendant que j'étais auprès d'elle.

— Et avec moi, elle s'est légèrement tournée vers la gauche, affirma Marie.

— Mais pourquoi ne s'est-il rien passé depuis vingt-quatre heures ? s'enquit Ornella. Aymeric l'a vue bouger hier, puis plus rien. Et maintenant, voilà que…

— Il n'y a aucune règle avec l'émergence d'un coma, répondit le Dr Blais. Chaque patient a son propre rythme.

— Mais Hélène va bien ? demanda Marie.

— Ses constantes sont bonnes, assura Suzanne. Tension artérielle, rythme sinusal, gaz sanguins, pas de mauvaises surprises.

— En fait, nous espérons plutôt en avoir une bonne, dit Fabien Mathieu qui venait d'entrer dans la chambre. On ne peut pas l'affirmer, mais il est possible que Mme Holcomb ait été épargnée d'une certaine manière.

— Épargnée ? Comment ? dit Ornella.

— Votre amie a été frappée du côté gauche. C'est le côté qui correspond à la zone du langage chez les droitiers. Mais comme Mme Holcomb cuisine, mange, écrit, dessine de la main gauche, ces zones cérébrales ne sont pas toutes concentrées d'un seul côté, mais plutôt éparpillées.

— Et peut-être que la zone frontale n'a pas été trop endommagée, ajouta le Dr Blais.

— C'est une chance, continua le Dr Mathieu, parce que c'est là que se situent les fonctions d'élan et de censure.

— Autrement dit ? fit Marie.

— Un patient atteint gravement à cette zone fera preuve d'une extrême passivité. Il passera des heures devant la télé sans montrer la moindre initiative. Il faudra constamment le solliciter, le pousser à agir. Et il pourrait aussi perdre toute inhibition, avoir une libido perturbée, ce qui peut parfois donner lieu à des situations… embarrassantes.

— Hélène est tellement réservée, protesta Marie, et même pudique, c'est difficile à imaginer.

Les médecins échangèrent un regard dubitatif avant d'expliquer que le coma pouvait modifier la personnalité d'un patient.

— Oui, on le sait, on a lu à ce sujet, fit Marie. Mais supposons qu'Hélène dise n'importe quoi, cela se corrige avec le temps, non ? Parce qu'elle ne peut pas raconter… enfin… surtout pas à… son fils.

— C'est prématuré d'envisager tout cela, répondit Fabien Mathieu.

— Qu'est-ce qu'on doit faire alors ? demanda Ornella. À part rester auprès d'elle.

— C'est déjà beaucoup, l'assura le Dr Blais.

— Vous pouvez lui humecter les lèvres avec un coton-tige imbibé de sucre, de jus d'agrumes, de chocolat, dit Suzanne.

— Titiller son goût et son odorat, fit Marie.

— Comme vous le faites depuis des semaines.

— On verra si tout ça a servi à quelque chose…

— Auguste m'a dit qu'il apporterait son poulet en gelée, dit Fabien Mathieu. Il paraît que c'est très citronné.

— Arnaud devrait passer avec un dessert, annonça Suzanne après quelques secondes de flottement.

Se pouvait-il que le drame du petit Matis ait réussi à effacer l'inimitié qui ternissait les rapports entre Fabien Mathieu et Auguste Trahan ? Elle se reprit pour préciser qu'Arnaud n'avait pas révélé quel dessert il leur préparait.

— Il tient à nous surprendre.

— Peu importe, dit Vanessa, tout ce qu'il fait est délicieux.

Elle fit un clin d'œil à Suzanne qui lui sourit tout en rougissant. Oui, tout ce que faisait Arnaud Fontaine lui semblait délectable. Et plus encore.

— Aymeric prendra la relève à 17 h, dit Marie. Puis Gabrielle sera là. Puis Mathilde. On a fait un horaire pour qu'Hélène ne soit jamais seule.

— Justine arrive samedi à Montréal, ajouta Ornella. Et Viviane rentre demain. Nous serons là !

: :

Poulet en gelée

- 90 ml (6 c. à soupe) d'huile d'olive
- 1 poulet coupé en 6 morceaux
- 125 ml (½ tasse) de vin blanc
- 125 ml (½ tasse) de vinaigre blanc
- 125 ml (½ tasse) d'eau
- 2 carottes coupées en rondelles
- ½ poireau coupé en rondelles
- 1 oignon haché grossièrement
- Thym, au goût
- Persil haché, au goût
- Sel et poivre
- Citron en tranches

Dans une casserole ou une grande poêle, faire dorer le poulet dans l'huile d'olive. Ajouter tous les autres ingrédients et faire cuire durant 1 heure. Retirer les morceaux de poulet pour en prélever la chair et l'effilocher. Dans un grand bol, déposer le poulet. Ajouter le reste de la préparation et mélanger. Garnir de tranches de citron et réfrigérer durant 6 heures ou toute la nuit.

::

24 novembre

Comment avait-il pu hésiter ? se demandait Suzanne Chalifour en admirant le gâteau immaculé qu'Arnaud Fontaine venait de déposer devant elle. Le chef avait avoué qu'il avait des sentiments mitigés envers le chocolat blanc.

— Pour moi, ce n'est pas du vrai chocolat, mais plutôt une forme de sucre. Mais les flocons qui sont tombés hier m'ont donné envie de faire une sorte de forêt-noire, mais blanche.

— Un forêt-blanche, alors ?

— Non, le glaçage du forêt-blanche est composé de chocolat blanc, mais le gâteau est au chocolat noir. Ici, tout est blanc sauf les cerises. Mais ce sont des cerises de terre, des physalis, d'un orange pâle. Je l'appelle le forêt-neige. Génoise, chantilly, crème pâtissière. J'espère que vous l'aimerez. Je l'apporte à la 1002 ?

— La petite jeune, Viviane, est auprès d'Hélène. Elle a la dent sucrée, elle sera ravie.

— Je suis quand même embêté par le chocolat blanc, répéta Arnaud Fontaine. Je doute que Mme Holcomb s'en serve souvent… Si elle se réveille et voit ce gâteau ?

— Elle croira qu'elle a été invitée à un mariage, dit Suzanne. Ou qu'elle est au ciel. On dirait un nuage.

— Dans ce cas-là, vous êtes les anges, fit Arnaud en souriant aux infirmières qui s'étaient attroupées près de l'îlot.

— J'aimerais bien en avoir un pareil pour mes noces, dit Ewa, une jeune aide-soignante qui s'avançait vers eux en portant une grosse boîte qu'elle déposa à côté du gâteau en annonçant qu'elle avait préparé des pierogis.

— Des pierogis ? dit Vanessa. C'est un genre de chausson, non ?

— Je les ai farcis au bœuf et à la crème, avec des oignons grillés.

— Tu as mis des heures à faire tout ça ! s'exclama Suzanne.

— On ne fait jamais moins de cinquante pierogis, sinon ça ne vaut pas la peine de salir toute la cuisine. Je ne sais pas si ce sera joli sur la photo, mais bon…

— Tu les apportes à la 1002, dit Suzanne. Viviane les photographiera après les avoir fait sentir à Hélène. Puis on se remet au travail, les filles ?

Elle tapotait sa montre en tentant d'afficher une certaine fermeté sur son visage, mais elle savait pertinemment que la jeune infirmière ne traînerait pas à la 1002. Ewa était sérieuse et comprenait qu'elle ne pouvait pas s'attarder dans la chambre d'Hélène, alors que tant de patients l'attendaient. Mais Suzanne savait aussi que les visites à la 1002 donnaient de l'énergie à tous ceux et celles qui travaillaient à cet étage, que ces instants où régnaient l'amitié et la gourmandise leur faisaient l'effet d'un grand bol d'air frais, les apaisaient tout en les dynamisant. Et maintenant qu'Hélène avait bougé plusieurs fois, tous espéraient être témoins de son retour à la vie.

Et tous faisaient le vœu que le réveil ne soit pas trop brutal. Hélène Holcomb avait vécu un long coma. Dans quel état seraitelle en reprenant connaissance ? Suzanne avait répété aux Muses que leur amie serait très désorientée quand elle quitterait ces limbes où son esprit avait erré durant des semaines. L'infirmière savait qu'elles se sentiraient impuissantes devant le chaos qui caractériserait les premières minutes, les premières heures, les premiers jours de cette résurrection. Elle savait aussi qu'elles priaient toutes pour qu'Hélène comprenne que son fils était auprès d'elle, même si elle ne pouvait le reconnaître. Il fallait espérer qu'un visage étranger ne la bouleverse pas trop.

— Mais peut-être serons-nous toutes des inconnues ? avait avancé Gabrielle.

— Peut-être que oui, au début, avait admis Suzanne. C'est le temps qui décidera de tout.

Les yeux de Viviane s'agrandirent lorsqu'elle découvrit le gâteau qu'apportait Arnaud Fontaine.

— On dirait des perles, fit-elle en détaillant les billes de chocolat blanc qui dessinaient des arabesques tout le tour du forêt-neige. C'est tellement joli !

Elle sortit aussitôt son appareil photo tout en disant à Suzanne et Ewa qu'elle avait vu Hélène tapoter les draps de sa main gauche.

— C'est un geste qui lui est familier. Elle pianote quand un truc l'embête et qu'elle doit prendre une décision. C'est bon signe qu'elle reprenne ses tics, non ? Cela signifie que sa personnalité est bien ancrée ?

Suzanne Chalifour se contenta de sourire alors qu'elle aurait tant aimé acquiescer, mais les certitudes n'existaient pas dans la chambre 1002. Arnaud rompit le silence en offrant une part de gâteau à la jeune journaliste.

— Viviane devrait peut-être commencer par les pierogis d'Ewa, dit Suzanne.

— Des pierogis ? Hélène adore ça ! Elle a passé une matinée à en préparer avec les enfants du centre où Marie fait du bénévolat. C'était tellement mignon de les voir farcir les pâtes avec tant de concentration. Ce qui était chouette, c'est que les enfants avaient des mots différents pour les chaussons : ravioli, pierogi, won ton. Je pense qu'il y a des pâtes fourrées dans le monde entier.

— C'est la recette de ma mère qui est polonaise, dit Ewa en lui présentant le grand plat de pierogis.

— Je suis allée à Cracovie, fit Viviane qui tirait la boîte d'ustensiles de la table de chevet. Une ville magnifique. C'est un miracle qu'elle n'ait pas subi de dommages comme Varsovie durant la guerre.

Ewa déposa trois pierogis dans l'assiette de carton, observa Viviane tandis qu'elle approchait les chaussons du visage d'Hélène. Elle était entièrement tendue dans l'espoir d'une réaction et cacha mal sa déception.

— Pourquoi ne bouge-t-elle plus ? demanda-t-elle à Suzanne.

— Il faut être patient.

— Mais elle va mieux, non ? dit Viviane en dévorant les trois petits chaussons en un éclair, se léchant les lèvres pour goûter le beurre fondu.

— Essayez donc avec un morceau de gâteau, fit Arnaud. Ça me surprendrait que l'odeur de vanille et de fleur d'oranger fasse effet, mais c'est toujours réconfortant.

Il put constater que la pâtisserie rassérénait Viviane dès qu'elle y goûta. Elle ferma les yeux sur ce moment de félicité et Arnaud poussa un soupir de contentement ; qu'il était bon de pouvoir rendre à nouveau les gens heureux avec ses desserts. Il n'attendit pas que Viviane ait fini sa part pour en déposer une deuxième dans son assiette.

— C'est d'une telle douceur sans être trop sucré ni mièvre, moelleux sans être mou, dit Viviane. Hélène adorerait votre gâteau. D'autant plus qu'il est parfumé à la fleur d'oranger. Ça lui rappellerait le Liban qu'elle aime tant. Elle m'a initiée au café blanc.

— Au café blanc ? demanda Ewa.

— De l'eau chaude avec de la fleur d'oranger. Il paraît qu'on endort les bébés avec ça. Je devrais en boire un litre pour me calmer… Mais je voudrais tant qu'Hélène profite de tout ça !

— Je referai un forêt-neige quand Mme Holcomb pourra y goûter, promit Arnaud avant de quitter la chambre.

::

Pierogis

Pâte
- 125 ml (½ tasse) d'eau froide
- 45 ml (3 c. à soupe) d'huile végétale
- 1 œuf
- 300 g (2 tasses) de farine

Farce
- 300 g (10 oz) de viande hachée
- 15 g (1 c. à soupe) de beurre
- 15 ml (1 c. à soupe) d'huile végétale
- Estragon haché ou ciboulette (facultatif)
- 1 œuf dur, coupé en petits morceaux (facultatif)
- Sel et poivre

Pâte

Dans un petit bol, mélanger l'eau, l'huile et l'œuf. Dans un grand bol, déposer la farine et faire un puits. Y verser la moitié de la préparation liquide et mélanger. Ajouter le reste du liquide. Pétrir la pâte quelques minutes et la réserver dans une pellicule de plastique pour éviter qu'elle sèche.

Farce

Faire revenir la viande dans le beurre et l'huile. Saler et poivrer. Si désiré, une fois la viande rissolée, ajouter de l'estragon (ou de la ciboulette) et l'œuf dur en petits morceaux. Mélanger et laisser refroidir.

Rouler la pâte très finement. À l'aide d'un cercle de métal, tailler des ronds de pâte (de 20 à 30 selon la taille de l'emporte-pièce). Badigeonner le bord des cercles avec du lait. Déposer de la farce au centre de chacun d'eux et refermer pour former de petits chaussons.

Cuire dans l'eau bouillante de 4 à 5 minutes. Égoutter les pierogis cuits et les badigeonner de beurre pour éviter qu'ils collent les uns aux autres.

Servir avec des oignons rissolés dans du beurre (presque caramélisés). Facultatif: assaisonner de graines de carvi.

Donne environ 30 pierogis.

::

25 novembre

« Il a changé », se dit Justine en revoyant Aymeric Brüner qui sourit en la reconnaissant. Qu'avait-il de différent ? Elle le regardait en cherchant un élément nouveau, mais la seule chose qui lui venait à l'esprit était qu'il avait rajeuni, ce qui était improbable. Quel détail lui échappait ? Elle répondit distraitement à Suzanne qui lui demandait si elle avait fait bon voyage, en continuant à observer Aymeric. Celui-ci reposa la main droite d'Hélène qu'il tenait entre les siennes pour lui faire signe d'avancer, mais Justine s'immobilisa, submergée par l'émotion : Hélène dormait sous le regard bienveillant de son fils. Justine avait tant rêvé de cette scène quand elle avait rencontré Aymeric dans un bar à vin du Marais qu'elle avait maintenant l'impression d'être victime d'une hallucination. Elle fut prise de vertige et chercha à s'appuyer contre un mur, laissant tomber sa valise.

— Ça va, Justine ? demanda Suzanne en se précipitant vers elle. Je vous tiens, c'est bon.

— Qu'est-ce qui t'arrive ? dit Aymeric en s'élançant à son tour.

— Je... je ne sais pas... je... suppose que...

— Mets ta tête entre tes jambes, respire lentement, dit doucement Aymeric. Ça va aller. Je suis là.

— Je suis ridicule, commença Justine.

— Hélène sera heureuse de te sentir près d'elle, fit Aymeric en voyant les yeux de Justine se remplir de larmes. Tout va bien, elle a encore bougé les doigts. Ornella croit l'avoir entendue marmonner quelque chose, mais ce n'était pas clair.

— Ça prendra un moment avant que ça le soit, les prévint Suzanne.

— Je voudrais connaître le son de sa voix, confia Aymeric. C'est curieux, je ne m'étais pas posé la question avant de la voir. Le fait que ma mère soit silencieuse exacerbe l'importance de tout ce que j'ignore.

— C'est vrai que c'est étrange, dit Suzanne.

Elle constatait qu'elle ne s'était jamais interrogée sur ce sujet, alors qu'elle prodiguait des soins à Hélène depuis plus de dix semaines. Il lui apparut soudain capital que Justine puisse leur décrire cette voix.

— Elle est grave.

— Comme celle de Gabrielle ? demanda Aymeric.

— Non, non, celle de Gabrielle est feutrée, veloutée, corrigea Justine. Celle d'Hélène est basse… mais elle résonne très bien dans une cuisine !

— Et elle chante très mal, précisa Ornella en entrant dans la chambre. Une catastrophe ! Elle pourrait faire tourner une mayonnaise.

Justine tenta de se lever, mais Aymeric la força à rester assise.

— Avoir su que tu serais là, dit Ornella, je t'aurais aussi apporté un café… Ah non, j'oubliais que madame ne boit que du thé vert. Et pas n'importe lequel ! Tu arrives plus tôt que prévu, non ? Marie m'avait parlé de la fin de l'après-midi.

— Je lui ai menti sur l'heure de mon vol. Je ne voulais pas que vous vous sentiez obligées de venir me chercher.

— Elles t'ont crue ? fit Aymeric. Tu mens pourtant très mal.

— C'est faux, protesta mollement Justine.

— Ce n'est pas un défaut d'être honnête, la taquina Aymeric. Dans mon métier, on apprécie les gens qui nous disent la vérité.

Il avait dit « dans mon métier ». Il avait donc l'espoir de retrouver son poste, contrairement à ce qu'il avait laissé entendre lors de leur première rencontre. Justine jeta un coup d'œil à sa main gauche. Il venait d'empoigner sa valise pour la ranger contre le mur d'un geste preste. Il s'aperçut que Justine suivait ses mouvements des yeux, lui sourit de nouveau.

— Mitchell m'a remis en selle, confessa-t-il. Il est très convaincant lorsqu'il a une idée en tête. J'ai pu tirer. Pas tout à fait au centre de la cible, mais j'ai tiré.

— Je suis très contente pour toi, dit Justine avec chaleur.

Elle ressentait une telle joie de voir Aymeric si fier de ses progrès qu'elle s'étonna de la force du lien qu'il y avait entre elle et lui, qui lui apparaissait subitement dans cette chambre. Aymeric était le frère qu'elle aurait voulu avoir, complice, droit, rassurant. Comment pouvait-elle, alors qu'elle était si méfiante, avoir une telle confiance en un homme qu'elle n'avait vu que deux fois ? Elle ferma les yeux, se rappela subitement son odeur quand il l'avait soutenue : il portait *Espace*.

— Tu as adopté mon parfum ?

— J'étais curieux de connaître tes créations, dit Aymeric. Ça m'a plu. Alors que je n'avais pas mis d'eau de Cologne depuis mon adolescence.

— J'ai réalisé un jus pour Hélène, annonça-t-elle. C'est dans ma valise.

Aymeric déposa la valise devant Justine, tandis qu'Ornella s'informait de ce nouveau parfum. Quand l'avait-elle composé ?

— Je travaillais cet automne sur une base de géranium quand Marie m'a téléphoné pour me prévenir de l'accident d'Hélène, raconta Justine en ouvrant sa valise. L'odeur des feuilles de tomate, une de ses préférées, est parente du géranium. Puis j'ai pensé à la pêche blanche qu'elle adore. Le sous-bois, la neige.

J'aurais voulu toutes les saisons dans cette fragrance, l'odeur du lac Lovering et celle de son potager, de la fourrure d'Athéna, de celle du mimosa, des framboises, mais j'ai dû faire des choix. C'est un portrait olfactif d'Hélène, enfin, je l'espère…

Justine, à quatre pattes, soulevait des pulls dans lesquels elle avait couché une éprouvette remplie d'un liquide d'un jaune très pâle. Elle la tendit à Ornella.

— J'ai aussi voulu évoquer le champagne par la couleur. Vous en avez tellement savouré ensemble, dit-elle en refermant sa valise avant de revenir vers Hélène.

— Il a la robe de la cuvée Alexandra, murmura Ornella.

Aussi curieuse qu'émue par la quête de Justine, elle devinait d'innombrables heures d'essais et d'erreurs pour créer le parfum qui rendrait hommage à leur amie. Tandis qu'elles se relayaient au chevet d'Hélène à Montréal, Justine cherchait à Paris à évoquer ses souvenirs, à la ressusciter par les odeurs. Elle rendit le flacon à Justine.

— Fais-le-lui sentir, chuchota-t-elle.

Les mains de Justine tremblaient légèrement quand elle dévissa le bouchon, quand elle inclina le flacon vers le visage d'Hélène, mais elle serra plus fermement les doigts en la voyant froncer le nez.

— Elle réagit ! s'exclama Ornella.

Hélène entrouvrit les lèvres comme si elle allait parler, mais les referma sur un sourire.

— Essaie encore, dit Aymeric.

Justine fit glisser de nouveau le flacon vers Hélène et celle-ci poussa un long soupir d'aise.

— Elle n'est pas réveillée.

— Non, mais ces signes sont encourageants, dit Suzanne. Je les ai vus tout comme vous. Nous n'avons pas rêvé. J'en fais part tout de suite à son médecin. Mais avant, est-ce que je pourrais… sentir ce parfum ?

Justine tendit le flacon à l'infirmière en observant sa réaction : aimerait-elle ce parfum qu'elle avait naturellement baptisé *Hélène* ? Était-il trop original pour plaire à différentes femmes ? Avait-elle péché par excès, désirant inclure tant d'éléments dans ce jus ou était-elle parvenue à l'équilibre souhaité ? Elle avait rejeté tant de propositions, sacrifié le vétiver, le fruit de la passion, le cassis qu'Hélène aimait tant, se rappelant les propos sévères de celle-ci concernant les plats où se multipliaient trop d'ingrédients. « Tape-à-l'œil et inutiles. »

— Ça sent… l'air ? hésita Suzanne tandis qu'Ornella acquiesçait, puis ajoutait qu'elle décelait des notes de feuilles de pêcher.

— Et de terre après la pluie.

— Ou du linge qui vient de sécher dehors, s'enhardit Suzanne. C'est possible ?

— Tout est possible, sourit Justine. Vous croyez qu'Hélène l'aimera ?

— Si elle n'est pas atteinte de trouble de l'odorat, elle l'adorera, promit Suzanne. C'est tellement frais !

— Je ne connais rien aux parfums, avoua Aymeric, mais il me fait penser au thé à la bergamote que mon père boit depuis toujours. Il aurait plu à maman.

Aymeric Brüner se tut, puis posa une main sur le front d'Hélène sans quitter Justine des yeux.

— Et il plaira aussi à ma mère.

::

— Personne ne s'en apercevra, répéta Viviane à Mathilde qui caressait la tête de Philémon, le bébé de son assistant-pathologiste dont elle était la marraine.

Simon et son épouse avaient tout de suite accepté son offre de garder Phil pour la matinée. « On va dormir, et dormir encore, avait dit Myriam. J'ai tiré mon lait, vous verrez à quel point il est glouton. »

Mathilde et Viviane étaient rentrées à l'appartement où elles avaient cajolé, nourri et changé Philémon, très intrigué par Athéna. Quelle était cette étrange créature qui poussait des miaulements semblables aux siens ? Que voulait-elle ?

— Toi et tes idées folles, reprit Mathilde alors que les portes de l'ascenseur s'ouvraient. Et si on découvre la supercherie ?

— Athéna n'a pas miaulé une seule fois depuis qu'on est sorties de la voiture. Et si elle crie, tout le monde croira que c'est Philémon. Ils produisent exactement les mêmes sons ! Tu t'occupes de faire le guet tandis que j'entre dans la chambre. Je ne resterai pas longtemps, juste ce qu'il faut pour qu'Hélène perçoive la présence d'Athéna.

— On aura des problèmes si quelqu'un s'aperçoit qu'on a introduit un animal dans un hôpital !

— Que veux-tu qu'on nous fasse ? Nous emprisonner ? Détends-toi, ma chérie, on arrive bientôt à la 1002.

Viviane adressa un signe de la main à Vanessa, qui était de l'autre côté du couloir, puis fonça vers la chambre d'Hélène où se trouvait Marie. Elle ouvrit immédiatement le grand sac dans lequel elle avait transporté la siamoise tout en répétant à Mathilde de surveiller les environs.

— Ferme la porte au cas où…

— Tu vois que tu n'es pas si certaine des réactions d'Athéna, fit Mathilde avant d'obéir aux consignes tout en berçant Philémon qui menaçait de s'éveiller.

— Tu as emmené Athéna ici ? s'exclama Marie.

— J'ai pensé que le ronronnement d'Athéna pourrait se frayer un chemin dans tout le bordel psychique qui doit assaillir Hélène. La rassurer. Nous l'avons toutes vue bouger, gémir. Elle essaie de revenir vers nous. Et elle aime tellement Athéna…

La chatte n'était pas sortie complètement du sac, tournant la tête dans tous les sens pour comprendre où elle avait échoué. Elle percevait des odeurs désagréables, mais aucune ne provenait d'un autre animal. Elle n'entendait ni miaulement ni jappement. On ne l'avait donc pas emmenée chez un horrible vétérinaire. Alors qu'elle se demandait toujours où elle était, Viviane la souleva pour la déposer délicatement sur Hélène. Elle s'immobilisa tandis que Viviane lui grattait doucement le cou. Elle avança son museau vers Hélène, effleura son nez, reconnut un parfum de crème à la vanille sur ses lèvres, huma ses joues et c'est alors que lui revint, masquée par les odeurs de savon, l'odeur de cette peau qu'elle boulangeait avec enthousiasme dans la grande maison près du lac. Mais pourquoi n'étaient-elles pas au lac ? Qu'est-ce que sa maîtresse faisait ici ? Pourquoi ne bougeait-elle pas ? Il fallait la réveiller ! Elle posa ses pattes sur les joues d'Hélène, puis lui lécha le front, le nez tout en ronronnant intensément. Hélène fronça les sourcils, bougea la main droite, entrouvrit ses lèvres. Marie et Viviane s'approchèrent d'elle et d'Athéna qui les regarda d'un air dubitatif. Pourquoi Hélène ne s'éveillait-elle pas ?

— Elle a bougé, dit Viviane. Je suis certaine qu'elle veut flatter sa chatte et…

— Chut, elle marmonne, fit Marie en se penchant vers Hélène. Bon, je n'ai rien compris. Mais regarde ! Elle sourit ! Elle essaie de communiquer, c'est bon signe !

Quelques coups frappés à la porte les alertèrent. Viviane saisit Athéna et l'enfouit dans le sac, remonta la fermeture éclair, tandis que Marie s'apprêtait à faire diversion quand Mathilde serait forcée d'ouvrir.

Vanessa fut un peu surprise que Viviane et Mathilde se dirigent si rapidement vers l'ascenseur après l'avoir brièvement saluée, mais Marie l'entraîna dans la chambre sans lui laisser le temps de s'interroger sur le comportement de ses amies.

— Hélène a tenté de parler. Elle a déplié et replié les doigts de sa main droite.

Vanessa sourit à Marie, espérant que ces signes étaient annonciateurs du réveil tant attendu.

— Reviens-nous, dit Marie à Hélène. On a hâte de t'entendre. On est là pour toi.

Elle ouvrit ensuite le tiroir de la table de chevet, en sortit *Un homme dans sa cuisine* qu'elle avait commencé à lire à Hélène.

— C'est un roman ? s'enquit Vanessa.

— Non, un essai très amusant des angoisses de l'auteur en cuisine. Julian Barnes a beaucoup d'humour et un grand sens de l'observation. Je te le prêterai, si tu veux.

Tout en vérifiant les constantes d'Hélène, Vanessa écouta Marie lire un passage où il était question de tous ces appareils qu'on achète pour se simplifier la vie et qui restent dans les armoires.

— On dirait qu'il parle de moi, avoua-t-elle à Marie.

— Ou de moi. J'ai des tas de trucs inutiles, alors qu'Hélène nous a toujours dit qu'on peut tout faire avec deux bons couteaux.

::

Sons. Tunnel. Doux. Nuit. Qui parle ? Des femmes. Sur ma peau. Manège. Fourrure. Eau. Serrée. Étoile. Dring. Poids. Hommes. Picotements. Sucre. Chaud. Fatigue. Lourd. Vanille. Qui ? Où ? Cheveux ? Vert. Terre. Lac. Soleil. Jour ? Quand ? Quoi ?

::

26 novembre

Le soleil inondait la chambre de lumière quand Aymeric entrouvrit les rideaux beiges. Il posa un sac thermos sur la chaise près d'Hélène, se pencha vers elle, prit ses mains entre les siennes. Il se rappela un autre matin, dans un autre hôpital où il avait massé les mains de sa mère. Il avait l'impression que dix ans s'étaient écoulés depuis. Mais son souvenir ne serait pas si vif, si cela faisait aussi longtemps. Il ne se souviendrait pas d'avoir fixé les veines des mains lasses de Lucie, de s'être dit qu'aucune tache de vieillesse ne les ternirait, que c'était injuste qu'elle meure si tôt. Une pression sur ses doigts le fit sursauter: Hélène serrait son index.

— Hélène? Maman? M'entends-tu?

Il retint son souffle, attendant qu'elle serre de nouveau son doigt, mais y renonça après quelques minutes.

— Je t'ai apporté ma tarte à la tomate. Je l'ai faite chez Gabrielle. Son four n'est pas terrible. C'est vraiment mieux, le gaz. Je pensais que tout le monde avait des gazinières, ici. Mais Ornella m'a ensuite vanté sa cuisinière à induction. J'espère que ma tarte sera tout de même bonne, parce qu'il paraît que tu aimes les tomates autant que moi… Je dis que c'est une tarte, mais ça ressemble plus à une pizza, d'après tes copines. Sauf que ce n'est pas de la pâte à pizza.

Dès qu'il retira la pellicule de plastique qui protégeait la tarte, un parfum d'ail, de thym, d'huile d'olive et de tomate grillée lui chatouilla les narines.

— Je pourrais en manger tous les jours, confia-t-il à Hélène en déposant un morceau de tarte sur une serviette en papier. Et avec les doigts, c'est meilleur.

Il tint la tarte sous le nez d'Hélène, vit ses narines se dilater, puis ses yeux s'ouvrir. Son cœur se mit à battre plus vite, tandis qu'il retenait sa respiration: avait-il rêvé? Les paupières étaient maintenant closes. Puis Hélène ouvrit de nouveau les yeux, Aymeric lui sourit. Il comprenait pourquoi les Muses avaient toutes été troublées quand elles l'avaient vu: il avait hérité sans aucun doute de la couleur des yeux d'Hélène.

— C'est moi, maman. Je suis avec toi.

Il retenait toujours son souffle, comme si l'instant était si fragile qu'il pourrait être balayé s'il respirait. Mais Hélène fronçait les sourcils, fermait les yeux et les ouvrait. Encore et encore. Aymeric pressa le bouton d'alarme et Suzanne Chalifour poussa la porte de la 1002 quelques instants plus tard.

— Elle a ouvert les yeux. Plusieurs fois. Elle est là !

Suzanne scruta le visage d'Hélène qui avait refermé les yeux, passa une main sur sa joue.

— Nous sommes à l'hôpital, Hélène. Tout va bien. Vous êtes en sécurité.

Les paupières frémirent et Suzanne découvrit à son tour le bleu ardoisé des yeux d'Hélène. Elle lui sourit alors que des larmes coulaient sur ses joues. Elle se tourna vers Aymeric, le vit s'essuyer les yeux.

— J'appelle les Muses. Elle est revenue. C'est ma tarte à la tomate ! Elle aime les tomates. C'est son fruit préféré. Il paraît qu'elle cultive toutes sortes de variétés dans son potager et…

Il se tut, conscient qu'il racontait n'importe quoi.

— J'appelle les Muses, répéta-t-il.

: :

Tarte à la tomate

- ½ paquet de pâte feuilletée du commerce
- 15 à 20 tomates cerises coupées en rondelles
- 125 ml (½ tasse) d'olives vertes et noires, dénoyautées et en morceaux
- 15 ml (1 c. à soupe) de ciboulette hachée
- Huile d'olive
- Mozzarella ou burrata

Préchauffer le four à 200 °C (400 °F).

Sur une plaque à pâtisserie recouverte de papier parchemin, étaler la pâte feuilletée en un carré d'environ 10 x 10 pouces, puis la piquer avec une fourchette. Faire cuire la pâte 5 minutes.

Couvrir la pâte de rondelles de tomates (en couper plus si nécessaire). Ajouter les olives et la ciboulette. Arroser d'un filet d'huile d'olive (environ 2 c. à soupe).

Enfourner 15 minutes ou jusqu'à ce que la pâte soit dorée.

Ajouter la mozzarella en morceaux et cuire encore 5 minutes.

Servir avec une salade de roquette.

Donne 2 portions.

: :

— Ce sera étourdissant pour Hélène de toutes nous voir, murmura Justine. Le Dr Blais nous a dit qu'elle serait désorientée en s'éveillant.

— Mais elle verra que nous sommes près d'elle, objecta Viviane. Pour la rassurer.

— Et si elle ne nous reconnaît pas ? dit Gabrielle. Elle avait l'air perdue lorsqu'elle m'a regardée.

— Elle a dormi durant des semaines, c'est normal, dit Ornella. Quand on se réveille dans une chambre d'hôtel, on se demande pendant quelques secondes où on est. Imagine pour Hélène, après tant de temps…

— L'important, reprit Marie, c'est qu'elle a ouvert les yeux à plusieurs reprises, qu'elle semble chercher à comprendre où elle est. On sent sa volonté. Les brumes de son cerveau se dissiperont. Elle était agitée, je suis certaine que c'est bon signe, qu'elle essaie de chasser sa torpeur.

— Penses-tu ? J'ai eu l'impression qu'elle avait peur…

— N'importe qui se réveillant dans une chambre d'hôpital panique un peu, déclara Ornella.

— Oui, avec l'anesthésie… renchérit Marie.

— C'est long, s'impatienta Viviane. Qu'est-ce qu'ils lui font ?

Les Muses attendaient dans le couloir que les médecins et les infirmières sortent de la chambre 1002.

— Ils doivent évaluer son état. Le neurologue pourra peut-être nous en dire davantage.

— Suzanne m'a expliqué qu'ils établiront un programme de rééducation pour Hélène.

— J'ai parlé avec Céline Villeneuve, dit Ornella. Elle s'est offerte pour rencontrer Hélène sur une base régulière. Bénévolement. C'est si généreux de sa part. Tout ce qu'elle exige, c'est d'être invitée chez Strega le jour où Hélène retournera à ses fourneaux.

— Cette psy avait célébré son mariage au resto, non ? rappela Justine.

— C'était une fête magnifique, dit Ornella. Strega venait tout juste d'ouvrir. Le premier gros événement d'Hélène. Il me semble que c'était hier. Alors que Céline a déjà trois gamins.

— Et elle veut tout de même voir Hélène chaque semaine ?

— Et même plus d'une fois par semaine. Elle sera là dès demain. Il paraît que c'est important qu'Hélène soit suivie par un spécialiste dès les premiers jours du retour au monde, car elle vivra une grande anxiété.

— Céline pourra aussi nous guider, dit Marie, nous expliquer comment agir avec Hélène. Il y a peut-être des choses à faire ou à ne pas faire...

— Je suis sûre qu'on doit continuer à préparer des plats, avança Gabrielle. Alex a proposé son lapin au chorizo.

— Ah ! Le beau Alex ! firent en chœur les Muses. Il sait faire la cuisine, en plus ?

— Il sait tout faire, répondit Gabrielle. Sauf tresser les cheveux de Félicie. Mais elle l'aime quand même.

— J'ignorais que tu le lui avais présenté, dit Justine.

— On n'a pas de temps à perdre, ni lui ni moi. C'est ce que les événements des derniers mois m'ont appris. Toutes ces semaines où Hélène était inconsciente, je me disais qu'elle n'avait pas assez profité de sa vie, qu'elle n'avait fait que travailler.

— Tu exagères, protesta Ornella. Et elle aime tant son Strega.

— Peut-être, mais...

La porte de la 1002 s'ouvrit. Les Muses interrogèrent du regard le Dr Blais et le Dr Gagnon. Qu'avaient-ils à leur apprendre ?

— Elle est toujours désorientée, mais elle a réussi à prononcer quelques mots. Difficilement, mais j'ai reconnu vos noms.

— Nos noms ? s'écrièrent-elles.

Suzanne Chalifour hocha la tête. Hélène avait articulé les prénoms de ses amies. Elle les vit se rapprocher les unes des autres pour se tenir par la main, émerveillées qu'Hélène les ait nommées.

— Tu… tu es certaine ? demanda Gabrielle d'une voix mal assurée tout en essuyant ses joues trempées de larmes.

— Oui. Puis elle s'est rendormie, répondit l'infirmière.

— Mais elle se réveillera ? s'inquiéta Viviane. Il n'y a pas de danger qu'elle retombe dans le coma ?

— On ne peut pas le garantir, fit le Dr Gagnon, mais son réveil ressemble à celui d'autres patients que j'ai suivis. Ils n'ont jamais replongé dans les limbes.

— Ils sont redevenus eux-mêmes ? osa Ornella.

— On ne ménagera aucun effort pour l'aider à retrouver sa personnalité, promit le Dr Blais. Toute l'équipe se mobilise pour Mme Holcomb.

— On peut la voir ?

— Oui, mais allez-y seulement deux à la fois. Son cerveau est en roue libre, trop de monde, trop de lumière, trop de bruit vont l'empêcher de fixer son attention. Ça peut l'angoisser. Elle a besoin de beaucoup de calme.

::

14 février

Hélène roula le tapis qu'elle avait étendu sur le sol pour faire ses exercices quotidiens. Qu'elle aurait trouvés fastidieux si Athéna ne l'avait pas supervisée, grimpant sur sa poitrine ou jouant dans ses cheveux tandis qu'elle multipliait les redressements assis. Elle se releva lentement, se rappelant les vertiges qui l'assaillaient lors des premières semaines qui avaient suivi son éveil. Soupira. Pourquoi se souvenait-elle de ces étourdissements quand elle n'arrivait pas à se rappeler, au déjeuner, le nom de l'oiseau rouge qui mangeait des graines dans la cour ? « Vous progressez très rapidement », l'assuraient les médecins, lui répétait Céline. Rapidement ? Alors qu'elle n'avait pas encore réussi à cuisiner une viande correctement parce que la notion de temps lui échappait toujours ? Sans l'odeur de brûlé, elle aurait laissé le bœuf calciner dans la poêle jusqu'à l'arrivée des pompiers. Et pourquoi ne parvenait-elle pas à allumer le téléviseur ? Et pourquoi se heurtait-elle encore aux murs, aux meubles comme si elle était ivre, alors qu'elle était certaine de n'avoir rien bu ? Et son chandail ? Où était-il ? Son chandail qui était… d'une couleur qu'elle connaissait et qu'elle aimait. Elle donna un coup de pied dans le ballon d'exercice qui roula jusqu'aux pieds d'Ornella qui venait de se lever.

— Mauvais matin ?

— Je ne trouve pas mon chandail.

— Lequel ?

— Je… je ne sais pas, celui que j'aime.

— On va le chercher ensemble, dit Ornella.

Elle espérait qu'Hélène évoquait le pull bleu en mérinos qu'elle avait mis au lavage. Que son amie ne l'avait pas caché dans un endroit défiant toute logique.

— Si c'est le bleu, il est dans la salle de lavage, reprit-elle. Viens avec moi.

Hélène la suivit docilement et Ornella se réjouit que sa personnalité n'ait pas été modifiée au point de devenir agressive ou même violente. Hélène montrait plus d'impatience, mais n'aurait-elle pas été aussi exaspérée par toutes les frustrations qui se multipliaient dans une journée si elle avait été à la place de son amie ? Comment savoir si ses sautes d'humeur étaient justifiées ou résultaient de son état ? Si elles allaient disparaître quand Hélène retrouverait plus d'autonomie ? Elle disait qu'elle était prête à vivre seule, mais tous savaient que c'était prématuré. Hélène se fâchait chaque fois qu'elle évoquait cette possibilité et qu'un médecin, une infirmière ou une des Muses la contredisaient.

— Oui, tu as fait d'énormes progrès, avait dit Marie, mais c'est prématuré de te laisser te débrouiller sans aide.

— On serait trop inquiètes, avait avoué Gabrielle. Si tu trébuches ou si tu oublies de verrouiller tes portes ou…

— Julius ne peut pas revenir pour me tuer, l'avait coupée Hélène. Il est en prison. Ça, je m'en souviens.

— N'empêche qu'il est préférable qu'on habite avec toi chacune notre tour, avait dit Gabrielle. Ça nous fait plaisir de pouvoir te parler et que tu nous répondes.

— Quand je ne cherche pas mes mots…

— Tu as survécu ! avait martelé Marie. SUR-VÉ-CU ! Rien ne compte plus que ça !

La voix altérée de son amie, les regards anxieux des Muses avaient rappelé à Hélène à quel point elles avaient eu peur de la perdre. Dans le chaos de son réveil, elle avait lu un tel soulagement dans les yeux de ses amies quand elle avait prononcé leurs noms, qu'elle avait deviné qu'elles avaient vécu des jours d'angoisse. Elle avait vu leurs larmes couler, avait demandé si quelqu'un était mort, elles l'avaient rassurée. Mais Marie et Gabrielle avaient continué de pleurer tandis qu'Ornella et Viviane lui avaient répété qu'elle était en sécurité à l'hôpital, qu'on s'occupait bien d'elle.

Est-ce qu'elles lui avaient parlé beaucoup plus tard d'Aymeric ?

Tout était si flou. Alors que l'image de son fils se penchant vers elle était imprimée pour toujours dans sa mémoire. Comme le son de sa voix. Le blond vénitien de ses cheveux qui ressemblaient à ceux de Justine. Il avait dit « maman » à plusieurs reprises et elle s'était promis de lui répondre.

— Est-ce que tu m'as dit qu'Aymeric doit revenir bientôt ? demanda-t-elle à Ornella.

— Absolument ! Tu vois que la mémoire te revient ! Ton fils arrive après-demain. On se retrouvera à l'atelier d'Hélène. C'est Arnaud et Kim qui préparent tout. Je m'occupe des vins.

— Arnaud, le chef français ? Et celui qui fait du chocolat ?

— Oui, Kim fait du chocolat. Il était à l'hôpital en même temps que toi, mais il va très bien aujourd'hui. Arnaud est son ami et l'amoureux de Suzanne, l'infirmière en chef, rappela Ornella. Ils se sont rencontrés grâce à toi. Tout comme Gabrielle et Alex.

Hélène sourit avant de dire qu'elle serait contente de les recevoir pour leur mariage quand elle retournerait chez Strega.

— Ce n'est pas demain la veille, soupira-t-elle.

— Sois patiente…

— Je veux parler avec Arnaud. Il faut qu'il comprenne qu'Aymeric n'est pas n'importe qui ! C'est moi qui devrais tout cuisiner pour son retour.

— Ça viendra. Ça reviendra, jura Ornella. Arnaud a prévu une salade de céleri, noix de macadamia, menthe et bacon en entrée, puis des tagliatelles aux escargots et aux morilles. C'est Kim qui se charge du dessert, au chocolat évidemment. Aromatisé à la fève tonka, paraît-il.

— Justine aime la fève tonka, dit Hélène.

Elle respira le creux de son poignet où s'épanouissait chaque jour le parfum qu'avait créé leur amie. Était-elle retournée en France ?

— Oui, dit Ornella.

Elle espérait que sa voix ne trahissait pas son découragement. Le passé et le présent continuaient à se télescoper dans l'esprit d'Hélène. Moins qu'avant, certes, mais cette question l'inquiétait : Hélène ignorait-elle vraiment que Justine était repartie deux jours plus tôt ?

: :

Pâtes aux escargots et aux morilles

- 30 g (1 oz) de morilles séchées
- 190 ml (¾ tasse) de crème 35 %
- 250 ml (1 tasse) d'escargots en conserve, égouttés
- 125 ml (½ tasse) de vin blanc sec + 90 ml (6 c. à soupe)
- 1 oignon, émincé
- 30 g (2 c. à soupe) de beurre
- Pâtes cuites chaudes (style tagliatelles)

Réhydrater les morilles 15 minutes dans de l'eau tiède. Jeter l'eau, puis mettre les morilles à tremper dans la crème pendant au moins 6 heures ou toute la nuit. Pendant ce temps, déposer les escargots égouttés dans la demi-tasse de vin blanc au moins 6 heures ou toute la nuit.

Après le temps de macération, égoutter les morilles et réserver la crème. Égoutter les escargots et jeter le vin.

Faire revenir l'oignon dans le beurre, puis y ajouter les morilles. Incorporer ensuite les escargots.

Déglacer avec le vin blanc restant et faire réduire quelques minutes pour épaissir la sauce. Ajouter la crème. Assaisonner au goût.

Mélanger à des pâtes cuites.

: :

23 mai

Arnaud Fontaine observait Kim qui s'affairait auprès d'Hélène. Elle s'était assise au soleil et questionnait Kim sur la vie qui revenait dans les ruches après des mois d'hibernation.

« Je ressemble à tes abeilles », l'entendit dire Arnaud avant de retourner chercher les entrées.

— Elle a raison, fit Suzanne derrière son dos. Elle a traversé un rude hiver. Mais elle est tellement vaillante. Vous avez donc pu cuisiner ensemble ?

— Oui, répondit Arnaud. Et c'est une expérience très curieuse. Je pensais qu'on préparerait les plats fétiches du Strega. Non, Mme Holcomb m'a plutôt proposé des associations qui m'ont paru tout d'abord étranges, mais qui sont très séduisantes. C'est difficile à expliquer. J'ai l'impression qu'elle fait table rase de tout ce qu'elle sait pour tout reconstruire. Tout en sachant intimement quels gestes doivent être posés. Je suis incapable de mesurer si ces mariages insolites résultent des troubles de son cerveau ou si... je... si...

— Si ces troubles n'ont pas eu des retombées créatives bénéfiques ?

— Oui. Elle me fascine, reconnut Arnaud Fontaine.

— Est-ce que je dois être jalouse ? le taquina Suzanne.

— Alors que tu es ce qui m'est arrivé de mieux dans les trente dernières années ? Apporte les rouleaux aux fruits de la passion sur la terrasse au lieu de proférer des grossièretés. Je me charge de la salade de homard.

— Il n'est rien resté du crumble de céleri-rave aux amandes. C'était divin !

— Il ne faudra pas oublier le sorbet au thym avant de servir les fromages.

— Je n'oublie pas ce genre de choses. Tu rapportes aussi du champagne ? fit Suzanne.

— À vos ordres, madame Fontaine.
— Pas encore…
— Je m'exerce, sourit Arnaud. Tu t'habitues à porter ta bague ?
— Très facilement, dit Suzanne avant d'effleurer ses lèvres.

: :

Salade de homard

- 3 grosses asperges
- 120 ml (1 pot) de crème fraîche Riviera (ou un équivalent)
- 30 ml (2 c. à soupe) de mayonnaise maison
- 15 ml (1 c. à soupe) de jus de citron
- Le zeste d'un citron
- 80 g (⅔ tasse) de petits pois verts frais ou décongelés
- 2 homards cuits et décortiqués
- 15 ml (1 c. à soupe) de ciboulette hachée OU de fines tranches d'oignon rouge
- 15 ml (1 c. à soupe) d'amandes effilées grillées (ou plus, au goût)

À la mandoline, trancher les asperges en rubans, puis les couper en morceaux. Réserver.

Dans un bol, mélanger la crème, la mayonnaise, le jus et le zeste de citron. Incorporer ensuite les petits pois.

Au milieu d'une assiette, déposer le mélange de crème en formant un petit dôme. Ajouter autour les morceaux d'asperge, puis disposer les queues de homard d'un côté et les pinces de l'autre. Parsemer de ciboulette et d'amandes. Décorer avec des rondelles de citron.

Donne deux portions.

::

9 septembre

Les derniers rayons de soleil avaient fait briller les couverts, le liséré doré des assiettes, le cristal des verres, le papier métallique des collerettes des bouteilles de champagne qui reposaient dans les seaux à glace. Hélène contempla la grande table avec satisfaction et se força à ne pas vérifier pour une dixième fois qu'elle n'avait rien oublié. Ses craintes n'étaient pas fondées. Elles faisaient simplement partie des séquelles laissées par le coma et si cette anxiété nouvelle l'agaçait parfois, Hélène mesurait la chance qu'elle avait d'avoir pu recommencer à créer, d'avoir pu montrer à son fils cet aspect positif de sa personnalité. Ornella disait qu'elle voulait impressionner Aymeric et c'était vrai. Elle voulait qu'il soit fier d'elle, qu'il finisse par oublier les images de l'hôpital, les premières semaines de rééducation, alors qu'elle tenait des discours incongrus, qu'elle vacillait, qu'elle exigeait qu'on garde le silence autour d'elle. Comme il avait été patient. Presque autant que les Muses.

Elles l'avaient bouleversée en lui remettant l'album des recettes qui avaient été préparées pour la ramener à la vie. Les photos des plats, les dates, les petits mots d'encouragement des préposés, des infirmières, des médecins qui avaient participé à l'aventure aromatique de ses amies l'avaient aidée à combattre le sentiment de perte de toutes ces journées sans conscience. Elle avait l'impression d'avoir été lésée par cette amputation du temps, mais les témoignages d'amitié qui s'épanouissaient dans l'album la rassérénaient chaque fois qu'elle l'ouvrait. Elle reconnaissait la chaleur de Marie, la fantaisie de Gabrielle, la vivacité de Viviane, la constance d'Ornella, la douceur de Justine dans ces pages dont trois étaient tachées de sauce, de beurre et de chocolat. Oui, elle avait eu de la chance. Et elle en avait encore puisqu'elle pouvait recevoir tous ceux et celles qu'elle aimait.

Elle avait préparé des cannelés au cumin et aux pacanes, des verrines de pétoncles aux fraises d'automne, des cuillères de tartare de crevettes et d'oursins cachés sous des feuilles de nori, une burrata aux dés de citron Meyer et sa salade de fenouil qui précéderaient le pigeonneau à la rhubarbe, sans oublier les ramequins de caviar au jambon fumé et aux œufs bénédictine qui rendraient hommage au Eleven Madison, dont elle parlait avec tant d'admiration avec Marie au moment de traverser la frontière. Elle avait retrouvé les notes qu'elle avait prises à New York et décidé de recréer aussi la focaccia à la truffe du célèbre restaurant. Elle avait néanmoins laissé à Jean-Yves, qui l'avait remplacée chez Strega durant des mois, le soin de les épater avec le dessert. Elle ferait semblant d'être surprise lorsqu'il lui présenterait un napoléon aux pêches blanches, mais elle savait qu'il savait que c'était son fruit préféré, qu'il en avait acheté en juillet en prévision du jour où ce banquet les réunirait tous. Rêvait-elle ou seraient-ils vraiment vingt personnes, dans moins d'une heure, à célébrer l'amitié ?

Sachant qu'elle était maintenant plus anxieuse, Aymeric l'avait déjà appelée de l'aéroport pour lui dire qu'il était bien arrivé avec son père, qu'Ornella les avait déposés à leur hôtel et qu'ils les rejoindraient bientôt. Elle avait hâte de remercier cet homme d'avoir si bien aimé son fils. Les voix joyeuses de Marie, Justine, Gabrielle et Alex, de Viviane et Mathilde qu'elle devinait derrière la haie de cèdres qui délimitait la terrasse du Strega la firent sourire. Les premiers invités arrivaient, la soirée commençait, alors que le ciel prenait la teinte exacte d'une rose de Berne, cette tomate à la chair tendre et sucrée, si délectable, qu'aimait tant son fils.

INDEX DES RECETTES

REMERCIEMENTS

L'auteure tient à remercier chaleureusement :

Dr Johanne Blais pour ses explications, ses conseils et sa patience, sans qui ce roman n'aurait pu être écrit.

Dr Vania Jimenez pour sa lecture attentive.

Michèle Sirois qui m'a gentiment guidée dans l'univers des clowns qui exercent leur métier si particulier dans les hôpitaux.

Adrien Smigielski qui m'a permis d'emprunter sa délicieuse recette de tartare de thon.

Gilles Langlois, fidèle complice, pour sa lecture vigilante.

François Julien, toujours présent pour répondre à des questions parfois bizarres.

André d'Orsonnens, Luc Roberge, Elisanne Crevier et toute l'équipe de Druide qui ont accueilli ce projet différent avec enthousiasme.

Jacinthe Bouchard qui a trouvé le titre.

Lise Duquette qui, à chaque roman, met tant d'attention à sa révision.

Anne Tremblay pour la conception graphique de la couverture.

Patrick Leimgruber, ami fidèle qui s'occupe de tout pour moi, ainsi que l'agence Goodwin.

CHRYSTINE BROUILLET

J'ai commencé à penser à écrire un roman sur l'amitié il y a plus de vingt ans. J'habitais à l'époque à Paris où je n'aurais pu survivre sans l'accueil de mes amis. Et sans la fidélité de ceux et celles qui, malgré l'éloignement, me conservaient leur affection. L'idée s'est précisée avec les années, au fil des repas où le plaisir des retrouvailles est toujours intact. Et de plus en plus précieux. Le temps qui passe n'agit-il pas aussi sûrement sur l'amitié que sur les grands crus qu'il bonifie ?

Si les personnages de « la brigade des Muses » sont fictifs, ils empruntent toutes leurs qualités à ceux et à celles que j'aime... dont la gourmandise qui, loin d'être un défaut, est une merveilleuse source de bonheur partagé. Les recettes que préparent les Muses ont été glanées au cours de quatre décennies à des amis gourmets ou inspirées par des soirées dans de formidables restaurants et testées pour approbation auprès de sympathiques cobayes. J'espère que cet hommage à l'amitié par l'évocation des goûts et des parfums vous donnera envie de célébrer à votre tour ce sentiment unique qui est le sel de nos existences.

ACHEVÉ D'IMPRIMER EN AOÛT 2018
SUR DU PAPIER 100 % RECYCLÉ
SUR LES PRESSES DE MARQUIS IMPRIMEUR,
QUÉBEC (CANADA).